D1269997

AÑOS LENTOS

El pasado noviembre de 2011, un jurado integrado por Juan Marsé, en calidad de presidente, Almudena Grandes, Juan Gabriel Vásquez, Rafael Reig y, en representación de la editorial, Beatriz de Moura otorgó por mayoría a esta obra de Fernando Aramburu el VII Premio Tusquets Editores de Novela.

Obras de Fernando Aramburu en Maxi

Los peces de la amargura
Años lentos
Viaje con Clara por Alemania
Las letras entornadas
El trompetista del Utopía
Fuegos con limón
El vigilante del fiordo
Patria
Autorretrato sin mí

FERNANDO ARAMBURU

AÑOS LENTOS

El papel utilizado para la impresión de este libro está calificado como **papel ecológico** y procede de bosques gestionados de manera **sostenible**.

1.ª edición en colección Andanzas: febrero de 2012
1.ª edición en colección Maxi: noviembre de 2013
2.ª edición en colección Maxi: febrero de 2014
3.ª edición en colección Maxi: diciembre de 2016
4.ª edición en colección Maxi: marzo de 2017
5.ª edición en colección Maxi: mayo de 2017
6.ª edición en colección Maxi: septiembre de 2017
7.ª edición en colección Maxi: diciembre de 2017
8.ª edición en colección Maxi: febrero de 2018
9.ª edición en colección Maxi: julio de 2019
10.ª edición en colección Maxi: febrero de 2021

Ilustración de la cubierta: *Sunny San Sebastian,* fotografía de Leonard Andersson. © Flickr / Getty Images.

Fotografía del autor: © C.P.

Diseño de la colección: FERRATERCAMPINSMORALES

ISBN: 978-84-8383-749-8
Depósito legal: B. 20.913-2013
Impresión y encuadernación: CPI (Barcelona)
Printed in Spain - Impreso en España

Índice

Años lentos

Primera cena

Yo, señor Aramburu, por las razones que usted conoce, siendo niño pasé nueve años con unos parientes míos de San Sebastián. Y fue de esta manera: que mi pobre madre, desamparada por aquel mal hombre que fue su esposo, al cual me niego a nombrar en este escrito, no podía mantenernos ni a mí ni a mis hermanos; buscó ayuda en el pueblo, no la encontró y en consecuencia no tuvo más remedio que darnos a la Casa de Misericordia de Pamplona.

Decía llorando que por unos meses, pero nosotros sospechamos que mentía para hacernos la reclusión más llevadera. Movidos por el cariño que le profesábamos, fingimos creer que dentro de poco tiempo estaríamos de vuelta en casa. Ya que no es esta la historia que a usted le conviene para su novela, la acortaré diciendo simplemente cómo mi madre tenía una hermana que se había ido a trabajar de joven a una fábrica de boinas de San Sebastián. Fue también criada en casa de unos franceses y no sé qué más.

Allí conoció a mi tío Vicente Barriola, que era originario de la ciudad, más conocido por el apodo de Visentico. Se casaron y tuvieron dos hijos, chico y chica. Esta tía carnal nuestra, María del Puy Aranzábal, para nosotros tía Maripuy, le ofreció a mi madre acoger a uno de sus hijos, en modo alguno a los tres, pero sí a uno como le digo porque para todos no había espacio en su casa.

Yo era el más joven, todavía un niño, y tenía fama de modoso, de forma que por dichas causas fui el favorecido. En cuanto a mis hermanos, desarrollaron a partir de entonces una especie de comunión afectuosa que todavía les dura y de la que yo por desgracia he quedado excluido, aunque me entiendo bien con los dos, mejor si los encuentro por separado que cuando estamos los tres juntos.

Con esta declaración pongo fin al preámbulo familiar que usted no necesita para su novela. No obstante, lo tenía que escribir para no privar de sentido a lo que sigue y porque, acordándome de lo que usted me dijo, he considerado preferible que la narración de mis recuerdos tenga un comienzo a que no tenga ninguno. Usted mismo me animó a expresarme como me diera la gana, con precisión pero sin cuidado de la estructura ni del estilo, que eso es cosa suya como escritor que es.

Pues bien, llegué a San Sebastián en un autobús que llaman la Roncalesa una tarde de principios de 1968. Acababa de cumplir ocho años. Un vecino del pueblo nos llevó a mi madre y a mí en su coche a Pamplona. En Pamplona, donde lucía el sol, no vi más agua que la que le salía a mi madre de los ojos. En San Sebastián el cielo estaba encapotado. Caía esa lluvia fina que parece que no moja, pero moja igual que todas las lluvias, conocida popularmente con el nombre de sirimiri. Viendo, dentro de una misma tarde, aquella diferencia en el aspecto del cielo, tuve la impresión de que me había ido a vivir muy lejos.

Mi primo Julen acudió a recibirme obligado por su madre. En su cara adiviné el disgusto que le producía cumplir el cometido. Llegó tarde a la parada del autobús y me dispensó una acogida por demás hostil, hasta el punto de hacerme pensar que mis hermanos se equivocaban al considerarme un niño afortunado.

Yo estaba sobre aviso de que algún pariente iría a recogerme. Menos mal, ya que sin ayuda no habría podido orientarme en una ciudad que había visitado antes una sola vez, a la edad de dos, quizá tres años, con motivo de una celebración familiar de la que nada más tenía noticia por los pocos pormenores que me había contado mi madre al respecto.

Bajé del autobús, recogí mi equipaje, los viajeros se dispersaron y yo me vi solo en la acera. Estuve esperando, sin saber a quién, durante más de media hora bajo el tejadillo de un escaparate. En mi pueblo no había por entonces nada parecido. Bueno, teníamos la carnicería de Ceferino Arrastia, con una ventana baja por la que se podían ver las piezas de carne colgadas en el interior.

Empezaban a apretarme las ganas de pedir ayuda a un guardia cuando apareció mi primo Julen tapándose con un paraguas. Tenía un cigarrillo pinzado entre los dientes. Me hizo un gran desprecio. Y fue que entró en un bar cinco o seis metros antes de llegar a mi lado.

Lo primero que dijo al verme fue:

—¿Cómo tú por aquí, navarro de los cojones?

Y a continuación, a manera de saludo, me amagó un puñetazo desde su altura de mozo fornido.

Echamos a caminar bajo la lluvia por calles desconocidas para mí. Julen era andarín y montañero, y enseguida me lo hizo sentir. Dijo que iríamos a pie, de donde yo deduje ingenuamente que no hacía falta usar el transporte público por ser corta la distancia que debíamos recorrer. No tardaron mis piernas en comprobar el error. Por la noche supe que mi tía había dado dinero a mi primo para el trolebús. Él excusó el gasto, supongo que por haberle puesto precio al trabajo de acompañarme a su casa.

Julen iba delante con sus zancadas, su paraguas negro y una mano en el bolsillo de los pantalones; yo, detrás, cargado con un maletón de los de entonces, o sea, sin ruedas, y la caja de cartón donde mi madre había metido dos gallinas vivas de regalo para nuestros parientes.

El peso me impedía caminar a la par de mi primo. Espoleado por el miedo a perderme, trataba de acortar la ventaja corriendo a la poca velocidad que los bultos me permitían, pese a lo cual, apenas lograba el propósito, volvía a retrasarme.

Llegamos de esta manera, tan mojado yo por el sudor como por la lluvia, al bello paseo que bordea la bahía. El mar, entonces crecido, apenas dejaba al descubierto una estrecha franja de arena. En algunas partes las olas golpeaban de lleno contra el muro. De vez en cuando un rocíon salía disparado hasta más arriba de la barandilla.

A Julen no le pasó inadvertido mi gesto de asombro. Esperó a que llegase a su lado y, socarrón, me dijo con estas o parecidas palabras:

—Ahí está el mar que los navarros nos quisieron robar a los vascos cuando la guerra. Cada uno venía con dos baldes y entre todos se llevaron la tira de agua.

Me preguntó si yo sabía dónde habían escondido mis paisanos el agua robada. Creyendo que hablaba en serio le aseguré que no podía estar en mi pueblo, donde ni siquiera teníamos río, pero que a lo mejor habían llenado con ella el pantano de Alloz.

Dijo él por rematar la burla:

—Te habrás acordado de traer un par de litros de vuelta, ¿eh?

—No.

—¡Qué mala gente sois los navarros!

Aún tuvo tiempo de infligirme por el camino otra humillación. Y fue que, atravesando el barrio de El Antiguo, me mandó que lo esperase junto a una farola alta que se divisaba al fondo de la calle. Yo así lo hice, refugiándome del persistente sirimiri a la entrada de una farmacia, y él, mientras tanto, entró en dos o tres bares antes de reunirse conmigo.

Caminamos algo menos de una hora desde la parada del autobús hasta los mismos bordes de la ciudad, donde ya empezaba el campo. Allí, en una explanada entre colinas, se apiñaban unas casas blancas, de hasta tres pisos las más grandes, que respondían al nombre de grupo Zumalacárregui y formaban parte del barrio de Ibaeta. Eran viviendas de gente proletaria construidas años atrás bajo los auspicios de la Obra Sindical del Hogar y Arquitectura. Cosa del régimen de Franco, pues, como lo confirmaba una placa de cemento a la entrada del barrio, donde campeaba el símbolo del yugo y las flechas, y como usted sabe de sobra, señor Aramburu, por cuanto vivió largos años en el número 4 de aquel arrabal, suburbio o lo que fuera. Doy por seguro que dicha circunstancia me exime de describir el sitio.

Pero a lo que iba. Julen y yo llegamos de atardecida al portal de mis tíos. En esto, mi primo depositó el paraguas en el suelo y, pidiéndome que lo cogiera, me arrancó de las manos el maletón y la caja con las gallinas para dar a entender a sus familiares que me había venido ayudando por el camino.

Lanzó de pronto un silbido descomunal por el hueco de la escalera, de forma que su madre, en el tercer piso, y no otros vecinos a quienes no estaba destinada la señal, abrió la puerta cuando nosotros apenas habíamos alcanzado el rellano del entresuelo.

Me recibieron mis parientes con bastante poca efusión, no así mi tía Maripuy, que me estrujó entre sus brazos como a cosa suya que no deseaba compartir con nadie.

A continuación me regañó por llegar con la ropa mojada y criticó a mi madre por el dispendio de las gallinas. Repitió la crítica cuando saqué del maletón un paquete de higos un tanto aplastados y un cuarto de gorrín envuelto en papel de estraza.

Cenamos los cinco en la cocina, todos sentados a una mesa menos mi tía Maripuy, que, atareada junto al fogón, comió de pie.

Me produjo extrañeza lo poco que hablaban mis parientes entre sí. Miraba cada cual su plato como si escudriñase el contenido. No habiendo conversación que acallase los ruidos de las bocas, se les oía sorber y masticar un poco como a los cerdos, quiero decir sin los disimulos impuestos por los buenos modales, entremezclados los sonidos de su voracidad con el tintineo de los cubiertos al chocar contra la loza.

Tan sólo en el momento de sentarnos a la mesa me hicieron algunas preguntas sobre el viaje y sobre mi madre y mis hermanos; luego ya no se habló más como no fueran unos rudimentos de conversación que a menudo les bastaban para comunicarse.

—¿Pan?

—Ahí.

Después de servida la sopa, mi tío dijo:

—Quema.

Y mi tía, sin volver hacia él la mirada, replicó:

—Sopla.

En el curso de aquella primera cena, Julen me hizo un favor con que mostró tenerme menos fila de lo que yo suponía. Y fue de este modo: que mi tía, excelente cocinera, aunque no siempre de manjares de mi gusto, preparó aquella noche, con intención de contentarme, una cazuela de congrio en salsa con rodajas de patata, almejas y perejil.

Nunca antes me había sido dado probar aquella clase de pescado. En el pueblo no se comía por entonces otro que el que traía para vender los viernes un gitano: sardinas, verdeles, barbos, o sea, peces comunes de mar o de río, jamás congrio y raras veces marisco.

Total, que sólo la vista del pellejo negro bastó para que se me cerrara de golpe la boca del estómago. Mi tía, que me tenía por desnutrido y quería a toda costa aleccionar a su hermana en materia de alimentación de los hijos, me sirvió los dos cachos mayores de la cazuela, con abundancia de tropezones y un cucharón raso de salsa.

Al principio me entretuve mordisqueando los trozos de patata en la esperanza de ganar tiempo, no sé con qué finalidad, cosa de niños. Y aunque ninguno de mis parientes tenía la mirada puesta en mí, se me figura que todos se percataron de mi renuencia a comer.

Intervino, severa, mi tía Maripuy:

—¿No te gusta o qué?

—Es que no tengo hambre.

Mi tía no era mujer condescendiente ni diplomática.

—Come.

Corté un cachito de carne blanca de pescado, me lo llevé a la boca, sentí la contextura viscosa y como de goma del congrio, y al punto me dio una arcada. Julen, sentado frente a mí, pinchó uno de mis trozos con su tenedor; despachado en cuatro bocados, pinchó el otro y, con la misma rapidez que el primero, lo hizo desaparecer en el interior de su robusta persona.

Tras la cena, madre e hija recogieron la cocina; mi tío se caló la chapela y bajó al bar Artola, el único del barrio; mi primo se fue en busca de sus amigos y yo le dije a mi tía que me sentía cansado y me quería acostar.

Por ser todavía pronto y oírse ruido de voces en la calle y en el edificio, no me era posible conciliar el sueño. Me dediqué entonces a llorar con la cara vuelta hacia la pared, pensando en mi madre, en mi pueblo, en la lluvia y en el congrio, y a veces me sosegaba, pero era sólo porque mis ojos se habían quedado secos y necesitaban un tiempo para producir nuevas lágrimas.

En algún momento de la noche entró mi primo Julen, con quien compartía habitación. Fingí que ya dormía, pero se conoce que él oyó mis gemidos en la oscuridad.

A mi primo le olían los pies. En San Sebastián, en el colegio al que fui enviado, en casa de mis tíos, me acostumbré a muchas cosas extrañas al principio para mí. Jamás me pude acostumbrar al suplicio de dormir cerca de los pies y el calzado de mi primo.

Desde su cama, mientras fumaba a oscuras el último cigarrillo del día, me dijo:

—Si fueras vasco no llorarías. ¿Tú has visto llorar al hierro? Pero, claro, siendo un navarro de mantequilla, pasa lo que pasa. Como eres blando y te has mojado, seguro que mañana te levantas enfermito.

Pasé la noche durmiendo a rachas, protegiéndome con la manta y la sábana sobre la cabeza de la pestilencia que desprendían sus calcetines y zapatos tirados en el suelo, entre las dos camas.

Apunte 1

Txomin Ezeizabarrena, cuarenta y seis años. Arregla un enchufe del comedor con ropa de calle. Trabaja de chispas en el taller de Ford del barrio de Gros (confirmar el dato). Alimenta cinco bocas y a la mujer, la pobre. Una parálisis le torció los labios después del último parto. De joven seguramente guapa. Con la boca así vocaliza mal. Apenas se le entiende. Conviene no explayarse demasiado en la descripción de los personajes secundarios. Ojo con los detalles truculentos. Alrededor del enchufe, en el papel de la pared, se advierte la mancha negra de una quemadura. Txomin da explicaciones como si le estuviera enseñando el oficio a Maripuy. Es parlanchín, simpático (mostrar esta cualidad con algún ejemplo) y bien apersonado. Se saca un sobresueldo haciendo chapuzas por las casas del barrio. Podían haber ardido las cortinas, dice. Mohín de susto de Maripuy. La conjetura no deriva en conversación porque suena el timbre. Una vecina (¿preciso la identidad?) trae la urna con la Virgen. Breve inciso aclaratorio: se la pasan los vecinos unos a otros por turnos, etcétera. Los nombres figuran en una lista pegada en la parte trasera de la urna. Maripuy la coloca en el lugar de costumbre (ya decidiré dónde). Quizá no esté de más referir algún pormenor sobre la figurita de yeso. Txomin ter-

mina la faena. En cuclillas sigue con las explicaciones. Maripuy, a su lado, le ofrece un café. La falda hasta un poco más abajo de las rodillas. Buena planta, pechos voluminosos, cuarenta y tantos años. Txomin sube y baja la mirada sin disimulo por las piernas de ella. Casi es mejor que Maripuy no le ofrezca nada porque entonces parecerá que ella provoca la situación. ¿Qué te debo? Si quieres me puedes pagar en especie. (Esta expresión tal vez sea demasiado rebuscada para esta clase de personajes. Pensar en otra de menor relieve literario. En todo caso puedo preguntarle a mi madre. Si la conoce, la dejo.) Maripuy no capta la indirecta. ¿Cómo en especie? Joé, chica, te haces la tonta (buscar un sinónimo menos trillado) o qué. Esto es un poco bruto. Resultarían más adecuadas algunas picardías que prolongasen con gracia el juego. Hay cosas (satisfacciones) que valen más que el dinero. Mejor todavía: Hay cosas (satisfacciones) que para un hombre valen más que el dinero. Ella empieza a entender (prefiero no dar la impresión de que es ingenua). Txomin, respétame, estoy casada, tengo dos hijos más un sobrino que desde hace unos días vive con nosotros. Maripuy, si me dejas ponerte las medias te regalo unas nuevas; con eso me conformo; no hace falta que me des lo otro y tampoco te cobro el arreglo del enchufe. Eres hombre casado. Buenoooo, si yo te contara... Tienes mujer para disfrutar en la cama. ¿Tú has visto a la Paquita cómo le ha quedado la cara? Dios me está viendo, no me voy a condenar, ¿cuánto te debo? Hembra estrecha, dame quince pesetas (comprobar si el precio es razonable para la época) y no llores, que se te afea mucho la cara cuando haces pucheros. Lloro si me da la gana, estoy en mi casa. Al salir de la vivienda él hace una alusión a la calidad de las medias que pensaba regalarle. Tú te las pierdes. O bien le dirige una galantería, ya veré. Párrafo de transición. Llega Visentico del trabajo. Lo de siempre: come sin apetito, habla poco y a la siesta. Lleva más de veinte años de peón en la fábrica de jabones Lizarriturry y Rezola, en El Antiguo. Se levanta. Toma café en la cocina, fumando. Maripuy no aguanta un segundo más el rescoldo que le quema (cuidado, leísmo, la quema) por dentro. Eso me ha dicho: que si me dejaba poner las medias me compraría otras. Un faldero, un rijoso, etcétera. Párale los pies, Vicente; en cuanto lo veas le pides cuentas. Bueno, calma, tú ya le has hecho ver que no eres una mujer de esas. Maripuy le arranca la promesa de que hablará con Txomin. Visentico se da a partido, no tiene ganas de discutir. Ella: Es la última vez que el sinvergüenza viene a esta casa a arreglarnos nada. Visentico está de acuerdo. Que no venga más y así no habrá problemas. Tratar de un asunto de poca monta que sirva de transición. Visentico vuelve a la fábrica (en bici) a terminar la jornada laboral. Siete (o mejor ocho) de la tarde. Maripuy observa por un costado de los visillos la plazoleta que hay delante del bar Artola. Los hombres juegan a la toka *(introducir una breve explicación para lectores no vascos, pero sin romper el hilo narrativo). Tintineo de las pesadas fichas cuando chocan contra la barra de hierro. Una dosis moderada de decoración costumbrista: caída de la tarde, olor a campo, el casero con el burro y la guadaña, niños que corretean y una piña de mujerucas chismosas sentadas junto a un portal. Txomin tira. Clinc, clinc, clinc. Es rápido y certero, uno de los mejores* tokalaris *del barrio. A menudo acierta con las seis fichas. No se juegan nada. Después, cuan-*

do oscurece, entran en el bar a jugarse uno o dos porrones a las cartas. Maripuy observa desde su casa con atención los movimientos de Txomin y de su marido. Si se dirigen la palabra, si se retiran a conversar donde no los oigan los otros, esas cosas. Cuando le toca tirar a Visentico menudean las burlas en el corro. A Visentico nadie lo toma en serio. Tira como sentándose en una silla imaginaria, la mirada de tigre (imagen tópica, buscar otra) fija en la toka. *Tras mantener unos instantes la mano quieta por detrás del cuerpo, traza con ella algo más de medio círculo impulsándola hacia abajo. La consecuencia: que las fichas se elevan excesivamente y él necesita varios intentos para que no caigan demasiado pronto o se le pierdan entre los hierbajos del terraplén, más allá del cajón. Cuando por fin atina a la* toka, *una vez cada cinco o seis tiradas, se forma el inevitable jolgorio a su alrededor. Cambio de foco narrativo. Descripción de la entrada de los hombres en el bar desde la ventana de Maripuy. Cavilaciones mientras prepara la cena. Y por la noche, cuando llega Visentico a casa (con el morro caliente, según dice ella de costumbre), le pregunta (¿durante la cena, en la cama matrimonial?), sin que se enteren los hijos, si le ha cantado las cuarenta al granuja. ¿No pensarás tú que voy a armar un escándalo en el bar? Esas cosas hay que hablarlas a solas. Y además ya hemos dicho que si se vuelve a romper algo llamamos a otro electricista. Maripuy opina que un marido como Dios manda debe defender a su mujer. Visentico responde que con lo fuerte que tú eres te defiendes sola. Maripuy apaga la lámpara de su mesilla. Visentico fuma un Celtas antes de apagar la suya. Al poco rato ya está roncando. Maripuy se imagina cómo debe de ser que a una le ponga las medias un hombre que no es el marido. Luego se ayuda de un dedo para tener unos temblorcillos. Luego pide en voz baja perdón a Dios. Se duerme. La despierta Julen, que llega a las tantas, quién sabe de dónde. Luego se vuelve a dormir.*

El episodio de las nueces

Mi prima Mari Nieves, por los tiempos de estos recuerdos míos, era una muchacha de diecisiete años, poco agraciada de rasgos, de cuerpo sano, bastante rollizo, aunque no tan hinchado como ahora; de carácter fuerte, tirando a mandón, en lo cual no ha cambiado y se parece a su madre, con quien disputaba a todas horas.

La naturaleza cometió la crueldad de imponerle un apetito sensual desapoderado. Le sobraban ocasiones y desenvoltura para saciarlo por las distintas vías de que el ser humano dispone para ello, no sólo la sexual. Sin embargo, me da a mí que ella sufría más que gozaba por causa de aquella ansiedad incesante, y sus parientes, con su madre a la cabeza, no digamos.

El dicho apetito o furor, que quizá no fuera tal, pero yo no sé expresarme de otro modo, determinaba sus actos, probablemente también sus pensamientos y sus sueños. Bien pudiera ocurrir, no obstante, que estas no sean sino figuraciones mías. Por si acaso no las tome usted demasiado en serio.

Para que me entienda, yo he visto a mi prima comer en la cocina de su casa, creyéndose a salvo de miradas, un racimo de moscatel con la delectación de quien se entrega a un placer erótico, lujurioso o como quiera usted llamarlo. Y fue así: que estando yo una tarde en el comedor me pareció de pronto que Mari Nieves tenía grandes dificultades para respirar y me alarmé pensando que se ahogaba, y cuando me hube llegado a ella con ánimo de ayudarla la sorprendí introduciéndose con los ojos en blanco un puñado de uva dentro de la boca.

Era por demás procaz. Sacó del cajón de la mesa las tijeras de cocina y, haciéndolas chischar en el aire, me dijo con mal disimulada irritación, los labios húmedos de mosto:

—A que te corto la pilila.

Y a continuación, sonriendo al borde de la carcajada:

—No serías el primero.

Estas anécdotas que le cuento a usted por escrito tienen mucha densidad confidencial. Le ruego que trate con respeto a mi prima Mari Nieves en su novela y que, en cumplimiento de la promesa que me hizo, le asigne un nombre ficticio, no importa cuál con tal de que sus parientes, sus vecinos y ella misma no puedan identificar a la persona nombrada.

Iba para dos o tres semanas que me había instalado en casa de mis tíos cuando tuve la primera noticia de los devaneos que mantenía Mari Nieves con los chavales del barrio y, aunque al principio tenía yo poco desarrollada la malicia, no tardé en alimentar sospechas a partir de conjeturas, rumores y señales, y en penetrar el sentido de lo que por casualidad escuché decir a media voz al cura del barrio.

Y fue de esta manera: que los sábados por la tarde mi tía me mandaba acompañarla a un asilo de ancianos perteneciente a la fundación José Matía Calvo, al otro lado de la carretera general. En el mismo edificio se albergaba la parroquia, como usted no ignora, por lo que evitaré excederme en los detalles.

La misa era oficiada casi toda en euskera debido al empeño que ponía don Victoriano en fomentar dicho idioma. Sobre este sacerdote yo podría contarle muchas cosas y algunas cosillas siempre que lo considerase usted útil para su novela. Es dudoso que pueda dejar de lado a tan singular personaje si, como me dijo, aspira a relatar con veracidad los hechos de una familia de Ibaeta por los tiempos de su niñez. Porque así como afirman los creyentes que a Dios pertenecen las almas humanas, yo afirmo sin temor a equivocarme que aquel cura era el propietario de las vidas privadas de muchas personas. Tampoco creo que haga falta encarecerle a usted la importancia de asignarle otro nombre a don Victoriano si se decide a sacarlo en su novela, ya que andan por ahí con vida algunos parientes suyos que podrían quejarse, no así él, pues tengo entendido que ya murió. De donde se deduce que si ha ido al cielo no habrá santo ni ángel que a estas horas no practique el euskera, todos y Dios con ellos temerosos de no aprobar el examen, y si cayó aquel cura en el infierno, como vaticinaba mi tía, estarán estudiando gramática vasca, por la cuenta que les trae, el demonio y todos los condenados.

Perdone la broma. Continúo. Ni mi tía ni yo entendíamos una palabra de euskera; pero ella, versada en el ritual, se las componía para aliñarse su liturgia castellana en la cabeza. Se me figura que habría seguido cumpliendo con el precepto el mismo día de la semana y a la misma hora si la misa hubiera sido dicha en ruso o japonés, puesto que lo que de verdad le interesaba, tanto como asegurarse una localidad de privilegio en la presencia del Señor, era que le quedase el domingo libre.

Yo recuerdo a don Victoriano vestido con casulla de color chillón, hierático el perfil, los ademanes pausados, los ojos transidos de santidad levantados hacia el techo y un rictus indescifrable en la boca como si, en medio de su fervorosa quietud, le costara trabajo ocultar algún dolor físico.

Llegaba el instante de la comunión. Don Victoriano bajaba la escalinata que precedía al altar y se detenía sobre el peldaño inferior, desde donde hacía un gesto de llamada hacia las filas de bancos reservados a las mujeres. Estas formaban una hilera silenciosa en el pasillo, delante de él; recogían el pan eucarístico en la bandejita rosada de sus lenguas y regresaban a sus asientos. Les tocaba después el turno a los varones, y allá iba cada quien llevado por su propia voluntad como no fuera yo, que lo hacía mayormente por la de mi tía Maripuy.

El segundo o tercer sábado me percaté de que, en

el momento de comulgar, don Victoriano le dirigió la palabra en voz baja a mi tía, la cual le respondió con un claro gesto afirmativo.

Terminada la misa, mi tía me llamó a su lado para ordenarme que la esperara fuera porque tenía que hablar con el cura. Salí a la calle. Había empezado a oscurecer. Los fieles enfilaron el camino de vuelta al barrio. No tardé en quedarme solo. Para entretener la espera, me dediqué a contar las siluetas de ancianos que cruzaban tras las ventanas encendidas, hasta que, contadas diez o doce, salieron el cura y mi tía, aquel vestido de calle. Como empezaba a faltar la luz y estaban los dos absortos en la conversación, no se percataron de mi llegada, de forma que parado junto a ellos oí que decían más o menos con estas palabras:

—Por el amor de Dios, Maripuy, la tienes que vigilar. Yo es lo único que te aconsejo y te pido.

—Pero si ya lo hago, padre.

—Hazme caso. La situación es grave. Es muy grave.

—Más severa que soy con ella no se puede ser.

—Se puede, Maripuy, ¡huy si se puede!

A este punto, don Victoriano reparó en mí y dijo:

—Supongo que este chavalín que nos está espiando es tu sobrino.

—Ya le conté que tenemos en casa al hijo menor de mi hermana. No da problemas. Es un pedazo de pan.

—Y un Aranzábal, ¿no es cierto?

—Sí, y de primero Mendioroz.

Escuchó mis apellidos con visible complacencia,

pasándome la mano por la cabeza a la manera de quien acaricia el cogote de un perro. Acto seguido me dirigió una pregunta en euskera. Mi tía le contestó por mí:

—No habla el vasco, padre. Viene de Navarra.

—En Navarra también lo hablan.

—No en mi pueblo.

Don Victoriano retiró la mano con la misma prontitud que si hubiera sentido en ella una quemadura.

Mi tía fue todo el camino de vuelta a casa despotricando contra él. Y la razón de su malhumorado soliloquio, como supe más tarde, era que don Victoriano no respetaba el sigilo sacramental, sino que los pecados que algunos habían cometido en compañía de mi prima o, para ser más exactos, encima de ella, luego él se los había revelado a mi tía.

—¿Tanto le cuesta meterse la lengua en el culo? —le dijo a mi tío Vicente esa noche mientras esperaban a Mari Nieves para echarle una bronca que por lo visto haría temblar los tabiques—. Yo, en adelante, me confesaré en otro lado. ¿Quién me asegura que el Victoriano de marras no va contando por ahí lo que yo le cuento en el confesionario?

Mi tío se alarmó:

—De mí no le hablarás, ¿eh?

—Si me haces pecar...

—A mí déjame fuera de tus pecados y tus hostias.

Mari Nieves se retrasó. Cansado de esperarla, mi tío Vicente se bajó a echar la partida al bar Artola. Entonces mi tía tuvo que encargarse de remover ella sola los cimientos del edificio con sus gritos, tarea para la cual disponía de dotes y vocación en abundancia.

A todo esto, Mari Nieves anunció su llegada desde las escaleras con un silbido similar al de su hermano. Mi tía se arrancó el delantal del cuerpo. «La mato», dijo para sí mordiendo las palabras. Yo, que ya me veía salpicado de sangre, salí de la cocina y me acosté. La cama me ofrecía el cobijo más seguro en aquella casa.

Dejé, con todo, la puerta entornada para no privarme de escuchar. Mi tía ni siquiera le dio tiempo a Mari Nieves a quitarse los zapatos, sino que según entraba por la puerta, tras preguntarle de dónde venía y responder la muchacha que de casa de Begoña, la llamó puta, perra, zorra, y le dedicó a voz en cuello otras lindezas por el estilo. Y como Mari Nieves hiciese amago de replicarle, se expandió por toda la casa el restallido de un bofetón.

No hubo más. Lloraba la hija en su habitación; lloraba la madre con similares gemidos en la cocina, y yo las oía a las dos acurrucado en la cama, mientras empezaba a comprender la causa de tantos gritos y vituperios.

A este respecto me terminó de abrir los ojos días más tarde uno de los numerosos amigos que hice en el barrio, donde vivía, como usted sabe, por aquellos años propicios a la multiplicación de la especie humana, una muchedumbre de niños.

Y por no ser largo me limitaré a contarle que el referido amigo, muchacho de mi edad, estaba por un hermano suyo al corriente de las andanzas y atrevimientos de mi prima y su amiga Begoña. De vez en cuando, si el tiempo lo permitía, se reunían las dos y un puñado de chicos en el monte con achaque de merendar juntos, lo cual era verdad pero no toda la verdad.

Mi amigo me preguntó con un gesto prometedor de aventuras:

—¿Quieres que vayamos a verles el culo y las tetas?

No me negué y fuimos, después que él me garantizara que no nos descubrirían. Seguí a mi amigo por el camino del monte hasta el borde de una pendiente desde donde se divisaba, distante unos cincuenta metros, un arroyo a la sombra de una tupida arboleda. A la orilla de un remanso se abría un claro de hierba en la espesura.

Sentados en el suelo, los allí reunidos jugaban a dar vueltas a una botella. Y era de esta manera: que a quien señalaba el gollete cuando la botella se paraba debía despojarse de una prenda. Al poco rato terminaban todos riendo y en cueros. Se conoce que en otras ocasiones se distraían con otros regocijos, pero el resultado no variaba.

Toda la carne desnuda que vi aquella tarde desde nuestro escondite fue la espalda pálida de mi prima. Sentí que me apretaba la vergüenza, no quise ver más y me marché.

Sin que hubiera transcurrido mucho tiempo ya no tuve dudas sobre las aficiones y pecados de mi prima. Entendí por qué don Victoriano recomendaba que la metieran en cintura y la razón por la que su madre la castigaba cada dos por tres sin salir de casa. Mi tía atribuía el comportamiento de Mari Nieves a los malos influjos de su amiga Begoña, cuyos padres supongo que dirigían idéntico reproche a mi prima.

No quiero acabar este tramo de mis recuerdos sin referirle el episodio de las nueces, pues aunque ahora lo tengo por una chiquillada, y sin duda lo es, entonces me impresionó. Pero sobre todo porque conociendo la clase de libros que me han dicho que usted escribe, no me extrañaría que al leerlo sienta tentaciones de sacar provecho literario al suceso.

Y fue que por su demasiada afición a los chicos, cierta tarde de ya no recuerdo qué mes a Mari Nieves le prohibieron bajar a la calle. Ella aprendía por entonces su oficio actual en una peluquería del barrio de Gros, con no muchas ganas por cierto, pues lo que de veras le habría gustado era estudiar en una universidad y convertirse en persona de categoría; pero tropezó con la oposición de su madre, recelosa de que la muchacha se echase a perder lejos de casa, y supongo yo que con la falta de medios económicos de la familia.

Como siempre que le imponía el castigo de encierro, mi tía Maripuy salió a buscarla a la parada del trolebús para impedir que Mari Nieves, al volver del trabajo, se entretuviera por las calles del barrio. A media tarde llegaron la madre y la hija juntas a casa, y esta se retiró sin pérdida de tiempo a su habitación, cuya ventana se abría a un pequeño terreno de hierba lindante con el río, del cual lo separaba un seto con varios huecos por los que se podía acceder al talud. Perdone estas minucias descriptivas, pero ya va a ver como no carecen de sentido.

En el terreno había un banco donde gustaban de sentarse las vecinas los días de sol. Aquella tarde lo ocuparon Begoña y cinco chavales con los que Mari Nieves se comunicaba a escondidas de su madre desde la ventana. Yo los espiaba subido a la taza del retrete, la cara oculta detrás de una maceta colocada en el alféizar del ventanuco. No podía ver a mi prima, pero sí escucharla a poca distancia. Y a los de abajo los podía ver y escuchar a mi salvo sin que me notaran.

Comían nueces de una caja de cartón, robadas en una tienda de ultramarinos. Ellos mismos lo proclamaban jactándose del hurto. Con las nueces hacían bromas y a mi prima le tiraron unas cuantas hasta su ventana del tercer piso. Mi prima empleaba las nueces para llevar a cabo no sé qué suerte de picardías; piense usted aquí lo que considere oportuno.

En cualquier caso, era de modo que los de abajo no paraban de reír y se disputaban las nueces como si lloviera dinero cuando Mari Nieves las arrojaba de vuelta a la calle. Quienes las cogían se las llevaban a la nariz y fingían desmayarse y hacían otras muchas gansadas y muecas sicalípticas. Supongo que usted me entiende.

En pleno jolgorio dobló la esquina mi tío, que venía de trabajar con su chapela, su fiambrera y su jersey sobre los hombros anudado por las mangas delante del pecho. No bien lo vio, uno de los chavales, subido al banco, le dijo:

—Visentico, ¿cuándo vas a dejar salir a la Mari Nieves?

—¿Quién, yo?

—Te damos diez nueces si le quitas el castigo.

Mi tío siguió su camino sin detenerse.

—¿Para qué quiero yo nueces?

—Están cojonudas y frescas porque las acabamos de robar.

A punto de meterse en el portal, volvieron a preguntarle:

—¿Qué, la dejas salir, sí o no?

—Hablar con la madre.

—¿No puedes hablar tú, que vas a casa?

—A mí dejarme de problemas.

Sucedió que cuando ya iba oscureciendo se les ocurrió a los chavales un juego que yo no comprendí, pero otro día lo supe todo y por eso lo puedo contar ahora como si lo hubiera comprendido desde el principio.

Y fue de esta manera: que cada uno de ellos, con el acuerdo de Mari Nieves, vació una nuez sin destrozar la cáscara, para lo cual se sirvieron de una navaja que iban pasando de mano en mano. No hubo conversación ni planes, sino que me parece a mí que estaban todos por demás puestos en la malicia.

Sacado el fruto, los chavales se fueron retirando de uno en uno al talud, detrás del seto, donde con la asistencia de Begoña llenaron las cáscaras con la lechada, según ellos llamaban al semen en su jerga particular; recomponían la nuez y con gomas del pelo de la muchacha la cerraban. Tras esto se las echaron a Mari Nieves. Alguna hubo que echarle dos o tres veces hasta que las cogió todas menos una que se estrelló contra la pared.

Yo tuve constancia del contenido de las nueces unos pocos días después. Y fue que como mi tía le prolongase el castigo a Mari Nieves, una tarde, volviendo del colegio, me salió al paso uno de los amigos de mi prima y me entregó un trozo de papel enrollado y una nuez envuelta en celofán, con encargo de que se lo diera a ella a escondidas. Yo le dije que sí y, para recompensarme, él me prometió un cigarrillo. No bien lo perdí de vista me venció la curiosidad. Desenrollé el papelito: «Me gusto tuyo, Joserra», ponía. Acto seguido cometí el error de abrir la nuez.

Apunte 2

Maripuy enciende una vela a la Virgen de la urna. En realidad no es una vela, sino una mecha sujeta a una pieza de corcho como las que ponía mi madre, llevada de similar devoción, en un vaso con agua y aceite. ¿Candelilla, mariposa? Si no encuentro le mot juste *en el diccionario dejo vela. (¿Quién se va a enterar?) La bolsa con la compra todavía en el suelo. Maripuy le refiere a la Virgen la discusión que acaba de mantener con Eulalia la de José Mari, vecina del 7 (u otro número, ya veré), en la calle.*

La he puesto a parir y usted disculpe, pero una madre es una madre. A mí en el pueblo no me dieron educación, con nueve añicos me mandaban a trabajar al campo, que se me llenaban las manos de sabañones, así que hablo como me sale. Y eso que a mí no me tira soltar palabrotas ni blasfemias, si no me cree pregúntele a Dios, ya verá. Ahora, como me busquen las cosquillas soy capaz de hacerle a un toro un lazo con los cuernos.

No conviene interrumpir el hilo narrativo para explicar que Eulalia es la madre de Joserra. El posible lector deberá descubrirlo por su cuenta en algún recoveco del texto (y si no que le den morcilla).

Unas pocas características para singularizar a Eulalia

la de José Mari: menuda de cuerpo, cejas tristes, le pega el marido y todo el mundo lo sabe en el barrio, algún rasgo más que acentúe su condición medrosa y para de contar, que esto no es una novela del siglo XIX. *Maripuy se aprovecha de su superioridad física para arremeter contra Eulalia. La pobre señora contesta, con ánimo de defenderse, que se lo va a contar todo a su marido.*

MARIPUY: *Y yo al mío, anda tú. No quiero ver a Joserra detrás de mi hija. Que se olvide de ella o vamos a tener un disgusto. Y ay como me la deje preñada. Como me la deje preñada te acuerdas. Ya le puedes avisar a tu marido y a quien haga falta.*

Eulalia ha replicado que Mari Nieves anda con un montón de chicos.

MARIPUY: *El tuyo es el que anda detrás de ella como un perrito.*

EULALIA: *El mío y otros porque tu hija no para de provocar.*

MARIPUY: *¿De dónde sacas tú esa mentira?*

EULALIA: *Me basta con tener oídos.*

Y entonces, Virgen María, he puesto el grito en el cielo, mira que acusar a mi hija de ser una ligera de cascos, esto me ha faltado (se señala una uña) para sacudirle un bolsazo en el morro a la deslenguada, habrase visto, no me he podido contener, le he soltado un rapapolvo de aúpa, el que se merecía, ya andaban las fisgonas asomándose a las ventanas, supongo que he cometido dos docenas y media de pecados y a lo mejor me quedo corta. Pues yo, madre santísima, le digo a usted una cosa: de esto, a don Victoriano, ni palabra. Prefiero confesarme en capuchinos aunque me tenga que gastar cinco duros al mes en trolebuses.

Fin de la secuencia. Cambio brusco. Camino que une el barrio de Illarra-Berri con el de Ibaeta. Llueve o ha llovido, y el suelo está sembrado de charcos. Es noche avanzada. El camino está flanqueado de farolas. Entre una y otra se extienden trechos largos de oscuridad completa. Visentico Barriola viene de cenar en la sociedad gastronómica Aingeru Zaindaria, de la que es socio. Quizá aumentaría el interés de la escena si me abstuviese de revelar demasiado pronto la identidad del personaje. O sea: una figura borrosa (negra) viene haciendo eses por el camino encharcado, etcétera. A la entrada del barrio le sale al paso un hombre corpulento.

JOSÉ MARI: *¿Qué, borracho una vez más, eh?*

VISENTICO *(vibración de miedo en la voz): Huy, ¿qué pasa, pues?*

Antes de contestarle, José Mari lo agarra de la pechera de la camisa. Habla entre dientes (nada, he salido a cazar desgraciados y a darles cuatro hostias) como para evitar que lo escuchen desde las ventanas más próximas.

VISENTICO *(amilanado, en tono suplicante): ¿Qué pasa, qué tienes?*

JOSÉ MARI: *De sobra sabes lo que tengo.*

VISENTICO: *Te juro que no sé,* si sabría *te lo diría.*

JOSÉ MARI: *Tengo a la mujer llorando en casa por culpa de la boba (sinsorga o una palabra por el estilo) de la Maripuy.*

VISENTICO: *Pues ahora me entero.*

JOSÉ MARI: *Si tienes huevos repíteme lo que tu mujer le ha dicho a la mía.*

VISENTICO: *Que no sé de qué hablas, José Mari, te lo juro, si yo casi no he estado en casa.*

JOSÉ MARI: *Hala, vete a dormir la mona, cobarde, que no eres más que un cobarde baboso.*

Le arrea un empujón. Visentico pierde el equilibrio y la chapela, cae de espaldas (o quizá mejor de bruces) sobre un montón de tablones arrimados a una tapia. No puede levantarse.

Se lo cobras de mi parte a la cotorra de tu mujer, dice José Mari segundos antes de perderse en la noche. Relato en frases cortas de cómo Visentico se encamina trabajosamente hacia su portal. Lluvia, ruidos nocturnos, calle desierta. En la acera lo alcanza su hijo, que también vuelve a casa.

JULEN: *Hostia, aitá, estás sangrando de la cabeza.*

VISENTICO: *Bah, no es nada.*

JULEN: *¿Quién ha sido?*

VISENTICO: *He tropezado.*

JULEN: *¿Quién ha sido el hijoputa que te ha puesto así? (O simplemente: ¿Quién te ha puesto así?)*

VISENTICO: *Que me he caído, coño. Ayúdame y calla, que vas a despertar a todo el vecindario.*

Julen es más alto y más ancho que su padre. Se lo echa al hombro como si fuera un fardo ligero. Poco después lo recuesta con cuidado en la pared, ante la puerta de casa. Le susurra al oído: Mejor que no me digas quién ha sido. Como hay Dios (¿dios?) que lo mato.

La cosa más sagrada

Quizá no esté de más contarle que mi primo Julen no tardó en cobrarme ley, y aunque a menudo se aprovechaba de mi ingenuidad para poner en práctica su afición a las bromas, de muchas maneras me mostraba que no le causaba enojo compartir conmigo su habitación; antes al contrario, le agradaba sobremanera mi compañía, sobre todo por las noches, que era cuando más me hablaba.

Se acostumbró a referirme de cama a cama, mientras me mataba con la pestilencia de sus pies, aventuras y sucesos que le hubieran ocurrido durante el día. Era trasnochador y no se cuidaba poco ni mucho de mi descanso, sino que a horas intempestivas me sacaba del sueño para contarme cualquier menudencia, al tiempo que fumaba un cigarrillo antes de dormir.

Concluida la conversación, en la cual yo apenas intervenía, él apagaba la lámpara y muchas noches, a oscuras, se entregaba a unos rápidos meneos bajo la manta. Por esta razón solía guardar entre la pata de la mesilla y la de la cama un rollo de papel El Elefante, lijoso y nada absorbente, del cual arrancaba pedazos para enjugarse.

Tardé un tiempo en ponerme al cabo de aquella práctica; pero como él, a veces, daba en repetirla a las horas algo más claras del amanecer, terminé por comprender lo que todo muchacho, por muy torpe que sea, termina comprendiendo.

Sin que su madre se lo mandase ni yo se lo hubiera pedido, sino llevado de un arranque de generosidad, hizo un hueco espacioso para mis pertenencias en el ropero, apretando las suyas hacia un lado.

Con esta buena avenencia, unida al trato afectuoso, aunque sin extremos, que me dispensaba el resto de su familia, mi vida en casa de mis tíos transcurrió exenta de los infortunios y pesares que tan provechosos son de costumbre para la literatura novelesca, no así para la salud mental y física de quienes los padecen.

Por dicha causa pude echar pronto en el olvido el malvado recibimiento que me hizo Julen la tarde de mi llegada a San Sebastián y soportar mejor la pena de hallarme lejos de mi madre y mis hermanos.

Los primeros días Julen me miraba con ostensible menosprecio. Al pasar junto a mí gustaba de amagarme un puñetazo en la cara, lo cual no me causaba especial temor por tenerme acostumbrado a la misma broma mis hermanos y antes que ellos mi padre.

A cada rato me decía navarro puto o puto navarro, también delante de mis tíos, que se lo consentían. Hasta que una tarde, de vuelta de la fábrica de cerveza donde estaba empleado, viéndome jugar sobre las tablas del suelo a mi juego favorito, le entró capricho de sentarse a mi lado.

Jugamos, él con tanto ardor que se olvidó de acudir al encuentro de sus amigos; como perdiese, insistió en jugar de nuevo. Entonces perdí yo, y con esto y la diversión que tuvimos me tomó simpatía. Prueba de ello es que al punto me desputó, quiero decir que me dejó en navarro a secas. Más adelante dio en llamarme Txiki y desde entonces no recuerdo que me nombrase de otra forma.

El juego en cuestión era el de los ciclistas de plástico. Yo tenía gran cantidad de ellos, lo menos cincuenta o sesenta en distintas posturas y colores. Mi padre solía comprármelos sueltos o en lotes de seis unidades cuando lo acompañaba a vender quesos a Estella. No guardo otro recuerdo bueno de él.

Los ciclistas fueron el único juguete que mi madre me permitió meter en la maleta antes de salir del pueblo. Pretendió que no llevase más de una docena, ya que mi tía Maripuy le había encarecido que yo no viajase con más trastos de los imprescindibles, pues andaban justos de espacio en la vivienda. Por el mismo motivo mi madre me impidió llevar otras cosas de mi gusto que luego estuve echando en falta.

Ningún ciclista quedó en el pueblo. Todos los repartí en diversos escondites dentro de la maleta. Unos cuantos, envueltos en papel, viajaron con las gallinas.

Por imitar la realidad pegué en el lomo de cada uno un número, así como, para mejor reconocerlos, encima de la base el nombre de cada corredor, todo ello recortado del periódico que traía a diario mi tío Vicente a la vuelta de la fábrica.

Los ciclistas avanzaban por turnos tantos pasos como determinase el dado. Los listones del suelo servían de carretera y con una regla apoyada en una pila de libros escolares simulaba las cuestas de montaña. El primer ciclista en atravesar la meta obtenía un punto, el segundo dos y así todos sucesivamente, de manera que el ciclista con menos puntos era quien encabezaba la clasificación.

En fin, perdone que me explaye en minucias que seguramente carecen de interés para su libro. Lo único que yo deseaba decirle, pero ya me callo, es que durante una época mi primo, tan grandullón, tan lleno el cuerpo de pelos por todas partes, se aficionó a jugar conmigo a los ciclistas. El juego nos acercó a tal punto que, sin darme apenas cuenta, gané su confianza.

Un día estaba un ciclista suyo a tiro de tres para cruzar la meta y, justo a su rueda, el más adelantado de los míos. Julen me dijo con aire retador, seguro de su victoria:

—Si gana tu *txirrindulari* te enseño una cosa que es la más sagrada del mundo.

Sacó, no sé, un cuatro o un cinco, y ganó; pero como me había revelado la existencia de la cosa aquella sagrada y de todos modos tenía hecho propósito de enseñármela, tras asegurarse de que nadie nos observaba, levantó el colchón de su cama. Debajo apareció, extendida sobre el somier, una bandera vasca, la primera que vi en mi vida.

No supe lo que era.

—Txiki, no me jodas. ¿En Navarra no tenéis *ikurriñas*?

Le respondí que no, como así era en verdad, que yo recuerde, por aquella época.

—Ya me doy cuenta de que tienes mucho que aprender. Pero no te preocupes, que aquí está tu primo para hacer de ti un patriota vasco.

Me explicó a continuación el sentido de aquella bandera.

—¿A que es bonita?

Me pareció que debía asentir y asentí sin titubeos.

—Llegará el día en que sea la única que ondee en los mástiles de Euskadi. ¿Cuánto te apuestas?

Le pregunté si también en los mástiles de Navarra.

—Eso será más difícil —resopló—. Es que, me cagüen Dios, os habéis dejado españolizar como corderitos.

De allí en adelante se me figura que compartimos la habitación entre tres. Se había sumado a nosotros don Victoriano, al que Julen mencionaba con tanta frecuencia en sus expansiones patrióticas que me parecía entrever a todas horas la sombra del cura al costado de mi cama.

Don Victoriano era quien metía aquellas ideas de la nación vasca en la cabeza de mi primo. También en la de otros chavales del barrio en cuyas meninges barruntaba el cura que germinaría con facilidad la semilla del patriotismo, y a mí me consta, porque tampoco él lo disimulaba, que nos tenía a todos los menores de edad de su parroquia divididos entre los que eran útiles a la causa y los que no, y según esto nos daba un trato frío o afectuoso.

Especial ahínco ponía en inducir a los chavales al aprendizaje del idioma vasco, persuadido de que este se moría sin remedio. Como usted recordará, por aquellos años, en el barrio de Ibaeta, no lo hablaban con soltura sino diez o doce entre ciento, y aun esos no más allá de la puerta de sus casas.

Mi primo Julen, la espalda recostada en la cabecera de la cama, repetía algunas noches para mí, con una voz que no parecía la suya, las prédicas clandestinas del cura.

—Don Victoriano dice: vasco es el que habla euskera. Los demás son medio vascos o directamente coreanos. A estos los manda el opresor a Euskadi para que nos roben el alma vasca. ¿Entiendes la jugada? Franco es muy listo. Por eso hay que reaccionar, Txiki. Dice don Victoriano: a este paso, como no reaccionemos, llegará el día en que todos bailaremos flamenco por las calles. ¿Te imaginas un desastre mayor?

Una noche le pregunté si yo también era coreano.

—¿Cómo te apellidas?

De sobra lo sabía, pero él tenía sus puntas de bromista. Le contesté.

—Lo tuyo —dijo formando un aro con el humo de su cigarrillo— puede que tenga solución. Porque, claro, no es lo mismo ser navarro que de más abajo. Yo en tu lugar aún no me haría ilusiones, ¿eh? Primero hay que hablar con don Victoriano.

No había en nuestra vecindad un piso donde no

se hablase castellano y el de mis tíos no era una excepción. Buen castellano, a decir verdad, no sonaba en boca alguna, y sí muy defectuoso y, según los casos, con muchas palabras vascas entremetidas. En cuanto a mis parientes, el único que había hablado euskera alguna vez fue mi tío Vicente siendo niño.

Por lo que llegó a mis oídos, hasta los cuatro o cinco años no se expresó en otro idioma. En las escuelas públicas del barrio de El Antiguo aprendió a leer y escribir en castellano. Luego vino la guerra. Su padre fue de los que no se quisieron rendir en Santoña; siguió con su batallón hacia Asturias y en algún lugar de los montes un avión rasante le segó la vida. Usted me dirá si quiere que otro día le amplíe la historia.

Sigo. Tras la guerra, la familia dejó de comunicarse en euskera incluso dentro de casa, de manera que mi tío Vicente y un hermano menor acabaron olvidando el idioma.

El mayor tuvo una vida ajetreada que le daría a usted para una novela de ochocientas páginas. Prisionero por haber sido militante de la CNT, fue condenado a muerte pero al final lo enrolaron en el Batallón de Trabajadores y fue uno de tantos forzados que construyó el Valle de los Caídos. También sé de él que, estando libre, lo metían en la cárcel de Ondarreta cada vez que venía Franco de vacaciones a San Sebastián, y como estaba harto y no podía prosperar emigró a Venezuela, en cuya selva murió, nunca se supo bien de qué. Decían que si del mal de los mosquitos.

A otro hermano, también mayor que mi tío, se lo

llevaron las olas cuando pescaba con caña en las rocas de Mompás. Queda una hermana que se casó con un riojano, viajante de comercio; la cual se fue a vivir con el marido a Logroño y más tarde a Zaragoza, donde aún reside. En cuanto a la madre de mi tío, una casera de Hernialde que siendo joven se fue de sirvienta a San Sebastián, grande de cuerpo, de mucho carácter y pocas letras, tengo entendido que hablaba muy mal el castellano, pero así y todo, muerto el marido, fue lo que habló hasta el final de sus días.

A mí se me figura que Julen vivía como una humillación el no saber euskera, al modo de quien se siente incompleto y puede que hasta mutilado. Por dicho motivo, en sus parlamentos nocturnos lanzaba recriminaciones contra su padre, aunque yo nunca vi que discutiera con él a causa de este asunto. No lo llamaba padre ni aitá; decía «ese».

—La culpa es de ese —y señalaba con la barbilla un punto indeterminado de la pared.

Asistía dos tardes por semana a las clases de euskera que impartía una chica del barrio en el centro Ibai, adonde yo iba muchas veces a jugar con mis amigos, así como mi prima Mari Nieves a aprender guitarra y a juntarse con los chavales en los arbustos de la parte de atrás.

A Julen le gustaba que yo le tomase la lección. Con ese fin me despertaba en ocasiones a las doce, la una o las dos de la noche, cuando volvía de estar con la cuadrilla.

—De paso aprendes —decía.

Me entregaba la lista de vocabulario escrita con aquella letra suya grande y torpe, el papel arrugado, a veces sucio de manchas de aceite o de chorizo, y a la luz mortecina del flexo, muerto de sueño, yo le iba leyendo las palabras en castellano para que él las tradujera al euskera.

—Cliente.

—*Bezero.*

—Aogarse —así como se lo escribo, señor Aramburu, sin la hache intercalada.

—*Ito egin.*

Era feliz con los aciertos. La hora tardía no le impedía celebrarlos con patadas contra el aire, puñetazos a la almohada y gestos que traslucían un varonil y brutal alborozo, como de futbolista que acabara de meter un gol.

A veces, cuando no daba con la respuesta correcta, se impacientaba, se dirigía insultos, soltaba palabrotas. Supe por su madre que en la adolescencia había sido un pésimo colegial.

—Juez.

—Juez... Me cagüen la puta, ¿cómo era? Venga, Txiki, dime la primera letra.

A menudo olvidaba palabras y locuciones que había sabido recientemente. Ponía mucho ardor en el aprendizaje, sin que sus frecuentes olvidos lo hicieran caer en el desánimo; antes bien, procuraba compensar la dureza de mollera con dientes apretados, mecágüenes en abundancia y tenacidad.

Sospecho que se llevaba las listas de vocabulario a

la fábrica, donde al parecer sus tareas de obrero raso no le quitaban ocasión de memorizarlas. Yo al menos nunca se las vi repasar en casa.

Una de sus grandes pasiones era caminar con los amigos por los montes de Guipúzcoa (ahora se escribe con k, usted verá). Salían por la mañana temprano, y una vez al mes, en grupo selecto, lo hacían a la zaga de don Victoriano, quien para poder pastorear por las laderas a sus chavales favoritos dejaba las misas dominicales al cargo de un sustituto.

Durante aquellas excursiones campestres, el cura afianzaba en los jóvenes montañeros la idea de una patria vasca liberada, de paso que practicaba con ellos el fervor por el idioma, las costumbres y los paisajes de la tierra.

Cada vez que mi primo Julen iba al monte con el cura regresaba a casa poseído de viva exaltación.

Por la noche, fumando en la cama, me contaba dónde había estado, me daba detalles de la excursión y decía cosas parecidas a esta:

—Txiki, voy a pasar a la historia como el *gudari* que mató a Franco. Lo mataría a hostias; pero, claro, no me dejarán acercarme. Ya le he dicho esta mañana a don Victoriano: *apaiza,* el enano ese no muere en la cama. Yo me encargo. ¡Cómo se reía don Victoriano!

Más de una vez me preguntó si lo creía capaz de matar a Franco. En todas ellas le di la respuesta que esperaba.

—¿Y cómo lo mato, Txiki? Es que no te puedes acercar, ¿entiendes?

Yo, que a mi corta edad no sabía gran cosa de morir y mucho menos de matar, me encogía de hombros.

—Ya se me ocurrirá la manera. En verano, cuando el generalísimo de los huevos venga de vacaciones. A ver, pues. A lo mejor me voy nadando desde la playa hasta el yate con mi tubo de buceo, subo sin que me vean y empujo a Franco al agua. Así de simple. Como está viejo, se ahoga seguro, seguro.

—¿Cómo te escapas después? —le pregunté en cierta ocasión.

Me lanzó una mirada furiosa.

—¿Escapar? Un *gudari* no se escapa. He cumplido mi misión, he ayudado a mi pueblo, pues que me maten, ¡ahí va Dios! Prefiero eso a vivir oprimido. Que te lo diga don Victoriano.

Los domingos temprano me fascinaba verlo vestirse el atuendo de montañero, la camisa gruesa de cuadros, la chapela, las medias de lana sobre las perneras del pantalón y unas botas que solía untar con sebo.

A fin de complacerme me permitía arrollarle los cordones en torno a las cañas hasta tenerlos a punto de lazo. El nudo y el lazo, eso sí, por considerarlos tarea de experto, se los hacía él. Y cuando le tocaba el turno de custodiar la *ikurriña,* la sacaba de debajo del colchón para plegarla con mucho mimo, y besándola y dándomela a besar, la ocultaba en un doble fondo de la mochila, donde suponía que los guardias civiles no se la habrían de encontrar en caso de que procedieran a registrarlo, cosa que yo no sé si alguna vez le sucedió.

Mi tía, que se levantaba antes que él, ya le tenía preparado para entonces el almuerzo. Olía la casa entera, a las cinco de la mañana, a tortilla de patata. En la calle se iban juntando voces juveniles a las que no tardaba en agregarse la de mi primo. Y desde aquel momento hasta la tarde, yo me dedicaba a esperar su vuelta por cuanto siempre me traía algún regalo de los montes: un bastón tallado a navaja, por lo general de avellano, que él llamaba *makila;* puñados de cerezas, de nueces o castañas; guijarros de río brillantes y redondos, y un día un mochuelo por desgracia moribundo, pues lo atrapó de una pedrada y lo trajo a casa apretado en la mochila. De anochecida tratamos de revivirlo poniéndole unos cachitos de carne cruda cerca del pico; pero resultó que no tenía fuerzas para comerlos ni para abrir los ojos, y a la mañana siguiente amaneció muerto junto al rollo de papel El Elefante.

Apunte 3

Frente a la ermita de Larraitz, en el aparcamiento, se detiene la furgoneta (Fontanería Igarzábal Hnos.) y bajan el cura vestido como un montañero más y los once chavales que venían apretados en el interior, y no llueve pero está el suelo mojado y son, no sé, las seis o las siete de la mañana aproximadamente. No una hora justa. Y cuarto o menos cinco, a fin de apuntalar la verosimilitud.

Breve y fría descripción del Txindoki (¡nada de incurrir en la típica estampa rural-sentimentaloide!) visto desde abajo:

La ladera se alarga hacia lo alto cada vez más escarpada, formando un plano triangular arbolado de color verde oscuro hasta la cima. Una cresta de rocas separa esta ladera de otra más ancha y clara, pelada de árboles, en cuya parte baja pasta un rebaño de ovejas. Hay al otro lado del monte, en dirección a la muga de Navarra, una tercera ladera (¡y dale con las laderas!) que no se ve desde Larraitz y que seguramente no es tan empinada porque detrás se prolonga en otras elevaciones de la sierra de Aralar. Los tres (¿o son cuatro?) planos confluyen en un pico de roca desnuda que se recorta en el cielo nublado de la mañana.

Estas pocas pinceladas de literatura convencional, convenientemente adobadas de prosa más o menos pinturera, serán suficientes.

A partir de una altura determinada el Txindoki presenta la forma de una pirámide. El problema literario que el puñetero monte me plantea es su carácter emblemático. Es demasiado conocido y por tanto previsible. Quizá lo cambie por otro. Ya veré.

Apunte 4

¿Quién trae la ikurriña?

Julen Barriola, a la zaga del grupo, responde: yo.

Don Victoriano, voz dulce, mirada severa, corrige: nik.

Y el grupo, todo chavales, ninguna chica, entiende que a partir de la barrera tras la que arranca el sendero de subida ya no se habla ni una sílaba de castellano. Han entrado en tierra sagrada. El cura señala con ademán de explorador hacía la lejanía. Dice algo en tono solemne (ya me lo pensaré) y nadie responde.

Echan a andar, el cura delante, en actitud de «yo soy la luz y el camino...», clavando el regatón de la makila *en la tierra del sendero.*

Olor a hierba húmeda y musgo. Los chavales son fornidos, respiran fuerte.

Apunte 5

Han subido por la pista menos empinada, la que atraviesa la ladera oeste, cubierta de hierba. Llegan en fila india al collado de Egurral, que tiene estas y las otras características. Allí se paran a echar un trago de agua (he leído por ahí que hay fuentes naturales en la zona) y luego, pisando el suelo pedregoso, suben hasta la cima del Txindoki.

Van despacio porque ninguno se atreve a adelantar a don Victoriano, cada vez más lento, más jadeante y congestionado bajo el peso de su mochila. El cura tiene complexión atlética, pero frisa en los cincuenta años.

Hay otros cuatro montañeros en las rocas cimeras (mirar las fotos que hice cuando estuve allí). El cura no se fía. Los saluda y se aparta, y la fila de chavales va detrás. Don Victoriano espera a que los desconocidos emprendan el descenso antes de llevar a cabo la ceremonia habitual.

El grupo se protege del viento detrás de un peñasco que forma un recoveco lo suficientemente espacioso para acogerlos a todos. Julen Barriola y Peio Garmendia, de pie al costado del corro sentado, sostienen la ikurriña *cada uno de una punta.*

Don Victoriano, también de pie, perora en euskera con la vista vuelta hacia los pueblos del valle y las cumbres del Goierri que se avistan hacia el norte, medio ocultas tras una gasa de niebla. Se emociona. Se le quiebra la voz. Guarda silencio, la barbilla hundida en el pecho. A los chavales se les pone un nudo en la garganta viendo llorar al cura.

De pronto uno de ellos desenfunda un chistu (¿quién es el loco que sube al Txindoki con un acordeón?) y se pone a tocar la melodía del Eusko gudariak. *Otro se arranca a cantar, animoso, estentóreo. Los demás le hacen el coro, al principio un poco cortados, enseguida a voz en cuello. Don Victoriano los bendice de uno en uno, el gesto hierático, la mano lacia, y cuando acaba la canción manda a uno a cerciorarse de que no se acerca gente por ningún costado del monte.*

Señala la inmensidad del paisaje. Euskadi. Nuestra tierra. La verde y hermosa tierra de los vascos. La que nos quieren arrebatar, etcétera. Lanzan unos goras, *alguien insulta a Franco y dice una cosa muy fea de España y los españoles, y luego todos almuerzan en cordial camaradería, pasándose de mano en mano la bota de vino.*

Tras descansar obra de media hora proceden al traspaso de la ikurriña. *Le toca guardarla a Peio Garmendia. ¿Otra vez? ¿Cómo que otra vez si no la tengo desde noviembre?*

Don Victoriano intercede para que discutan en euskera. Resuelto el conflicto, les dice que ya hay que bajar. A las cinco le espera un compromiso en la parroquia.

Gritos en la bañera

Todos los días laborables mi tío Vicente iba en bicicleta a la fábrica de jabones, aunque soplara un vendaval, aunque lloviera a cántaros. Como recordará usted seguramente, componía una estampa típica del barrio con su chapela, los bajos del pantalón recogidos con pinzas para protegerlos de la grasa de la cadena, la fiambrera en la parrilla y a veces un carretón, a modo de remolque, acoplado por el extremo de la barra a un gancho que había hecho soldar al cuadro de la bicicleta en el taller de un carrocero.

En el carretón solía traer a casa cada cierto tiempo, ocultos dentro de un costal, trozos de cocos de los de elaborar jabón, y como la mayoría de ellos había perdido la frescura estaban secos y amarillentos, y tenían por consiguiente un sabor rancio que producía un leve picor en la garganta.

La primera vez que los vi se me despertó la codicia de probarlos; pero no bien introduje uno en la boca los rechacé igual que los rechazaban mis parientes. Mi tía Maripuy acostumbraba dejarlos unos cuantos días en el frutero de la cocina y al final, en vista de que nadie les hacía aprecio, los tiraba al cubo de la basura.

Mi tío Vicente debía de olvidar que no nos gustaban, como, dicho sea de paso, tampoco le gustaban a él. Se conoce que, tocante a esta cuestión, también a mí me aquejaba la desmemoria, pues era el caso que, transcurrido un tiempo, les hincaba de nuevo el diente y volvía a experimentar la misma repulsión.

Cabe la posibilidad de que a mi tío, al no ver los trozos en el frutero por la mañana temprano, antes de salir a trabajar, se le figurase que los habíamos comido. Y así, por una razón o por otra, o simplemente impulsado a rachas por un instinto fuerte que tenía de alimentar a su familia, volvía de vez en cuando a casa con una nueva carga de cocos rotos.

El carretón le servía principalmente para transportar de la fábrica a casa y viceversa unas maletas de madera llenas de jaboncillos, así como los paquetes de envoltorios que a fin de obtener unos ingresos adicionales poníamos a los jaboncillos sobre la mesa del comedor. Tan sólo Julen se consideraba dispensado de dicha tarea puesto que, en su opinión, ya trabajaba suficientes horas a diario en la cervecería.

A mi tío y a Mari Nieves los vencía el mal humor siempre que tenían que envolver jaboncillos, lo cual ocurría una, dos y, según las épocas, hasta tres veces por mes. Mi tío no paraba de renegar, perdía la paciencia, rasgaba los envoltorios porque a veces venían pegados unos a otros en el paquete y él los extraía con rabia. Y así, refunfuñante y malhablado, daba rienda suelta a su insatisfacción en parte comprensible, puesto que su trabajo en casa se sumaba al de la fábrica, donde con frecuencia hacía horas extraordinarias, y también porque el dinero de los jaboncillos no le aprovechaba poco ni mucho debido a que mi tía se quedaba para los gastos familiares hasta el último centavo.

—Al infierno vas a ir con ese lenguaje —le decía ella.

—Mejor allí que en esta casa.

A vueltas con las quejas, al final mi tío Vicente conseguía que su mujer, perdida igualmente la paciencia, lo sacase de quicio con algún reproche de grueso calibre. Entonces se levantaba ofendido de la silla, haciendo gala de una autoridad, una resolución, una fortaleza de ánimo que distaba mucho de poseer; soltaba una potente blasfemia, se calaba la chapela y bajaba al bar.

Apenas había puesto un pie fuera de la vivienda, le tomaba Mari Nieves el relevo con las protestas. No tardaba en suscitarse la previsible discusión entre la madre y la hija. A todo esto mi tía, harta de quejas y malas caras, le prefijaba a Mari Nieves una cantidad de trabajo; despachada la cual, le permitía salir a la calle no sin antes motejarla de holgazana e imponerle con amenazas de castigo una hora para estar de vuelta en casa. Me faltan dedos en las manos para contar las veces que presencié escenas semejantes.

De anochecida mi tía se iba a la cocina a preparar la cena, y yo, que me acordaba de que mi madre me había encarecido que fuese dócil y ayudase en todo lo que pudiera para devolverles a mis parientes, aunque fuera en una pequeña proporción, el favor de tenerme acogido en su casa, me quedaba solo envolviendo jaboncillos hasta que venía mi tía al comedor y, compadecida de mí, me decía:

—Hala, sobrino, vete a jugar. Por hoy es suficiente.

Fuera porque yo rara vez abría la boca o porque en muchas ocasiones, por no haber sitio para mí a la mesa, me ponían a envolver jaboncillos aparte, en una banqueta y una silla que me servía de tablero, el caso es que a menudo mi presencia pasaba inadvertida a mis parientes. A tal punto que, olvidados de mí, hablaban sin recato de asuntos confidenciales y por esta vía entraban en mis oídos no pocas noticias de escándalos y desavenencias de vecinos, y algún que otro secreto de familia.

Llevaba yo cerca de diez meses viviendo en casa de mis parientes cuando supe que uno de dichos secretos afectaba a mi prima Mari Nieves, y era de modo que pasaban las semanas, no sé cuántas, pero más de las debidas, y la muchacha no menstruaba, cosa que a mi edad yo no terminaba de comprender, por lo que una noche le pregunté a mi primo Julen la razón de que su madre y su hermana se mostraran por aquellos días tan mustias y silenciosas.

Me daba a mí que de un tiempo a aquella parte nadie hablaba en la casa o lo hacía en susurros. Mi tío cenaba con la cabeza gacha; a mi tía le tomaban unos hipos y gemidos repentinos mientras fregaba o cocinaba; y, en fin, se respiraba en toda la vivienda un aire extraño, de una espesura triste, como cuando acaba de fallecer un ser querido. Y también le pregunté a mi primo con preocupación sincera si todo aquello pasaba porque yo hubiera dado algún motivo de disgusto; a lo cual respondió él desde su cama:

—Me huelo que la boba esa me va a hacer tío.

Vino mi madre del pueblo, llamada por su hermana para deliberar sobre lo que convenía hacer, y estuvo con nosotros, contagiada de la seriedad de nuestros parientes, dos días con su noche intermedia. Durmió en el suelo del comedor, sobre un colchón relleno de lana que le prestó una vecina.

Mi primo Julen no vio el colchón en la oscuridad cuando llegó a casa tarde como de costumbre y cayó con todo su corpachón encima de la dormida. Me despertó poco después muerto de risa. Acostado en su cama, se entretuvo en burlarse del acento y los navarrismos de mi madre, sin importarle que ella lo pudiera oír al otro lado de la puerta. Especial placer le producía pronunciar los números a la manera rural navarra: uno, dos, «ches», «cuacho» y así.

El día de su llegada, por la tarde, fui con mi madre a una churrería de la Parte Vieja, donde yo merendé y ella no, por moderar el gasto. Ni entonces ni cuando la despedí con mucha pena al día siguiente en la parada del autobús, que fueron las dos únicas veces en que tuvimos ocasión de hablar a solas, me reveló la razón verdadera de su venida a San Sebastián.

Dijo que le había dado de repente la cariñada de verme y abrazarme, y que quería regalarles a mis tíos una gallina viva en señal de agradecimiento, como en efecto hizo.

Pero andando los años me confesó el propósito principal de aquella visita inesperada, así como numerosos pormenores de su conversación con mi tía. Y fue de esta manera: que mi madre, al principio, era partidaria de respetar los mandamientos de la ley de Dios; lo cual, para mis tíos, supondría resignarse al regocijo malvado de los vecinos no bien la naturaleza anunciase su obra con innegable y abultada evidencia en la barriga de mi prima.

Mi tía lloraba, su hermana le pedía calma. Se calmaba mi tía y entonces era mi madre la que empezaba a llorar. Entretanto las dos se juramentaron para hallarle paliativo a la vergüenza que no tardaría en llamar a la puerta de los Barriola y, cuando no, retrasarla tanto como fuera posible.

Confiaban en que hasta el sexto o acaso el séptimo mes de embarazo la obesidad protegiera a la muchacha de comentarios y miradas recelosas, lo que alargaría notablemente el tiempo de buscar una solución a lo que ya no tenía remedio, y con dicho fin estaba mi tía dispuesta a cebar a Mari Nieves. Eran, como usted sabe, aquellos, otros tiempos.

Así las cosas, mi madre aconsejó a su hermana que revolviera Roma con Santiago para que Mari Nieves (o la tonta de Mari Nieves, como prefería llamarla mi tía por entonces) contrajese matrimonio, antes de dar a luz, con quienquiera que le hubiese encajado la criatura. De esta forma su preñez aparecería a los ojos del barrio como el descuido imprudente de una muchacha atolondrada y un novio fogoso, y no como la consecuencia natural de la conducta de una viciosa, perdida, desvergonzada, etcétera.

Ahora bien, si por hache o por be la boda no podía consumarse, mi madre ofreció nuestra casa del pueblo para esconder a Mari Nieves. Por lo visto a mi tía la opción de la boda tan sólo le inspiraba dudas, más que nada porque aún no había logrado sonsacar a su hija (a la tonta de su hija) el nombre de quien la había preñado; en cambio, la idea de ir a parir al pueblo la rechazó de plano por antojársele inútil, ya que luego la muchacha tendría que volver a San Sebastián y a nadie le pasaría inadvertido el fruto de sus instintos pecaminosos.

A todo esto, mi prima, que se hallaba presente en la conversación, trató de manifestar no sé si su parecer, su disconformidad o algún deseo. No le dio tiempo de sacarse más allá de dos o tres palabras de la boca, pues mi tía la interrumpió con uno de los numerosos bofetones que sonaron en la casa por aquellos días, y la mandó a su habitación.

Tras lo cual las dos hermanas siguieron deliberando en la cocina y por fin acordaron que la muchacha se sometiera a ciertos remedios enderezados a sacarle el pecado del vientre, dicho sea esto a la manera como ellas se expresaban. Y mi madre, por lo que me habría de contar por extenso largo tiempo después, convino en la resolución de mi tía con grandísimo cargo de conciencia, resignada a tapar una culpa con otra por no agravar la pesadumbre de su hermana, que prefería tirarse por el balcón a atravesar las calles del barrio sin atreverse a levantar la mirada del suelo.

—Y si no —me dijo que le dijo—, te la llevas al pueblo, como era tu idea, y damos el muñeco a la inclusa.

Créame, los chapoteos en la bañera los oí, de eso estoy seguro, y no un día sino varios, siempre en compañía de voces y de mucha discusión entre la madre y la hija. Y quizá por causa del ruido que armaban recuerdo una cosa tan baladí, y también, claro está, porque no dejaba de ser extraño que mi tía se pusiera a bañar a su hija metida ya en los dieciocho años, y que esta pareciese resistirse al modo de una niña rebelde de corta edad.

Por eso, cuando mi madre me reveló lo que por mi cuenta yo nunca habría podido averiguar, me acordaba del ruido aquel del agua en el cuarto de baño de mis parientes y de los gritos a veces aterradores, se lo juro, de mi prima.

Los gritos ahora los entiendo. Eran debidos a que dentro de la bañera había agua recién hervida. Que, por cierto, también me acuerdo de mi tía y mi prima llevándola en cazuelas humeantes de vapor desde la cocina al cuarto de baño.

Al parecer, para que el agua caliente obrara el efecto pretendido, Mari Nieves debía sumergirse en ella hasta la cintura y dar saltos de rana. De ahí los chapoteos, mientras que los gritos hay que atribuirlos a que la muchacha se escaldaba. Ignoro el sentido de los saltos; pero doy por hecho que usted, si considera útil mencionarlos en su novela, les otorgará alguno.

Pues como le digo, recuerdo los chapoteos; en cambio, no tuve constancia de aguja ninguna hasta que oí hablar a mi madre al respecto. Me contó que era de las largas de hacer punto y que la desinfectaban con alcohol de farmacia, y no me describió el modo de usarla ni yo se lo pregunté por cuanto hay cosas en la vida que se entienden sin explicaciones, ¿no cree?

Muy grande debía de ser la desesperación de mi tía y mi prima a juzgar por los diversos y estrambóticos métodos empleados para poner fin al embarazo, de gran parte de los cuales fue mi madre informada. Me supo enumerar unos cuantos. Por ella me enteré, por ejemplo, de que Mari Nieves durmió algunas noches con el bajo vientre atiborrado de perejil.

Y parece que se aplicaba irrigaciones vaginales de agua con jabón, lejía o sal, de pacharán y otras bebidas alcohólicas, y de no sé cuántas sustancias más.

Ahora comprendo la razón de que algunas tardes anduviera con un cubo lleno de piedras en cada mano en torno a la mesa del comedor. Se lo pregunté en su día porque me picaba la curiosidad y me dijo que estaba haciendo ejercicio para adelgazar.

Todo lo cual, a la postre, no sirvió para detener los designios de la naturaleza, que terminó saliéndose con la suya.

De nuevo le pido por favor a usted que, cuando escriba sobre estos asuntos confidenciales, introduzca los cambios, retoques y disimulos necesarios para que mis parientes no se reconozcan ni sean reconocidos en el libro.

Si desea que me extienda en alguna de las cuestiones abordadas hágamelo saber.

Apunte 6

Llegada de Mari Nieves al centro Ibai. La guitarra en una funda. La profesora de música (aquí una breve descripción facial) no responde a su saludo. Seria: no hace falta que desenfundes la guitarra, don Victoriano te está esperando en la oficina. Toc, toc, toc. Pasa. Sentado a la mesa, el cura la recibe con dos expresiones distintas en la cara. A ver si me explico (cuidado con estropear la escena dándole un sesgo grotesco). De la nariz para abajo, dureza, severidad de labios apretados, etcétera. Quizá le ponga halitosis, ya veré. De la nariz para arriba, ojos líquidos, santidad dolida, surcos en la frente. Hay un crucifijo revestido de conchas y un calendario de taco del Sagrado Corazón encima de la mesa. Sé que has pecado. Sé lo que llevas en el vientre. Reza mucho, hija mía, porque lo vas a necesitar si no quieres terminar de perderte. No vuelvas más a las clases de guitarra. No podemos permitir que una manzana podrida corrompa a las otras. Esto es triste, muy triste, pero tú lo has querido así. Mejor conságrate a la salvación de tu alma. Pero... No hay peros, Mari Nieves. Procura no sulfurarme, haz el favor. Y agradece a Dios Todopoderoso que no vivamos en los viejos tiempos, cuando pecados mortales como el tuyo eran castigados en la plaza pública. ¿No te das cuenta de la ofen-

sa que has cometido contra el Señor? Anda, vete a casa, consuela a tu madre, a tu pobre madre... Y cierra la puerta al salir.

Apunte 7

No me jodas.

Vicentico Barriola fija la mirada en el plato de sopa que su mujer le acaba de servir. ¿Para qué me echas tanto? No tiene apetito. Mira los fideos y los trozos de puerro y zanahoria dentro del caldo. En la mano izquierda, un poco de pan. Sin pan no sabría comer. Lo usa para empujar la comida hacia la cuchara. Hasta con los macarrones come pan. Sensación de lentitud, de monotonía, de modorra. Así que frases cortas, palabras comunes.

No puede ser.

Pues lo es.

En los intervalos de silencio se oye el tictac del reloj. Me parece recordar que usé el verbo tictaquear en otra novela. Podría repetir, con la venia de la RAE. Y, si no, también, no te jode.

No me jodas.

Deja de joder. ¿No sabes decir otra cosa?

¿Qué quieres que diga?

Crepita de vez en cuando la cáscara de alguna de las castañas puestas a asar sobre la chapa del fogón. (Ojo con este detalle porque me obliga a situar la acción en otoño.) Los fluorescentes emiten (más sencillo: dan) una luz que comunica una palidez mórbida a las caras y hace más visible las motas de polvo en la chapela de Vicentico Barriola.

Si no la dejarías *tan suelta.*

¿Quién, yo?

Tú eres la que está en casa.

¿O sea que yo tengo la culpa?

¿Y qué hostias quieres? ¿Que me la lleve a la fábrica y la ate a la máquina?

Tras el vidrio de la urna, la Virgen María pisa, con unos pies diminutos que asoman por los bajos de su túnica, una nube de yeso pintado a la que se enrosca una culebra. La Virgen sí que lo tuvo fácil, piensa Maripuy. Concebir sin aguantar el peso, el olor, los meneos bruscos de un hombre. Sin perder la reputación. Sin entregarse.

¿Y quién ha sido el sinvergüenza?

¿Por qué lo preguntas? ¿Le vas a pegar?

Algo habrá que hacer.

Muy bien, Vicente. Haz.

Apunte 8

Mari Nieves ha decidido matarse. Está en la cama, boca arriba, las manos sobre el vientre, a oscuras. Es muy tarde. Su hermano ha llegado hace un rato. Ese sí que tiene suerte, piensa. Va y viene como le da la gana. Ventajas de ser varón. Lo tiene decidido. Mañana me mato. No sé cómo, pero me mato. Una vez, de pequeñita, tuvo lombrices intestinales. Ahora se siente igual, con el bicho ese en las entrañas. Hace recuento de las personas que están al corriente de lo suyo. Los de casa, por supuesto. Aunque ni su padre ni su hermano han dicho ni pío al respecto. ¿Quién más? El cabrón del cura. ¿Cómo se habrá enterado? Ese se entera de todo. Sin duda su madre se lo ha chivado por la rejilla del confesionario. Pudiera ser que la profesora de guitarra. Por la cara que me ha puesto la muy boba, seguro. Luego Begoña. Mari Nieves no quiere creer que su amiga se haya ido de la lengua en casa. La madre de Begoña es peor que la radio. Secreto que pesca, secreto que difunde. Barrio de cotillas. Me mato. Yo así no puedo vivir. Los chavales aún no lo saben. Hay por lo menos tres que podrían tener la culpa. No puede dormir. Todo el mundo la señalará con el dedo. Es una puta. Peor que una puta, ni siquiera cobra. Enciende la lámpara. Repasa la carta de despedida. La rompe. Escribe otra. A las cinco de la mañana oye a su padre levantarse. La última vez que lo oigo. Su padre es bueno. No la ha reñido. Su madre es mala. La ha reñido y le ha pegado una bofetada. Casi se la devuelvo. Nacer para esto. ¿Para qué nacemos? ¿Para pegar y que nos peguen? Estoy segura de que no existe Dios. Es un invento. Al rato oye bisbisear a su padre y a su hermano. Toda la vida madrugando. Obreros. El pueblo trabajador vasco, como dice Julen. Y así toda la vida, deslomándose para los ricos. Hasta que llega la muerte y te llevan en una caja al cementerio.

Opción Madame Bovary: Mari Nieves se traga todas las pastillas que encuentre en la cómoda de sus padres. O se bebe la botella entera de lejía.

Opción Anna Karénina: Se tira al tren de vía estrecha de los Ferrocarriles Vascongados, que además pasa cerca de Ibaeta.

Opción Virginia Woolf: Se ahoga en el río con un cubo de piedras en cada mano. Como el riachuelo de Ibaeta cubre en sus trechos más hondos hasta las rodillas, va a la ciudad y se tira al Urumea desde el puente de... (Elegir uno que me permita cierto lucimiento en la descripción, dicho sea esto con la modestia que debería caracterizarme.) Ahora bien, ¿cómo lleva la chavala las piedras hasta allí? ¿En el trolebús? Esto es ridículo. Oiga, señor escritor, un respeto a su personaje.

Opción Sylvia Plath: Los Barriola no tienen en su casa horno de gas. ¿Mete la muchacha la cabeza en el fogón? Horrenda quemadura. Ocurrencia desechada.

Opción Alfonsina Storni: Mari Nieves va a la playa de Ondarreta y se adentra en el mar hasta ahogarse. La acción resultaría más poética si la muchacha no fuera gorda.

¿O hago simplemente que se tire por el balcón? Esto da poco juego literario. El suicidio es un arte como otro cualquiera. De los pocos, sin embargo, cuya consumación no requiere ni un largo aprendizaje ni una dilatada experiencia.

BEGOÑA: *¿Estás loca? Yo no te acompaño. Hazlo sola.*

MARI NIEVES: *¿Por qué?*

BEGOÑA: *No aguanto ver la sangre.*

MARI NIEVES: *No tienes que mirar. Sólo quiero que sepas dónde pongo la carta. Para que luego la encuentren los policías.*

BEGOÑA: *Me vas a meter en un lío. Pon la carta en casa, debajo de la almohada. Tu madre la encontrará.*

MARI NIEVES: *No me la nombres, que me pongo enferma.*

BEGOÑA: *¿Qué más te da si, total, vas a matarte?*

MARI NIEVES: *Pensaba que eras mi amiga.*

BEGOÑA: *Lo soy.*

MARI NIEVES: *No se nota. En un momento tan difícil me dejas tirada.*

BEGOÑA: *Bueno, te acompaño hasta la gasolinera, pero a las vías subes sin mí.*

Van. En el momento de separarse, al pie de la cuesta, se dan un beso en la mejilla sin decirse nada. Brillo de lágrimas en los ojos de Begoña, pero nada de frases solemnes ni patéticas.

MARI NIEVES: *Dile a Joserra de mi parte que es un cerdo.*

El foco narrativo se detiene en la posición de Begoña. Como en las célebres secuencias de Hitchcock, el relato presenta a Mari Nieves por la espalda, haciéndose cada vez más pequeña a medida que se aleja, hasta que al final de la cuesta, a pocos pasos de las vías, se pierde de vista detrás de un seto, de unos arbustos o de algo por el estilo.

Aquí urge poner por obra un truco literario que mantenga al lector en la expectativa de que va a consumarse la previsible tragedia y, a la vez, le transmita una sensación de tiempo que pasa inexorablemente. Esto quizá pueda conseguirse mediante la descripción con frases sincopadas de un elemento trivial del paisaje, no importa cuál pero siempre el mismo, una y otra vez durante seis o siete renglones. De pronto, el pitido del tren a lo lejos. Otra vez el mismo elemento, como si Begoña, paralizada al pie de la cuesta, no le pudiera quitar los ojos de encima. El tren pasa a bastante velocidad (sin exagerar, porque los Vascongados de la época eran todo lo contrario de rápidos). Siguen unos pormenores que confirmen que la vida continúa alrededor del elemento descriptivo como hasta ahora: pájaros que vuelan, los ladridos de un perro, una moto ruidosa que circula por las cercanías. Detalles, pues, provistos de movimiento.

En esto, aparece la silueta rolliza de Mari Nieves en lo alto de la cuesta. Cambiar de sopetón el ritmo sintáctico. Begoña corre hacia su amiga.

BEGOÑA: ¿No te has matado?

MARI NIEVES: ¡Qué va!

BEGOÑA (con gesto de reproche): Oye, ¿no me habrás gastado una broma?

MARI NIEVES: Te juro que pensaba matarme.

BEGOÑA: No te creo. ¿Por qué sonríes?

MARI NIEVES: Ya estaba encima de las vías. Pero entonces he visto venir el tren. ¡Dios mío, qué grande y qué ruidoso! Me lo había imaginado distinto.

BEGOÑA: ¿Y qué has hecho?

MARI NIEVES: *Me ha entrado un miedo terrible y me he echado a un lado.*

Begoña se da la vuelta. Sin esperar a su amiga, emprende el camino de vuelta al barrio. Lo último que dice, visiblemente enojada, es:

BEGOÑA: *Otro día no cuentes conmigo.*

El comienzo de la partida

Me viene ahora a la memoria un lunes caluroso de septiembre, por la tarde, en que volviendo del dentista con mi tía nos llegamos a la calle de Hernani a ver pasar a Franco. Mucha gente se apretaba en las aceras, tanta que nos costó encontrar un hueco, y aun mi tía, que era muy discutidora, estuvo porfiando con un señor hasta que este se dignó hacernos sitio de mala gana a su costado.

Algunas personas sostenían pancartas de bienvenida, y a cada trecho podía verse un policía con gorra de plato y cara de pocos amigos, y también en las azoteas. Numerosos vecinos de los alrededores, atendiendo a la solicitud hecha pública de víspera por el alcalde, habían adornado ventanas y balcones con la bandera de España.

A mi tía lo que la molestaba de la visita anual de Franco era que las tiendas de ultramarinos subían los precios de sus productos y en casa había restricciones de agua, decían que porque la necesitaban para lavar los caballos de la escolta del Generalísimo, aunque yo aquel día sólo vi acompañamiento de motoristas.

Fuera de esos incordios, mi tía se dejaba contagiar del fervor popular, porque es lo cierto que todos los veranos, por lo común en agosto, como usted no ignora, en cuanto fondeaba el yate *Azor* en la bahía la gente acudía en masa a aplaudir al viejo militar, cada año más decrépito.

Mi tía, cuando salimos de casa a primera hora de la tarde, me dijo que si me portaba bien en el consultorio del dentista, no llorando y esas cosas, me llevaría a merendar churros con chocolate. Y yo, por obtener el premio, resistí el miedo cerval que me daba el hombre de la bata blanca, a lo cual me ayudó una circunstancia, y es que en aquella ocasión no sentí dolor alguno. Al final el dentista ordenó que por espacio de dos horas yo no tomara comida ni bebida, y entonces mi tía, en sustitución de los churros, decidió llevarme a ver a Franco, que era en el fondo lo que ella estaba deseando.

Poco antes de las siete, sin necesidad de esperar mucho tiempo, vimos pasar a Franco en medio de vítores y aplausos, con uniforme blanco de la Marina y gafas oscuras, de pie en un coche negro, saludando poco a poco hacia un lado y poco a poco hacia el otro mediante insinuadas sacudidas de su mano blanda. En el asiento trasero, enjuta y sonriente con aquel rictus de calavera que tenía, iba sentada su señora, el vestido estampado y sobre el regazo un opulento ramo de flores, obsequio de la adulación local. Cerraba el séquito una larga fila de coches cargados con toda aquella gente encopetada que Franco arrastraba de costumbre tras de sí.

A nuestra llegada a casa, encontramos a Mari Nieves en el comedor. Vivíamos por entonces días de calma hogareña, previos al embarazo de la muchacha, y las disputas entre la madre y la hija, aunque frecuentes, se dirimían sin demasiado ruido.

En aquellos momentos mi prima se estaba atareando con los jaboncillos porque deseaba salir a la calle. Al punto su madre le contó que habíamos visto a Franco. Mi prima no se exaltaba como ahora por las cuestiones políticas; conque sin mostrar aversión por la máxima autoridad del régimen, preguntó si en el coche oficial también viajaba Carmen Polo.

Cuando supo que sí, mostró interés por enterarse de cómo iba vestida y peinada la mujer de Franco, tras lo cual escuchó con viva atención la crónica entusiástica de su madre. Satisfecha mi tía por el número de jaboncillos que su hija había envuelto sin que nadie se lo hubiera ordenado, la dejó marchar.

Tengo asimismo presente la reacción de mi tío cuando al llegar a casa, procedente del bar, en busca de la cena que pensaba llevar más tarde a su sociedad gastronómica, mi tía se apresuró a revelarle que habíamos visto a Franco.

—¿Franco? ¿Quién es ese?

—El jefe de España.

—El jefe de España eres tú, Maripuy. Mandas más que Cristo.

Indiferente a la réplica, mi tía refirió por extenso su crónica particular del paso del Jefe del Estado por la calle de Hernani, y aunque en verdad no alcanzamos a verlo desde la acera sino durante una veintena de segundos, y quizá exagere, ella recordaba detalles como para llenar un libro.

Mi tío Vicente no parecía prestarle mayor atención, limitándose a esperar con gesto de aburrimiento, mientras se hurgaba los dientes con un palillo, a que ella terminara de prepararle la cena portátil.

En esto que suena el ruido de una llave en la cerradura. Entra Julen, que nunca besaba ni abrazaba a sus padres, sino tan sólo les preguntaba a modo de saludo: ¿qué hay?, y mi tía continúa como si tal cosa con el tema de Franco y habla de lo elegante que iba Carmen Polo, y Julen escucha y calla.

Pero de madrugada, tras despertarme como de costumbre, me pregunta con más retintín que reproche, mientras se desviste:

—¿Así que habéis ido a aplaudir al cabrón de los cabrones?

Se quedó mirándome desnudo, piloso de piernas, de pecho y genitales (esto no hace falta que usted lo escriba en su novela), sin que yo me atreviese, por miedo a ofenderlo, a abrir la boca.

—¿Cómo es? —me pregunta después de un rato.

A esto sí le supe responder.

—Muy mayor.

Ya estaba él fumando en su cama, la vista clavada en el techo, pensativo.

—Llevaría mucha escolta, ¿no?

Asentí.

Por aquellos días, mi primo Julen había empezado

a dejarse barba. Dijo, como hablándole al humo que expulsaba hacia el techo en largas bocanadas:

—Destruyó Gernika. Mató a mi *aitona.* Lleva treinta años oprimiendo al pueblo vasco. Yo nunca podría aplaudir a un tipo así.

Apagada la luz, me pregunta por qué no le he tirado a Franco una piedra o cualquier cosa dura que le hubiese podido abrir una brecha en la cabeza.

—Es que no había piedras en la acera —me excuso.

—Txiki, menuda oportunidad has perdido. Si estoy yo allí... ¿No habrás gritado viva España, eh?

Negué.

—Que no me entere yo. Te vas a dormir a la escalera, fíjate lo que te digo.

—Pues tía Maripuy sí ha gritado.

Guardó silencio unos instantes.

—Es de Navarra —fue lo último que dijo, en el tono neutro de quien constata una trivialidad, antes de entregarse a sus meneos y dormir.

Créame que aunque casi todas las noches me refería sus hazañas de pelotari, así como pormenores relativos a sus amigos, sus juergas, sus excursiones por el monte y su trabajo en la cervecería, y aunque no se me ocultaba su ardiente patriotismo vasco, yo no tenía la menor idea de que por aquellas fechas mi primo Julen estaba metido hasta las orejas en la acción política clandestina.

Esta ignorancia la compartían conmigo sus padres y su hermana, a tal punto que, cuando corrió por el barrio la voz de que lo habían detenido, sus familiares y yo pensamos que, de admitir que hubiera cometido un delito, con toda seguridad lo habrían pillado robando. No nos cabía en la cabeza que existiera otra posibilidad.

Meses atrás, antes que ETA hubiese matado al temible jefe de la Brigada Social, Melitón Manzanas, fue detenido el hijo de un compañero de fábrica de mi tío Vicente, y al parecer el tal Manzanas y otros de su oficio y su calaña arrearon al chaval tantos golpes y le hicieron tantas atrocidades en un sótano del Gobierno Civil, que lo tuvieron que soltar por la noche en una calle oscura a fin de que, en caso de morir de sus heridas, nadie pudiera achacar rotundamente su fallecimiento a la policía. Y este pobre infeliz, de edad similar a la de mi primo, aunque con el tiempo logró recuperarse, quedó tan maltrecho de la cabeza y tan lleno de angustia y pesadillas que terminó ahorcándose en el balcón de su casa.

Hablando un día, durante la comida, del triste caso, mi tío Vicente le preguntó a Julen:

—Tú no te metes en líos políticos, ¿verdad?

Y mi primo le contestó:

—¿Yo? ¡Qué va!

Así que ya le digo a usted que su familia no sabía nada de sus actividades secretas en pro de la causa nacionalista vasca, y yo, que dormía cerca de él a diario, tampoco.

No obstante, a veces, desde su cama, hacía alusiones un tanto enigmáticas a sucesos de actualidad, como si lo apretase el deseo de hablarme a las claras pero no se atreviera o me considerara incapaz de guardar en el buche sus confidencias. Yo tomaba aquellas alusiones suyas por simples comentarios parecidos a los de mi tío Vicente, quien a menudo, durante las comidas en familia, se arrancaba con alguna que otra mofa contra Franco y sus ministros.

En junio de aquel año, esto ya lo sabe usted, había muerto tiroteado un guardia civil mientras regulaba el tráfico en Villabona y a las pocas horas, por el mismo procedimiento, el que lo mató.

Yo tuve la primera noticia de ambas muertes por mi primo. No recuerdo con exactitud sus palabras de medianoche, pero fue más o menos esto lo que me dijo:

—¿Te has enterado, Txiki? Ayer cayeron dos, uno de ellos y uno de los nuestros. Empate a uno.

Y a continuación una frase que recuerdo literalmente:

—La partida ha comenzado.

Salvo la bandera debajo del colchón cuando le tocaba custodiarla, nunca vi en el armario ropero que compartíamos ni en parte alguna de la vivienda carteles, propaganda o revistas clandestinas que revelasen sus inclinaciones ideológicas.

Tampoco libros. Le aseguro que en casa de mis parientes sólo se leía el periódico. Allí no habría encontrado usted más libro que el devocionario de cubiertas raídas de mi tía Maripuy, mis manuales del colegio, el de euskera de mi primo y una especie de cuaderno de notas que usaba mi prima para practicar con la guitarra.

Julen era reacio a la letra impresa. En ocasiones (recelo que con el propósito de escucharse a sí mismo o de impresionarme), trataba de teorizar sobre sus inquietudes políticas; pero en ningún caso, créame, pasaba de la torpe repetición de lemas y frases oídas a otras personas.

Lo detuvieron un sábado, acabando septiembre, en una calle del barrio de Gros cercana a la plaza de toros. Y fue de esta manera: que andaba de chiquiteo con dos amigos, uno Peio Garmendia y el otro no lo sé, y de pronto, sin que se hubieran señalado con alguna mala acción, fueron interceptados por varios policías vestidos de civil. Los policías encañonaron con sus armas a los tres jóvenes, que venían de un bar de la zona y se dirigían a otro. Total, que sin darles explicación los metieron a viva fuerza en un vehículo y adiós muy buenas.

Ya sabe usted que a raíz del asesinato de Manzanas había sido decretado el estado de excepción en la provincia de Guipúzcoa y la policía no daba abasto para arrastrar a comisarías y cuarteles, y someter a golpes e interrogatorios, a cualquier ciudadano que despertase el menor atisbo de sospecha.

Se me figura que mi primo reunía sobradas condiciones para que le ocurriera aquella tarde lo que le ocurrió, aunque la patrulla policial no lo pillara cometiendo mayor delito que ser joven, andar por la calle luciendo unos asomos de barba y tener rasgos fisonómicos propios de los nativos del lugar, con la agravante, además, de que iba en compañía de dos chavales de parecida catadura.

Un rato antes, manos anónimas habían sembrado las aceras de Gros de octavillas en lengua vasca. A los agentes de la autoridad debió de parecerles que el trío corpulento podría estar implicado en el asunto y, cuando no, en trapacerías de rojos y separatistas, para averiguar lo cual la policía disponía de métodos infalibles.

La cosa, en principio, habría podido resolverse en breve tiempo, ya que sobre ninguno de los tres detenidos pesaban antecedentes penales ni ellos olían a comunistas ni, como hoy sé, estaban todavía integrados en organización armada alguna, aunque no por falta de convicción ni de ganas. De forma que, hechas las comprobaciones de rigor, amilanados los tres con la inevitable ración de insultos y golpes, los habrían soltado al cabo de unas horas como soltaban a otros jóvenes detenidos igualmente al buen tuntún, no bien quedaba demostrado que no se les podía exprimir información de provecho.

Pero a Peio Garmendia le encontraron en la cartera una pequeña *ikurriña* adhesiva y aquello empeoró de manera sustancial la situación de los tres amigos, sobre todo la del dueño del papel, al que las fuerzas de orden público tuvieron retenido durante casi una semana.

La noticia de la detención de Julen llegó a casa de mis tíos al día siguiente. Mi tía Maripuy se levantó temprano para preparar la tortilla de patata que su hijo acostumbraba comer en el monte y, cuando la tuvo hecha, convencida de que a Julen, noctámbulo empedernido, se le habrían pegado las sábanas, entró en la habitación a despertarlo y sólo me encontró a mí.

Con eso y todo, que su hijo no hubiera venido a casa por la noche no podía extrañarle por cuanto Julen era poco amigo de someterse a compromisos y horarios familiares; antes bien gustaba de entrar y salir a su aire, y con frecuencia se quedaba a pernoctar en casas ajenas o simplemente pasaba la noche en blanco y se iba de la juerga al trabajo o de la juerga al monte sin pasar por la cama.

Mi tía se marchó de la habitación rezongando por haberse atareado inútilmente y volvió a la cama. No tardaron en llamar al timbre los compañeros de excursión de mi primo. Fue entonces cuando se supo que Garmendia tampoco estaba en su casa y a mi tía empezaron a inquietarla los malos augurios.

Mi tío no compartía su temor.

—Es joven —le oí decir—. Por ahí andará.

—Esos han robado un coche o algo por el estilo.

—Inventora.

—Lo sé, eso es todo.

—Tú sabes a tocino cuando te untan.

Hacia las nueve de la mañana sonaron varios timbrazos seguidos, tan frenéticos y ruidosos que alarmaron a todos los de la casa. Me costó un buen rato, se lo aseguro, reconocer la voz de don Victoriano a pesar de que el cura hablaba con bastante fuerza en el comedor. Su voz premiosa, extrañamente aguda, cortada por los jadeos, no se parecía nada a la otra reposada y solemne que usaba durante los oficios religiosos.

Lo primero que entendí es que había decidido suspender la excursión.

—Maripuy, ¿dónde guarda Julen sus cosas?

Mi tía lo condujo a la habitación. La puerta estaba entreabierta, yo en la cama todavía pues era domingo. El cura me miró con el semblante desencajado, sin saludarme. Al punto se puso a abrir cajones y a hurgar dentro del armario. Vestido con atuendo y botas de montañero, nadie que no lo conociese habría adivinado su condición sacerdotal. Sentí, perdone que se lo cuente, un pinchazo de vergüenza cuando lo vi manosear mis calzoncillos. Mi tía quiso saber lo que buscaba.

—Papeles.

—Aquí papeles no hay.

Era verdad, no los había. Mi primo no tenía mucha cultura; pero a su manera era listo y cauteloso, y sabía de sobra que no andaban los tiempos como para incurrir en ciertas imprudencias.

—También busco una bandera —agregó el cura.

—¿Qué bandera?

Don Victoriano no estaba con ánimo de explicaciones. Se le notaba inquieto, por no decir temeroso. Era muy raro para mí ver a un cura asustado.

—Hay que encontrarla antes que esos vengan a registrar la casa.

A mi tía se le quebró la voz.

—¿Registrar? ¿Quién? Ay, padre, me está usted poniendo nerviosa.

Don Victoriano tendió una mirada de gato suspicaz en rededor. Sus ojos escrutaban las paredes, el suelo, los muebles, como tratando de perforarlos para atisbar lo que se escondía detrás. Viendo que paraba la mirada en mí, encogido de timidez le susurré señalando la cama de mi primo:

—Está debajo del colchón.

Lo alzó sin pérdida de tiempo, y con la misma rapidez dobló la *ikurriña* y la hizo desaparecer bajo su zamarra de montañero.

—Arregla la cama, Maripuy. Arréglala para que no se note nada. Pero sobre todo no digas a nadie que he estado aquí.

Y tan deprisa como había venido, se marchó a la calle.

Hacia las once de la mañana, quizá un poco antes, no me haga usted mucho caso, la paz dominical del barrio se vio de pronto alterada por la llegada de unos cuantos furgones de la policía. Las ventanas se llenaron de curiosidad, quizá usted se acuerde aunque era niño. Los furgones pararon en la plazoleta que había delante del bar Artola. Y, por lo que nos contaron más tarde, varios hombres uniformados pusieron patas arriba el piso de los Garmendia.

Mi tía, que esperaba la misma suerte en el suyo, pensando en despertar la clemencia de los policías reunió cuantos objetos de significación religiosa guardaba en la casa, que no eran pocos entre estampillas, crucifijos, un rosario de cuentas de nácar, figuras de yeso, medallas y demás, y cuando los tuvo reunidos fue repartiéndolos por aquí y por allá hasta formar una especie de museo de la devoción.

Me mandó entretanto que fuese corriendo a pedirle la Virgen de la urna a la señora Narcisa, a quien le tocaba el turno de custodiarla en su casa, con encargo de explicarle que mi tía la necesitaba para un caso de urgencia y sólo por unas horas. Y yo así lo hice y mi tía colocó la Virgen sobre el mueble de las galletas, que era como llamábamos, por razones que no preciso aclarar, a un viejo aparador.

Mi tío Vicente le preguntó para qué puñetas había colocado allí la Virgen, alumbrada además por una fila macabra de velas, y mi tía primero no le quiso responder, pero después le respondió que lo hacía para proteger la vajilla guardada dentro del mueble. Por lo visto estaba persuadida de que la presencia de imágenes religiosas induciría a los policías a registrar la casa con respeto.

Se vistió después, como para recibir visitas, las prendas más elegantes de su modesto vestuario, y con una bata que se echó por encima para no mancharse se puso a quitar el polvo de las lámparas y los muebles mientras bisbiseaba plegarias. Cada dos por tres hacía la señal de la cruz, al tiempo que decía: «Ay, santa Rita de Casia. Ay, patrona de los imposibles».

A mí me encargó poner orden y pasar la bayeta en mi habitación, y a Mari Nieves lo mismo en la suya.

Estuvimos los tres cerca de una hora afanándonos por darle a la casa el aspecto más decente posible, pues según la convicción de mi tía, si los policías se percataban de que vivíamos en la suciedad y el desorden nos tratarían igual o peor que a gitanos.

Durante las tareas de limpieza, mi tío Vicente permaneció cabizbajo en una silla del comedor, ajeno a todo lo que ocurría y se hablaba cerca de él, con aspecto de estar sumido en melancólicas cavilaciones.

Avisados por Mari Nieves, vimos a eso de la una, desde la ventana de la cocina, que los policías emprendían la retirada sin haber subido a nuestra casa. Tampoco lo hicieron por la tarde ni al día siguiente, no nos explicábamos por qué. A decir verdad, mi tía Maripuy parecía un poco decepcionada. Sin quitarse la bata corrió a casa de los Garmendia a informarse. Mi tío no la quiso acompañar.

A mi primo y al otro compañero de cuyo nombre no me acuerdo, si es que alguna vez lo he sabido, los soltaron el lunes por la mañana, y lo primero que hicieron fue dirigirse al bar más cercano para tomarse el vaso de vino que el sábado anterior no les habían dejado tomar.

Julen estaba muy irritable aquel día. No se le podía hablar, no quiso probar bocado, no quiso contar nada, sino que, profiriendo palabrotas, además de unos refunfuños que no había manera de comprender, se metió en la cama a las tres de la tarde.

Por la mañana temprano, mi tío Vicente antes de fichar en su fábrica había pasado por la de Julen, que estaba al lado, para explicar en las oficinas lo sucedido. Y parece que los jefes mostraron comprensión y le concedieron a mi primo ese día y el siguiente libres, aunque luego no se los pagaron.

Durante la cena nos sorprendió la visita de don Victoriano. El cura volvía a expresarse con el aplomo relamido de costumbre. Declinó la invitación a compartir con nosotros la sopa de ajo y el pescado frito que mi tía le ofreció. Tan sólo deseaba conversar con Julen. No sabemos lo que hablaron, encerrados los dos en la habitación de mi primo durante más de media hora.

En el momento de marcharse de la vivienda, el cura asomó la cara a la cocina para decir:

—Enhorabuena por el hijo que tenéis.

Mi tío esperó a que se hubiera apagado el ruido de sus pasos por las escaleras para replicarle, sin levantar la mirada del plato:

—¡Qué coño sabrá ese de nuestro hijo!

Me acosté a la hora habitual, con el mayor sigilo posible para no molestar a mi primo. Ni siquiera encendí la luz. Él la encendió. De refilón vi que apretaba los dientes como sacudido por una ráfaga de dolor. Al parecer no encontraba postura dentro de la cama. Yo no me atrevía a entablar conversación. Fue él quien rompió el silencio después de un rato para decirme con estas o similares palabras:

—Txiki, eres un campeón.

Le costaba esfuerzo respirar.

—Ya me ha contado don Victoriano lo de la *ikurriña*. Tienes madera de *gudari*.

Más tarde, con la luz apagada:

—Como hay Dios que voy a devolver todos los golpes. No sé cuántos me han dado. No los he podido contar. Pero se los devolveré a esos cabrones. ¿Tú me crees capaz de devolverlos?

—Sí.

¿Qué otra cosa le podía responder?

—Al final ganaremos, Txiki. Ya lo verás.

Se pasó la noche entera dando vueltas en la cama. Se tumbaba boca arriba, boca abajo, de costado, y de vez en cuando mascullaba una palabrota, profería un quejido. Varios días después le descubrieron en el servicio de urgencias del hospital una costilla rota.

Apunte 11

Nombre. Julián Barriola Mendioroz. Edad. 19. Nombre de tu puta madre. María del Puy Aranzábal. Nombre del cabrón, miserable, hijo de la gran puta de tu repugnante padre. Vicente Barriola. Nacionalidad. Español. ¿Español o vasco? Español. Más alto. Español. A ver, di: ¡Arriba España! Arriba España. Te estás portando bien, chaval. Di: ¡Mueran los vascos! Mueran los vascos. Nos empiezas a caer bien, en serio.

Apunte 12

Le acercan un dado. Tíralo. Le dan un pescozón. Que lo tires, idiota. Lo tira. Un uno. Otro pescozón. Tíralo bien. Vuelve a tirar el dado. Un dos. Por última vez te lo digo, tira bien el dado. Esta vez lo hace rodar un poco más lejos sobre el tablero de la mesa. Un seis. Y el policía que está de pie a su lado dice: Por fin. Y a continuación le arrea seis bofetadas.

Apunte 13

Se abre de pronto la puerta del angosto recinto. Es un sótano. Luz macilenta. No hay ventanas. Entra un policía (breve descripción facial, también de la indumentaria, que será distinta de la de los otros). ¿No le estaréis pegando a este chaval? Que no me entere yo. Os meto un parte a cada uno. Este es bueno. ¡Si lo sabré yo! A ver, que le traigan un vaso de agua. El policía le pregunta a Julen si fuma. Julen, amedrentado, responde que no. Venga, hombre, fúmate uno, no seas maricón. El policía le tiende un cigarrillo y Julen no se atreve a rechazarlo. Le da una calada. ¿A que está bueno? Es rubio de contrabando. Y ahora háblame un poco de ese amigo tuyo de la nariz torcida. ¿Se mete en política?

Apunte 14

Han transcurrido dos semanas (más o menos, ya veré). Don Victoriano ha citado en su despacho del centro Ibai a Peio Garmendia y a Julen Barriola. Al que iba con ellos no porque no es del barrio. A su llegada, se levanta de la silla y los abraza. Quizá, como medida de precaución, cierra primero la puerta. Luego: Nuestro pueblo necesita hombres como vosotros, etcétera. Los diálogos cortos, secos, nada literarios. Cuestiones esenciales: 1) El cura les anuncia con cara de pe-

nita que por ahora es mejor que no participen en las excursiones al monte. Es probable que los estén vigilando, que los sigan por la calle. Podrían poner en peligro a todo el grupo. Más adelante ya se verá. A Julen lo que más le duele, y así lo manifiesta, es no poder guardar de vez en cuando la bandera en su casa. El cura lo consuela. Los verdaderos patriotas llevan la bandera en el corazón. 2) Se están despidiendo, los tres de pie. De pronto don Victoriano hace como que recuerda de golpe una pregunta que se le había olvidado. Si en algún momento, durante los interrogatorios, salió su nombre, si hablaron de él. Peio Garmendia reconoce haber contado que los domingos suele ir al monte con amigos y a veces con el párroco de Ibaeta.

DON VICTORIANO: *¿Les dijiste cómo me llamo?*

PEIO: *No me acuerdo. Igual dije don Victoriano. Puede ser.*

DON VICTORIANO: *Pero ellos, ¿insistieron en saber detalles de mí?*

PEIO: *No mucho. Les dije que usted es un hombre bueno muy querido en el barrio.*

DON VICTORIANO: *¿Nada más?*

PEIO: *Les interesaba sobre todo mi familia. Bueno, y también los amigos.*

DON VICTORIANO: *¿Y tú, Julen?*

JULEN: *Ni idea. No sé ni lo que dije. Es que estaba muy ocupado contando las hostias, perdón,* apaiza, *los golpes que me pegaban. Para devolvérselos un día, ¿comprende?*

DON VICTORIANO: *En adelante mirad si os sigue alguien por la calle. Si veis algo raro me lo contáis, ¿eh? Pero no hace falta que vengáis personalmente. Julen, puedes mandarme a tu primo. Es un niño de fiar.*

En busca de un yerno

Tampoco fui testigo de todos los hechos que me propongo relatarle en este tramo de recuerdos, sino que de algunos ocurridos sin que yo hubiese tenido ocasión de presenciarlos recibí noticia más tarde, oyendo a mis parientes hablar de ellos, tanto si me notaban a su lado como si no, ya que con frecuencia no se recataban de conversar sobre asuntos privados delante de mí.

Hace poco averigüé detalles nuevos de boca de mi madre, a quien mi tía Maripuy nunca dejó de mantener al tanto de sus cuitas. Se me hace que mi madre, sin salir del pueblo, conocía mejor que yo las intimidades de nuestros parientes.

Generosa como es, accedió a desvelarme numerosos secretos cuando le dije que tenía garantías del escritor a quien deseaba trasladarlos, de hacer irreconocibles y cambiarles los nombres a las personas trasuntadas. Para mayor seguridad, me pidió que lo persuadiera a usted a colocar la historia en Bilbao o en otro sitio que no fuera San Sebastián.

En fin, le escribo esto antes de entrar en materia para que se fíe usted de mí, señor Aramburu, pues nada de lo que pienso referirle a continuación es inventado, aunque quizá la verdad carezca de importancia cuando se escribe con propósito novelesco. Por eso, y por otras cosillas que no hacen al caso, a mí, que he leído tantos libros científicos y de mi especialidad, no me gusta mucho la literatura, ya lo sabe usted.

Como le referí en otro lugar, los diversos intentos por impedir que la naturaleza consumara su obra en el vientre de mi prima no condujeron al resultado apetecido. Hubo que poner freno a nuevas tentativas tan pronto como don Victoriano averiguó el mal paso de la muchacha. Mi tía Maripuy no se lo supo ocultar y después anduvo arrepentida, presintiendo con razón que el cura no dejaría escapar la oportunidad de inmiscuirse en vidas ajenas.

Celebramos unas fiestas navideñas de caras largas, de poca conversación y ninguna alegría, y por Nochevieja mi madre vino a San Sebastián a comer doce uvas con sabor a tristeza. Me trajo un obsequio de Reyes modesto y se pasó la mayor parte del tiempo echando lagrimicas mano a mano con su hermana, de paso que le ayudaba a limpiar a fondo el piso.

Tras la visita de mi madre, a mi tía Maripuy se le desvanecieron las pocas dudas que abrigaba acerca de la conveniencia de encontrar al fecundador de su hija. Había jurado delante de la Virgen de la urna que llevaría a toda velocidad «al espabilado y a la tonta» ante el altar más cercano, lo uno para que «el canalla» apechase con las consecuencias pecuniarias de su lascivia, lo otro para paliar tanto como fuera posible la vergüenza de un nieto nacido fuera de las convenciones sociales y religiosas de la época. Ya se habrá figurado usted que ella lo explicaba con palabras distintas, propias de su condición humilde.

Recuerdo que a veces estaba sola en la cocina, ocupada en sus tareas domésticas, y yo, desde el comedor, la oía murmurar de repente para sí:

—¡Qué vergüenza!

Envolvíamos jaboncillos los dos en silencio, y a ella le salía por la boca, sin poderlo evitar, una punta sonora de sus cavilaciones:

—Me muero de vergüenza.

Con su hija apenas hablaba por aquellos días; pero se conoce que de vez en cuando no lograba contenerse y le decía al pasar, con lacrimosa y brusca amargura:

—Por tu culpa no salgo de casa.

En cierta ocasión me hallaba cenando en compañía de mi tío y de mi primo, y mientras sorbíamos la sopa, cada cual con la mirada fija en su plato, nos llegaron de la habitación de Mari Nieves las chillonas reconvenciones de su madre. En esto, percibimos el sonido inconfundible que emiten las caras humanas, sobre todo las carnosas, cuando son golpeadas con la palma de la mano.

Julen se encaró entonces con su padre.

—Joder, igual que la policía. Vete a pararla.

—¿Yo? Allá cuidados.

—Pues entonces voy yo.

—Vete.

Pero en lugar de acudir en socorro de su hermana, mi primo dijo algo entre dientes y siguió tomando cucharadas de sopa con buen apetito.

A principios del 69 aún no sabían mis parientes a quién atribuir la paternidad del futuro miembro de la familia, y mi tía vociferaba y amenazaba, o bien, sacudida por súbitas ráfagas de emoción, proponía tratos con voz endulzada y hacía promesas y solicitaba milagros con la cara vuelta hacia el techo, sin que Mari Nieves, encastillada en largo y despechado mutismo, harta de que su madre la llamara puta, se dignase pronunciar el nombre que le reclamaban. Creían todos erróneamente, yo también, que callaba por tozudez, hasta que supimos que callaba porque no tenía respuesta.

Una tarde de aquellas, estando yo en la calle con amigos de mi edad, vino a casa don Victoriano a ruego de mi tía. Lo vi entrar en el portal, vestido de negro con sotana y bonete, acaso para impresionar a la muchacha dándole a entender que la visitaba en cumplimiento de sus atribuciones eclesiásticas.

Ni yo ni mi madre sabemos qué le dijo ni qué le dejó de decir; pero es el caso que no le faltó a don Victoriano ingenio ni autoridad para sonsacarle a Mari Nieves los nombres de sus inseminadores, de forma que cuando mi tía se hubo enterado de que no eran menos de tres se desplomó y el propio cura la tuvo que socorrer acercándole la botella de vinagre a la nariz.

—Pues con uno de esos te has de casar —le dijo

mi tía, el cuello tieso, la voz autoritaria, a su hija por la noche—. Me da igual con cuál. Por mí como si lo echas a los dados.

Y volviéndose hacia su marido:

—Vicente, díselo tú a esta pendona.

—¿Qué quieres que le diga?

—Lo que un padre debería decir a su hija en una desgracia como esta.

Entonces mi tío, con aire de cansancio, le dijo a Mari Nieves que preguntara a alguno de aquellos chavales, al que más le gustase, si haría el favor de casarse con ella.

Mari Nieves, tomada de un llanto violento, no pudo responder. Mi tío le acarició el dorso de una mano, casi a punto de llorar, y le dijo en conclusión, compadecido:

—Haz caso a tu madre y así acabamos antes.

Una semana de plazo le concedió mi tía a Mari Nieves para que eligiera marido. Transcurrida la cual, la muchacha contó que ninguno de los posibles padres de su futuro hijo aceptaba unirse a ella en matrimonio.

—¿Y eso?

—Dicen que por gorda y fea.

—Ya será —le replicó su madre— porque te arrimas a cualquiera y no se fían. Pero no te preocupes, que esto lo arreglo yo. Hoy mismo te traigo un marido.

Mi tía acudió con pasos enérgicos a casa de los tres chavales que habían gozado de la tonta, como ella decía. Y en las tres casas dio rienda suelta a su desesperación, hizo reclamaciones que fueron rechazadas, escuchó historias relativas a su hija que confirmaron sus peores recelos y al fin no logró sino malquistarse con unos y con otros y contribuir a que el barrio entero se enterara de que Mari Nieves Barriola estaba preñada de no se sabía quién. Malas lenguas echaron a volar el bulo de que había tenido tratos carnales con un gitano.

Agria por demás fue la discusión en casa de Joserra, cuyo padre, un hombre de malas pulgas y ofensivo vocabulario, se insolentó con mi tía. La cubrió de injurias y acusaciones, y faltó poco para que le sentara la mano. Mi madre no conoce por desgracia más detalles. Créame que lo siento.

Por aquellos días, mi tía le dijo a su marido en mi presencia, con mueca despectiva:

—¡Vaya hombre, que no protege a su mujer!

A lo que él, rascándose la cabeza por debajo de la chapela, no le quiso contestar; pero como ella insistiera, él, por último, le dijo:

—Tienes razón. Si yo *sería* hombre no me levantaría a las cinco de la mañana para ir a trabajar.

—Y entonces ¿qué ibas a hacer?

—Quedarme en la cama. Que para lo que visto y jamo no hace falta trabajar todos los días ocho ni diez horas.

Mi tía Maripuy no era mujer propensa al desánimo. Perseveró en la obstinación de procurarse un yerno a toda costa, y en esas idas y venidas contó con el visto bueno del cura, a quien logró convencer para que actuara en su nombre por las casas donde ella había fracasado.

Don Victoriano pulsó timbres. No me cuesta imaginar que repartió bendiciones, abogó, expuso y peroró arguyendo con palabras untuosas, locuciones enfáticas y citas de la Biblia en favor del sacramento matrimonial.

Aunque dudo que nadie se atreviese a alzarle la voz o le amagara un tortazo como a mi tía, terminó la ronda de visitas sin obtener otro provecho que lo que le hubieran dado de comer o de beber en cada una de las tres viviendas.

Se lo oí susurrar un sábado a la salida de misa en estos o parecidos términos:

—Maripuy, comprende que tu hija es mal partido.

—Mi hija trabaja y está sana.

—Sí, pero dista mucho de parecerse a la Venus de Milo.

—Mire, padre, yo no sé quién es esa señora ni me importa. Pero ayúdeme, por lo que más quiera, a arreglar el estropicio. Hágalo por la criatura, para que no la apadrine el demonio, que la tonta ya se apañará.

—Uf, el demonio a quien se va a llevar es a Mari Nieves.

—Por mí, cuanto antes. Vamos, que si quiere se la envuelvo en papel de regalo.

—¡Por favor, Maripuy, para ya de ofender al Señor!

Mi tía no cejó en su propósito hasta conseguir la ansiada recompensa. Hubo, pues, novio, compromiso matrimonial y boda, y fue de esta manera (y usted trence como considere oportuno los hilos del relato): que cuando llegaba yo una tarde del colegio y subía las escaleras de la casa vi salir del piso de mis tíos a Txomin Ezeizabarrena, que como sabe usted era un electricista de automóviles, vecino del barrio, hombre alto y fornido, buen *tokalari,* padre de familia numerosa y casado con una pobre mujer a la que una parálisis facial le había dejado el morro, con perdón, torcido.

Y otro día en que llovía a cántaros y soplaba un ventarrón de cuidado, mi tía me apremió a que dejara de envolver jaboncillos y me fuera a jugar a la calle. Yo quise decirle que prefería quedarme en casa, pero no me dejó hablar.

Por ser pronto, el centro Ibai se hallaba cerrado. Conque corrí a refugiarme de la lluvia bajo el saliente de un balcón, y estando allí, solo y expuesto al frío, vi entrar a Txomin Ezeizabarrena en el portal de casa de mis parientes y salir de él al cabo de veinte o treinta minutos.

Que yo sepa, hubo por aquellos días una tercera visita de la misma naturaleza. En todas coincidió que mi tía estaba sola en casa y Txomin Ezeizabarrena la fue a ver sin su caja de herramientas. Piense usted lo que se le antoje, que es lo mismo que me dijo mi madre a mí cuando se lo conté.

Mi tío Vicente no debía de estar del todo ignorante de las conversaciones de su mujer con aquel vecino. Lo digo porque una noche, durante la cena, preguntó:

—¿Qué te ha dicho Txomin?

Y mi tía, sin mover una pestaña, le respondió:

—Está de acuerdo.

Este Txomin Ezeizabarrena tenía varios hijos, y uno de ellos, de la edad de mi primo, era de cortos alcances, por no decir directamente que padecía retraso intelectual, aunque a primera vista no se le notara. Aprendía el oficio de electricista con su padre en un taller de coches. Se llamaba Anselmo, pero casi todo el mundo le decía Chacho. Me consta que no tenía imaginación ni para figurarse una mujer desnuda y desde luego, con mi prima, que lo detestaba como sólo se puede detestar a un animal repelente, no había intercambiado jamás una palabra. Chacho tenía las mejillas punteadas de acné, el labio inferior colgante, las orejas de soplillo, las uñas negras y el pelo ralo y grasiento, y cuando Mari Nieves se enteró de que la querían casar con aquel chaval poco agraciado del que muchos, en el barrio de Ibaeta, empezando por Julen, se burlaban, amenazó con escaparse de casa.

Mi tía se apresuró a mostrarle la puerta abierta.

—¡San Dios! —le dijo—. ¿A qué esperas?

La cosa estaba decidida, contaba con la aprobación del cura y de nada le valió a mi prima llorar y protestar. La vi un día de rodillas en la cocina, suplicándole a su madre, con los ojos arrasados en lágrimas:

—No me hagas esto, amá. Con cualquiera menos con Chacho. Que es muy feo, que la gente se va a reír de mí.

—¿Y tú eres guapa?

—Amá, que es medio tonto.

—Pues por eso. ¿O te crees que uno más listo habría de cargar con lo que llevas en la barriga?

Mi prima se puso de pie profiriendo tales gritos que debieron de oírse en toda la vecindad. Se tiraba con fuerza del pelo y dijo:

—Nunca seré feliz. ¡Nunca! ¿Es eso lo que quieres?

—Lo que yo quiero —le replicó mi tía con aspereza— es que seas decente.

Apunte 15

Tratar de averiguar en qué portal vivía. Si no lo averiguo, omito el número, qué más da. El portal es buen escenario para un encuentro de estas características, a medias casual, a medias previsto. Dos o tres frases introductorias del episodio: media tarde, claridad, dos vecinas delante de la puerta. Las típicas chismosas.

—¿De verdad? Ay, chica, no me digas.

—Como lo oyes. Lo contaban esta mañana en la tienda. Es cosa segura, aunque difícil de creer.

—No deseo mal a nadie. Pero hay que reconocer que la Maripuy es una estirada.

—Pues ahí tiene su lección para que se le vayan bajando los humos.

Breve descripción de las dos. La una con rulos y bata, la otra de luto. Meter vasquismos y faltas gramaticales propias de la zona en la conversación, pero sin propasarse. No olvidemos que la novela deberá contener una historia poblada de gente humilde, con poca escuela. Humilde no equivale a miserable. Comíamos a diario y nos lavábamos (unos más que otros). Deberé adaptar el lenguaje a la condición social de los personajes. Esto es importante. Ojo sobre todo con las palabras y locuciones hoy corrientes pero que entonces aún no se habían inventado.

Apunte 16

Chacho, en realidad, se llama Anselmo Ezeizabarrena Lopetegui. ¿Por qué lo llamarán con aquel apodo más apropiado para un perro? Misterios del arrabal. También lo llaman Anselmito. Su madre, cuando era pequeño, solía asomarse a la ventana para llamarlo a la manera de las madres de entonces: Anselmitoooo. Chacho baja ahora la cuesta, las manos en los bolsillos de sus pantalones (¿de mahón?), los pasos desgarbados, alpargatas. Obeso, fondón, va silbando una melodía popular. Pasa cerca de un gato. El gato se lo queda mirando con la habitual suspicacia de su especie. Es un gato de este o el otro color, salpicado de costras escamosas, con una oreja desgarrada. Un gato tiñoso, suburbial. El gato mira con fijeza a Chacho, pero Chacho no mira al gato. Desde una ventana, no se sabe cuál, una voz infantil grita en son de burla: ¡Chacho! Chacho saluda con la mano en la dirección del grito aunque no ve a nadie.

Apunte 17

Chacho trata de entrar en el portal. Hábilmente, haciéndose la torpe, la vecina de la bata se interpone en su camino y le impide pasar.

VECINA DE LA BATA: *Anselmito, majo, enhorabuena. Ya nos hemos enterado.*

Chacho sonríe bobalicón. Da las gracias.

VECINA DE LUTO: *¡Quién lo iba a decir, tan joven y ya comprometido! Estarás muy enamorado, ¿verdad?*

CHACHO: *Sí.*

VECINA DE LA BATA: *¿Ya tenéis fecha para la boda?*

CHACHO: *No sé.*

VECINA DE LUTO: *Chica, ¡qué preguntas haces! Será en primavera, cuando haga buen tiempo, ¿verdad, Anselmito?*

CHACHO: *No sé. Preguntar a mi aitá.*

VECINA DE LA BATA: *¿Tenéis nombre para la criatura?*

CHACHO: *Nombres hay, pero aún estamos pensando.*

Desde uno de los pisos superiores se oye, a través del hueco de la escalera, la voz de una mujer con problemas para vocalizar.

VOZ: *Oye, dejar al chico en paz.*

MUJER DE LUTO: *Tranquila, que no te lo vamos a comer.*

VOZ: *Sube a casa ahora mismo, Anselmo.*

Chacho pasa entre las dos vecinas. Comienza a subir pesadamente los escalones. Antes de llegar al primer piso se pone de nuevo a silbar.

Dado azul

Jugábamos a fútbol en una hondonada que había junto al río. Eran partidos sin árbitro que enfrentaban durante varias horas a dos muchedumbres de chiquillos; partidos que se alargaban, perdida la cuenta de los goles, hasta que la oscuridad del anochecer hacía invisible la pelota o se consumaba una deserción masiva de jugadores llamados a cenar por sus madres asomadas a las ventanas.

Con frecuencia el balón caía al río y, para recuperarlo, había que llegarse hasta la trasera del centro Ibai, a unos cincuenta metros de distancia, donde el agua se remansaba detenida por un grueso tronco atravesado en la corriente.

Una tarde de aquellas me tocó ir a buscarlo porque decía el que lo había tirado que lo había tirado yo, y eso no era verdad, pero como lo repetían unos amigos suyos y, al fin, me pareció que había un interés general por que yo fuera a buscar el balón, fui.

De vuelta, entre los arbustos de la orilla, oí que me chistaban, y al alzar la vista vi que me llamaban por señas, desde lo alto del ribazo, dos chavales mayores, amigos de Julen; uno de los cuales, señalando un Seat 600 aparcado en una fila de automóviles, frente al portal de la casa de mis tíos, me dijo con mucho misterio:

—En aquel coche hay dos secretas. Dile a tu primo que lo andan vigilando.

Yo así lo hice por la noche, cuando Julen vino a dormir. No dio muestras de que el aviso lo inquietase; ni siquiera le interesó saber quién me había pedido que se lo transmitiera. Todo lo que dijo, degustando en la cama el último cigarrillo de la jornada, fue más o menos esto que a continuación transcribo:

—Será porque no respondo a una carta que me han mandado. Pero yo no voy a hacer la mili. A mí no me da la gana de ponerme firmes en el ejército de Franco. Si yo empuño un arma será por Euskadi, la única patria que reconozco.

La presencia del 600 se prolongó durante varias tardes seguidas. No estaba claro que tuviera que ver directamente con mi primo, ya que a veces los dos hombres sentados en su interior se apostaban cerca de otros portales.

Una noche, cenábamos todos juntos, mi tío le dijo de pronto a Julen:

—Tú no andarás en política otra vez, ¿eh? Que no me entere yo.

—Y si te enteras, ¿qué?

—Bueno, tú no te metas.

A comienzos del año 69 aún regía en la provincia de Guipúzcoa el estado de excepción, pronto extendido a toda España. Hasta mis oídos habían llegado en repetidas ocasiones aquellas palabras cuyo significado exacto desconocía. No obstante, uno de los frailes del colegio, preguntado por los alumnos, nos proporcionó ciertas explicaciones no del todo adaptadas al entendimiento infantil, de las que yo tan sólo había sacado en claro una conclusión: que había que tener cuidado con la policía.

Mi tío Vicente me lo confirmó por la noche en casa:

—Mira, sobrino, eso es que la policía puede hacer lo que le salga de los cojones. O sea, como siempre pero aún más.

Por entonces ponía intranquilos a mis parientes la posibilidad de que Julen volviera a ser detenido. En todas partes se hablaba de registros domiciliarios, de redadas, de palizas en los sótanos de las comisarías. No sé usted, pero a mí me entraba un estremecimiento de miedo cuando veía pasar por las calles de San Sebastián hileras de vehículos de la Guardia Civil o de la Policía Armada.

Aquellos bigotes, ¿se acuerda? Aquellas miradas duras, las porras y los cascos, las armas que a mi imaginación adolescente le costaba concebir fuera de las películas de indios y vaqueros. Este pensamiento se lo declaré a mi tía a la vista de varios furgones policiales, saliendo ella y yo un sábado por la mañana del mercado de San Martín.

—Pues hazte cargo —me respondió— de que nosotros somos los indios, y esos señores de uniforme, los vaqueros.

Mis tíos, no le quepa la menor duda, ignoraban las actividades en que su hijo estaba implicado; pero, ojo, no eran tontos, tenían sus barruntos y presentían que Julen, en compañía de Peio Garmendia y de otros amigos y compinches, hacía algo que podría acarrearle serios problemas con las autoridades del régimen.

Recuerdo a mi tío Vicente en la cocina, taciturno, abstraído, meneando de vez en cuando la cabeza al modo de quien se muestra disconforme con alguna cosa oída en sus cavilaciones.

Podía suceder que preguntase de repente:

—¿Y el hijo?

—No ha venido —le respondía su mujer fingiéndose tranquila.

La cabeza gacha, las manos callosas de obrero fabril, mi tío se quedaba mirando fijamente el plato como si buscara señales de Julen entre los fideos.

—Vicente —le decía mi tía—, ¿no comes?

—¿Eh?

—Que se te va a enfriar la sopa.

—El caso es que no tengo ni gorda de hambre.

—No te estarás poniendo enfermo, ¿eh?

—Pues igual.

Y ella, consciente de lo que preocupaba a su marido, por levantarle el ánimo le decía:

—Bueno, bueno, ya vendrá.

Por aquella época, Julen pasaba muchas noches fuera de casa, también en los días laborables, sin que su familia supiera por dónde andaba ni con quién, y cuando por fin reaparecía, ojeroso, desaliñado, muerto de sueño, se apresuraba a mostrar mediante movimientos displicentes de la mano que no pensaba responder a preguntas sobre su vida privada. Su madre, siguiéndolo hasta la habitación, insistía.

—Por lo menos habrás ido a trabajar.

—Puede.

Lo cierto es que mis tíos no sabían nada de las correrías de su hijo ni daban con el modo de sonsacarle información. Me percaté de que Julen, por las noches, acostado en su cama, aunque todavía gustaba de entablar conversación conmigo, eludía revelarme pormenores de sus actos.

Ya no se jactaba como antes de haber bebido tantas y cuantas copas, ni de haberle ganado una apuesta a fulano o una partida de pelota a mengano.

De pronto se arrancaba con frases enigmáticas del tipo:

—Acción-represión-acción. Dime, Txiki, ¿tú sabes lo que es eso?

—No.

—No te preocupes —sonreía guiñándome un ojo—. Algún día lo sabrás.

O estas otras, que al punto atribuí a su talante bromista:

—Tarde o temprano habrá en esta ciudad una calle con mi nombre. Ya estoy viendo la placa: Julen Barriola *kalea*. Y si me apuras hasta una estatua en la plaza de Guipúzcoa, junto al estanque de los patos: Al héroe Julen Barriola. ¿Cómo se dice héroe en euskera?

Me encogí de hombros.

—Menudo primo te ha tocado, ¿eh? La gente te parará por la calle para felicitarte, ya lo vas a ver.

Cierta noche, a principios de aquel año, nos sacó a todos de la cama, y fue de esta manera: que entró en casa a horas indispuestas dando trompicones, pero no borracho; profiriendo gemidos y llamando con voz entrecortada a su madre. Y salimos todos, uno tras otro, alarmados, descalzos y en ropa de dormir al comedor, y vimos que traía la mano derecha envuelta en unas tiras sanguinolentas de su propia zamarra.

Justo él que venía lloroso y lastimero mandó que no hiciéramos ruido para no llamar la atención de la vecindad y, entre mecagüendioses, putas hostias y otras blasfemias por el estilo, la cara contraída de dolor, le rogó a su madre que lo curase.

Mi tía y Mari Nieves, que por esos días no se hablaban o solamente lo hacían para levantarse la voz, estuvieron de acuerdo en que convenía despertar a algún conocido del barrio que tuviese coche y pudiera llevar a Julen sin falta al hospital. Mi primo replicó irritado que si alguien, fuera de nosotros, se enteraba de lo que le había ocurrido, él se tendría que ausentar por fuerza de casa durante una larga temporada o para siempre. A este punto, incluso yo, a mi corta edad, deduje que Julen debía de haberse puesto a malas con la ley.

Mari Nieves, por orden de su madre, fue a llenar una palangana con agua caliente y después a limpiar las posibles manchas de sangre que hubiese en las escaleras del edificio. Mi tía retiró entretanto las tiras de tela. Al descubierto quedó una desgarradura que tenía mi primo en el pulpejo de la mano, debajo del dedo pulgar, por la que asomaba la carne viva. Mi tío dijo nada más ver la herida:

—A ti te han pegado un tiro.

Julen se apresuró a negar mediante una sacudida vehemente de la cabeza.

—Pues si no te han pegado un tiro, te lo has pegado tú enredando con un arma.

A Julen le sobrevino una arcada. Mi tía intercedió:

—Vicente, no empeores las cosas. Vete a la cama.

Mi tío se volvió obediente a su habitación. Por el trayecto dijo:

—Este anda con pistolas.

Una vez que hubo lavado la herida, mi tía procedió a desinfectarla con alcohol de farmacia, y para ello vertió el contenido de una botella de medio litro en un cuenco, dentro del cual sumergió a continuación la mano maltrecha de mi primo. Este apretaba los dientes tratando de ahogar las quejas. Pasados unos instantes, se conoce que ya no era capaz de resistir el dolor. Intentó entonces sacar la mano del líquido mordiente, pero su madre se la mantuvo apretada sin compasión contra el fondo del recipiente.

—Lo que tarde en rezar dos avemarías has de tener la mano en remojo.

—¡Amá, hostia!

—Que no se diga, Julen. ¡A tu edad estos remilgos!

Los ojos de mi tía repararon de pronto en mí, que estaba observando la escena desde un rincón.

—¿Qué haces levantado a estas horas?

Mandó que me acostara de inmediato. Al cuarto de hora, sobre poco más o menos, sentí llegar a Julen y tumbarse encima de su cama sin encender la luz, desvestirse ni apartar la colcha. No fumó; tampoco me dirigió la palabra ni se dedicó a sus ejercicios masturbatorios bajo la manta, quizá por no tener en condiciones la mano de darse gusto.

Un rato después lo oí hablar dormido, a la manera de los que deliran. Picado por una intensa curiosidad, presté atención a sus rumores y balbuceos en la esperanza de que delatasen lo que le había sucedido aquella noche; pero me fue imposible discernir nada semejante a una palabra entre los ruidos confusos que salían de su boca.

De amanecida se fue a trabajar con la mano vendada, y por la noche, durante la cena, sin que ninguno de mis parientes se lo hubiera preguntado contó que de víspera, subiendo en moto con un amigo al barrio de Ayete, habían tenido un accidente y a él se le había incrustado una piedra en la mano. Sus padres escucharon el episodio sin decir nada. Tan sólo mi tío le preguntó al final si su amigo se había hecho daño.

—No, ese ha tenido suerte.

—¿Cómo se llama tu amigo?

—¿Qué más te da, aitá, si no lo conoces?

Terminada la cena, Julen salió a la calle como acostumbraba. No bien se apagó el ruido de sus pasos en las escaleras, oí a mi tío decir:

—Una piedra, sí, sí. Este anda con pistolas, Maripuy. Si lo sabré yo.

—¿Tú qué coño vas a saber?

—Cualquier día tendremos un disgusto.

—Hala, cállate, que estás más guapo.

Y ahora sí, ahora ha llegado el momento de relatarle el episodio (supongo que fue la comidilla del barrio cuando se produjo) que usted dijo conocer a medias la última vez que nos vimos y por el cual me confesó que experimenta un vivo interés.

Corría el 1 de marzo de 1969, un sábado de nubes y claros, de tiempo fresco, tirando a frío. Se celebra en tal día la fiesta anual del Ángel de la Guarda. Yo había subido hasta la ermita a primera hora de la tarde para comprar por encargo de mi tía media docena de rosquillas blancas en uno de los puestos de la pequeña feria.

Gracias a que por cumplir aquel mandado me acerqué al lugar, supe más tarde encontrar a Julen con rapidez, pues lo había visto junto a sus amigos y unas chicas para mí desconocidas, compartiendo todos una bota de vino y bailando a la manera tradicional delante del tablado sobre el que un hombre tocaba el acordeón y otro ponía la voz y lo acompañaba con una pandereta.

Una ráfaga de timbrazos rompió la paz de casa pasadas las cinco de la tarde. A dicha hora tan sólo mi tía y yo estábamos en la vivienda. Sentada a la mesa del comedor, ella confeccionaba una de tantas prendas de punto para el nieto venidero, mientras escuchaba la radio (algunas zonas de España habían sido sacudidas de víspera por un terremoto sin graves consecuencias). Ajeno de preocupaciones y de tareas escolares, yo jugaba a los ciclistas en el suelo de mi habitación.

Nuestra vecina del piso de enfrente había visto por la ventana que varios furgones de la Policía Armada se habían detenido delante del portal y, recelando que los agentes venían a registrar nuestra casa, como así era en verdad, se apresuró a ponernos sobre aviso.

—Maripuy, los grises. Mira si te da tiempo de esconder alguna cosa mala de tu hijo.

Dicho lo cual, se volvió a su casa, y transcurridos seis o siete largos minutos, sonaron gritos conminatorios en el descansillo y, en vez del timbre, unos recios manotazos contra la puerta.

Mientras esperábamos la llegada de los policías, mi tía aprovechó para colocar aquí y allá diversos objetos religiosos, así como una banderita de España con su pequeño legionario y su mástil sujetos a una base de escayola. Nunca antes había visto yo el patriótico chirimbolo. Imagino que lo compró a escondidas en previsión de que aconteciera lo que finalmente aconteció.

¿Por qué le costó a la policía tanto tiempo subir al piso de mis tíos? La tardanza, como después supimos, se debió a un fallo grotesco que cometieron los agentes, y fue de este modo: que llamaron por equivocación al segundo derecha, justo debajo de nosotros, donde, para más inri, vivía un matrimonio mayor con el cual mis tíos no se hablaban. Total, que en aquellos momentos los inquilinos se hallaban ausentes, lo cual fue interpretado por los policías como señal de que no les querían abrir la puerta y, en consecuencia, después de unos cuantos gritos y amenazas, la derribaron.

Cuando sonó el estruendo, mi tía se encontraba a mi lado.

—¡Tratar de esta manera a la gente humilde! —murmuró.

Su cara traslucía una especie de serenidad enojada. Admito que no sé expresar esto con precisión; pero, fuera como fuese, yo no la dejaba de mirar por cuanto algo que emanaba de sus facciones (¿dignidad, temple, contención?) y, sobre todo, de sus ojos, me preservaba del miedo.

De pronto apretó contra la palma de mi mano mil trescientas pesetas en billetes enrollados y, mandándomelos esconder en el bolsillo del pantalón, me dijo que a la menor oportunidad saliera en busca de Julen y no volviese a casa sin haberle entregado antes aquel dinero. Me preguntó si la había entendido; respondí que sí. No me dio mayores explicaciones ni me pidió que le transmitiera mensaje alguno a su hijo.

Un rato después la casa se llenó de policías.

—¿Adónde va este niño?

—No vive aquí.

—¿Cómo que no vive aquí?

—Es el hijo de una vecina.

El policía me clavó una mirada feroz.

—Esfúmate, chaval, no sea que me empiece a disgustar la cara de mono que tienes.

Dos o tres metros más allá me cerró el paso otro policía.

—¿Adónde *cohone creej que vaj,* eh?

Y el anterior le contestó:

—Déjelo, Gutiérrez. No vive en esta pocilga.

Salí a la calle sin prenda de abrigo y con las zapatillas de casa, y a todo lo más correr que pude, pisando por medio de los huertos con pensamiento de hacer el camino más corto, me llegué monte arriba hasta la ermita del Ángel de la Guarda.

Enseguida divisé a Julen con su cuadrilla de amigos, atentos todos a un duelo jocoso de bersolaris. Viéndome llegar apurado, y quizá por otras señales de mi cara, comprendió que le traía malas noticias. Tras llevarse un dedo a los labios en demanda de silencio, me indicó que lo siguiera hasta detrás de una meta de heno, en el borde de la carretera, donde sin que nadie me pudiese escuchar, jadeante y con el corazón alocado, le conté lo que pasaba en casa y le di el dinero.

Visiblemente nervioso me susurró al oído que hiciera venir a Peio Garmendia. No sé qué hablaron los dos detrás de la meta, no volví a ver a mi primo sino transcurrido un largo tiempo, y lo último que me dijo, después de estrecharme entre sus brazos y antes de perderse de vista por la cuesta abajo en compañía de Peio Garmendia, fue:

—Txiki, eres un buen *gudari.* —Y, volviéndose a su amigo, agregó—: ¿A que sí?

Pero Peio Garmendia no estaba con ánimo de emociones y despedidas.

—Déjate de hostias y vámonos.

Entre temblar de frío o temblar de miedo, escogí la primera opción, y por dicho motivo no regresé a casa de mis parientes sino cuando ya el cielo era más negro que morado. Tuve la prudencia de comprobar de lejos que no quedaban furgones de la policía delante del portal.

Me encogió el corazón encontrar a mi tío llorando en la cocina, con la cabeza entre las manos. Lloraba, se lo juro, con unos gemidos roncos de niño grande. Por primera vez, que yo sepa, salvo en las contadas ocasiones en que se lo hubiera impedido algún problema de salud, no acudió como todos los sábados a su sociedad gastronómica.

A mi llegada todavía reinaba el desorden en la vivienda: cajones volcados, ropa desparramada, camas deshechas. Mi tía por un lado y Mari Nieves por otro se atareaban por restituir cada cosa a su sitio.

Al verme, mi tía me preguntó con sequedad:

—¿Has hecho lo que te he pedido?

Mi respuesta no bastó para desenojar sus cejas; pero sé, porque no podía ser de otro modo, que la esperaba y le debió de procurar alivio.

No quiero robarle a usted tiempo ni fatigar su paciencia haciéndole una descripción pormenorizada del desorden y los destrozos que encontré en mi habitación. Créame, habría sido necesario un terremoto de notable magnitud para dejarla como la dejó la policía.

Hasta el día siguiente, con la claridad de la mañana, no pude llevar a cabo el recuento de mis ciclistas:

seis rotos, supuse que pisoteados; uno del equipo de Eddy Merckx descabezado y algunos torcidos que mal que bien conseguí enderezar.

El dado, un dado azul celeste con los puntos dorados, por el que yo sentía especial apego, no lo encontré, ni ese día ni nunca, y no será porque no mirase y remirase debajo de los muebles, en todos los recovecos y, en fin, por toda la casa.

Ya sé que la pérdida de un juguete es la cosa menos parecida a un acontecimiento histórico, que no vale nada frente al sufrimiento de tantas personas durante la dictadura aquella que tuvimos y que a usted no le puede interesar para su libro. Pero, mire, a mí me dolió sobremanera, dejándome dentro de la boca un sabor seco, arenoso, a injusticia que no he olvidado.

Por aquel entonces, cuando veía policías por las calles, los miraba con la secreta, con la candorosa esperanza de adivinar cuál de ellos se habría apoderado de mi dado azul, y soñaba que al pasar cerca de mí se le caía al suelo sin darse cuenta y yo lo recuperaba.

Seis años después, cuando murió el Generalísimo, le pedí a Dios muy seriamente, en el curso de una de las últimas misas a las que recuerdo haber asistido, que lo primero de todo le pidiera cuentas a aquel señor, jefe de todos los policías de España, por el hurto de mi dado.

Nunca sabré si fue atendida mi petición.

Apunte 18

Acción: frente a la villa de Tres Forcas (detalle localista tal vez poco significativo y por tanto superfluo, puesto que la casa fue derribada hace muchos años y no podría mencionarse en la novela sin añadir alguna explicación, lo cual es paja), a las afueras del barrio, hay un huerto (higueras, manzanos, quizá perales) circundado por una tapia de piedras colocadas a hueso. La parte trasera colinda con una balsa. Ranas (¿en marzo?), juncos, ya veré. Allí, casi a ras del suelo, en un escondrijo tapado con hierbajos, guarda Julen Barriola una vieja pistola Astra del 7,65, medio oxidada y sin munición.

Tesis de Peio Garmendia: perdemos el tiempo. Ya deberíamos estar lejos. ¿Para qué quieres una pistola si te faltan las balas? Como nos pare la policía y te la encuentren estamos perdidos. No es hora de jugar a guerras tontas, sino de poner tierra por medio.

Tesis de Julen Barriola: la pistola me da seguridad. Nos puede sacar de apuros. Apuntamos a un taxista y viajamos gratis. Apuntamos a unos ciclistas y les quitamos las bicis. Apuntamos a un policía o a un guardia civil, le exigimos su pistola y así tenemos una que vale. También la puedo usar para pegarte con la culata en la coronilla porque me estás hinchando las pelotas.

Consecuencia: primer enfado entre los dos huidos.

Apunte 19

Acción: se paran a pensar. Sitio propicio para un diálogo a salvo de miradas y oídos ajenos. Aunque me cueste, haré lo posible por resistir la tentación de meterlos en una escena risible a lo Valle-Inclán. Cuentan el dinero. Mil trescientas pesetas que le ha dado a Julen su amatxo, *más lo que pudiera llevar cada uno en el bolsillo. Esto hace cierta cantidad que determinaré en su momento. Ni tan excesiva que les permita vivir con lujo, ni tan corta que les impida pasar razonablemente los primeros días de fuga.*

Tesis de Peio Garmendia: hacemos caja común. Este dinero es de la causa. A un hostal no vamos. ¿Cenar? Unos bocadillos. Hay que tirar lo más que se pueda con lo que tenemos hasta que ya no nos puedan coger.

Tesis de Julen Barriola: mi dinero me lo puede confiscar Euskadi ta Askatasuna. *Tú, no. Vamos a escote, de acuerdo, porque somos amigos, pero yo decido lo que se hace con lo que me ha dado mi madre. No intentes jugar a jefe conmigo. Y para que sepas: tengo hambre, tengo sed y no quiero ir a dormir al monte con el frío (con el puto frío) que hace.*

Consecuencia: fuertes reproches de Peio, que amenaza con marcharse por su cuenta. Una hora andando por San Sebastián sin dirigirse la palabra. Se ponen de acuerdo para abastecerse de tabaco en abundancia. Se reconcilian exhalando bocanadas.

Apunte 20

De anochecida, los dos amigos llaman al timbre en un domicilio de la calle 31 de Agosto (por ejemplo). Una mujer: No está, no ha vuelto, ¿quiénes sois?, esperad en la puerta de San Vicente. Toman vino en dos bares cercanos. Peio Garmendia insiste en pagar una ronda. Conato de discusión que no prospera. A las nueve y cuarto se acerca X al atrio de la iglesia, les hace una seña con disimulo y ellos lo siguen durante largo rato, como a cincuenta pasos de distancia, hasta un lugar recogido del monte Urgull.

X: *Bronca. ¿Cómo se os ocurre ir a mi casa, cabrones? Sois unos aficionados, etcétera. ¡A que no os ayudo (aquí una blasfemia)! Tengo mujer y tres hijos, ¿eh? ¡Cómo se os ocurre!*

ELLOS: *Perdona, necesitamos a alguien que nos lleve al otro lado y una dirección allí.*

X: *¿No sabéis nadar o qué? Pues* pasar *el Bidasoa a nado.*

ELLOS: *Si nos pescan, nos sacarán información a hostias. Seguro que decimos dónde vives.*

X: *Mañana aquí a la misma hora.*

ELLOS: *¿Mañana?*

X: *Mañana si hay suerte. No prometo nada.*

ELLOS: *¿Y dónde dormimos? No podemos volver a casa.*

X: *Dormir es fácil. Sólo hay que cerrar los ojos. No* moveros *del monte. No* estar *juntos, joder, que llamáis la aten-*

ción más que un burro verde. Uno aquí y otro por allá arriba. Igual tenéis suerte y llueve y podéis beber. Y, si no, joderos.

Fin del pasaje: a las once de la noche bajan a la Parte Vieja. Comen un bocadillo y beben vino. Al principio hacen como que no van juntos. Luego les da igual. A la hora en que empiezan a cerrar los bares, Peio Garmendia propone ir a la Estación del Norte. Al cruzar la Avenida de España ven una fila de furgones de la policía. Nadie les echa el alto. Bastante borrachos, pernoctan en el interior de un polvoriento vagón de mercancías parado en una vía muerta.

Apunte 21

A horas avanzadas, en el vagón. Oscuridad completa.

JULEN: *¿Qué pasa? ¿Por qué me despiertas?*

PEIO: *Ponte los zapatos ahora mismo.*

JULEN: *¿Has oído algo? ¿Viene alguien?*

PEIO: *Que te los pongas, rediós. No sé para qué llevas pistola si con el olor de tus pies podrías matar a un elefante.*

Escena quizá demasiado chusca, aunque nunca se sabe. Anotada queda por si se le pudiera sacar provecho literario.

Acción: bajan del autobús de línea junto al puente sobre el Bidasoa, donde arranca la carretera que conduce a Lesaca (hoy Lesaka). Es un sitio muy expuesto. Dominios de la Guardia Civil. El autobús continúa su viaje hacia Elizondo. Ellos se quedan solos. Sucios, desaliñados, sin equipaje, es imposible que no levanten sospechas. Paraje natural, pájaros, densas arboledas, silencio, todo ello embutido en una breve descripción. Deciden apartarse de la carretera, que transcurre pegada al río. Un silbido. Sin duda los llama el mugalari, *pero ¿desde dónde? Al otro lado, ladera arriba, entre los pinos, algo se mueve. Un pañuelo blanco. Un brazo. Una chapela. Una cara. Allí está. Vamos. Espera. Ruido de motor. Se acerca un coche. El coche pasa.*

Saludo en euskera.

ÉL: ¿Barriola y Garmendia?

Asienten.

ÉL: Detrás de mí (o a la manera de la tierra: detrás mío) *y ya no hablamos más, ¿eh?*

El terreno es escarpado. Caminan en fila india, por angostas veredas que serpean entre los helechos y los troncos innumerables. Imitan al mugalari. *Si el* mugalari *se para, ellos también. Si aprieta el paso, si disminuye la velocidad, ellos lo mismo. Tardan alrededor de una hora (o algo menos) en subir hasta la frontera con Francia. Si no me equivoco, subiendo desde la carretera que va a Santesteban y Elizondo son como tres kilómetros en línea recta (comprobar el dato antes de redactar el capítulo correspondiente). De ahí para allá es Francia, dice señalando con el dedo algún deta-*

lle orográfico poco distante. Le dan las gracias, le dan la mano. El mugalari *se vuelve por donde ha venido. Julen y Peio solos en suelo francés. Lo primero de todo, encender un cigarrillo.*

JULEN *(al par que echa humo): La libertad.*

PEIO: *¿Por qué no le has dado una propina al* mugalari? *Aunque fueran dos duros. Mira que eres taba.*

JULEN: *Pero ¿qué dices? Esto es una lucha armada, no un paseo de turistas. ¿A nosotros alguien nos da algo por el sacrificio que hacemos?*

PEIO: *El pobre hombre seguro que no ha ido a trabajar por traernos aquí.*

JULEN: *Pobres hombres somos nosotros, que llevamos dos días como perros vagabundos, comiendo de puta pena, cagando en la calle, helados de frío y con la ropa hecha un Cristo.*

PEIO: *Pues no haberte metido en esto.*

JULEN: *Me lo había imaginado diferente.*

Desenlace del episodio: se adentran en Francia discutiendo. Antes de llegar al primer pueblo, ya no se hablan ni se miran.

Pues sepa usted que en las ocasiones especiales mi tía acostumbraba asar un pollo de caserío, y como no le gustaba que le diesen a elegir entre pocos y acaso viejos, en lugar de comprarlos en los puestos del mercado lo hacía en un caserío de las proximidades de Ibaeta, llamado Errotaburu.

Me ofreció acompañarla unas cuantas veces y por distraerme acepté. En el corral del caserío la veía discutir el precio con la casera, la una más tozuda que la otra, y no he olvidado el día en que nos marchamos sin el pollo porque entre las dos no llegaban a un acuerdo. Cuando casi habíamos terminado de bajar la cuesta, oímos que la casera nos llamaba desde arriba agitando el pollo en el aire y diciendo a gritos, en castellano defectuoso, que aceptaba la oferta de mi tía.

Los pollos los llevábamos a casa atados por las patas. Yo jugaba con ellos haciéndolos correr por el balcón. La víspera de cocinarlos mi tía les rebanaba el pescuezo en el fregadero y, cuando se habían desangrado, me dejaba desplumarlos. Esto entonces era normal y yo ni siquiera lo sentía como cruel; pero prefiero que mis hijos no lo sepan.

Traigo lo del pollo a colación debido a que mi tía decidió asar uno el domingo en que Chacho fue invitado a comer a la mesa de mis parientes en calidad de prometido de Mari Nieves.

No era la primera vez que ponía los pies en casa. Convenida la boda con mi prima, al chaval le había dado por hacerse el encontradizo en la parada del trolebús, donde esperaba a mi tía para llevarle las bolsas de la compra, y de esta manera se esforzaba por reunir méritos y caer bien.

Le decía mi tía a su hija, estando las dos solas y yo cerca:

—Te saldrá buen marido, alégrate. Lo mismo que carga a gusto con mis bolsas cargará con la criatura y con todo lo que le eches.

Chacho, en aquellas ocasiones, apenas permanecía unos minutos en la cocina. Mi tía le daba de beber (era un apasionado de la gaseosa) y, enumerándole los quehaceres que tenía pendientes, lo apremiaba a apurar el vaso y marcharse. Mari Nieves, a menos que su madre la llamara, no salía de su habitación para saludar al hombre con quien se casó poco tiempo después.

Pero a lo que iba. Aquel domingo del pollo asado fue el de la presentación formal de Chacho como futuro miembro de la familia. Yo ayudé a poner el mantel, la vajilla y las servilletas sobre la mesa del comedor. A Mari Nieves le tocó quitar el polvo a los muebles, lo que hizo de mala gana, y a mi tío Vicente traer unos pasteles encargados en una pastelería del barrio de El

Antiguo. Por el camino se le aplastaron; pero nadie se lo recriminó por no agrandarle la pena que lo corroía desde la desaparición de Julen, de quien llevábamos dos semanas sin recibir noticias. Ignorábamos su paradero, si lo habrían detenido, si estaría bien de salud, si vivía. Con el fin de procurarle protección divina, ardía en la habitación de mis tíos, encima de la cómoda, una vela colocada junto a una estampa de santa Rita.

Chacho llegó puntual, enfundado en un traje de su padre, el pantalón demasiado largo; la americana demasiado grande, además de gastada; la corbata rugosa, con el nudo mal hecho. En el momento de servir el café, mi tía descubrió que se le había picado la leche. Meses después aún atribuía el percance a la excesiva agua de colonia que se había puesto el invitado.

Se notaba que recientemente un peluquero apenas celoso en el cumplimiento de su oficio le había o bien achicado la cabeza, o bien agrandado las orejas. Mostraba, además, en las mejillas punteadas de acné y en el cuello salpicado de barrillos unas cuantas desolladuras debidas a su impericia en el manejo de la cuchilla de afeitar. En su favor diré que se había lavado más de lo que solía: ni se le veían las uñas negras ni grasiento el poco pelo que le había dejado el peluquero.

Entregó a Mari Nieves, sin atreverse a mirarla a los ojos, un paquete de regalo cuyo contenido no llegué a conocer. Ella se lo agradeció con sequedad; tras darle vueltas entre los dedos durante la breve y embarazosa conversación, lo depositó, sin tomarse la molestia de abrirlo, encima de la carbonera, donde seguía intacto al día siguiente.

No se estrecharon la mano, no se besaron, no los vi en ningún momento hablar a solas como es normal que se hablen los novios cuando se apartan para intercambiar intimidades.

Pronto cometió Chacho la primera torpeza, y fue de este modo: que no se le ocurrió sino tomar asiento junto a mi tío Vicente sin esperar a que le fuera asignado un sitio. ¿Lo apretaría tanto el hambre que olvidó guardar ciertas formas de educación también cultivadas en hogares humildes? Quizá quiso tan sólo mostrarle a su futuro suegro simpatía y complicidad entre varones colocándose a su lado. El caso es que plantó sus carnosas posaderas en la silla que habitualmente ocupaba Julen.

A mi tío le faltó tiempo para clavar sus ojos desconcertados en los de su mujer, como suplicándole con la mirada que pusiera fin a la profanación. Mi tía, que así lo debió de entender, valiéndose de una sencilla astucia logró que el chaval se levantara.

Y fue que le preguntó si no le parecía bien desprenderse de la americana para evitar que se le ensuciase durante la comida. A lo cual Chacho contestó, entre bobalicón y campechano, que no le preocupaban las manchas, pues la americana era una prenda vieja de su padre. Y como prueba de sus palabras, mostró un remiendo en el forro.

Mi tía insistió con el tono de voz levemente más

tenso y la sonrisa levemente menos amable. Entonces Chacho, sin percatarse seguramente de aquellos matices, como era dócil y de no muy agudas entendederas, se avino a cumplir la orden disfrazada de consejo.

Habiéndose apartado algunos pasos de la mesa, mi tía me urgió por señas a que tomara asiento en la silla de mi primo; pero como yo al pronto no comprendiese lo que me pedía, me acerqué a su lado con el fin de que pudiera traducirme sus gestos en voz baja. No hizo ella esto sino que, agarrándome por los hombros, de un recio empujón me obligó a sentarme en la silla que no debía ocupar el invitado.

A Chacho mi tío Vicente lo llamaba Anselmo.

—Hala, Anselmo, come.

Mi tía prefería decirle Anselmito.

—Anselmito, para ti es la última alcachofa. Cógela, que así me llevo el plato.

Él agradecía adulador:

—Están buenísimas. En esta casa se come mejor que en la mía.

Para mí, como para todos los chavales del barrio, incluida mi prima, que aquel domingo no dirigió la palabra a su prometido sino impelida por las miradas conminatorias de su madre, y puede que por algún que otro puntapié debajo de la mesa, él era simplemente Chacho.

Mi tío hizo ademán de servirle vino; él declinó el ofrecimiento con una violenta sacudida de cabeza que hizo temblar su labio colgante. Se conformaba, según dijo, con la gaseosa y, antes del plato principal, ya se había trincado una botella.

No era voraz, se lo aseguro, aunque tampoco comedido; era, sí, rápido y certero al lanzar la mano para apoderarse de los mejores trozos de comida, instinto que yo supongo perfeccionado en la práctica diaria de la rivalidad con sus cuatro hermanos.

De repente, creyendo tal vez que ya pertenecía a la familia de sus anfitriones, se adueñó sin miramientos de los muslos del pollo asado. No de uno, señor Aramburu; de los dos, créame. Los cuales, desde mi llegada a la casa, al igual que los ojos del pescado, solían corresponder en justo reparto a Mari Nieves y a quien esto escribe.

Mi prima volvió la mirada hacia mí, yo volví la mía hacia ella y, sin decirnos nada, miramos los dos a un tiempo a Chacho, que para entonces ya había empezado a saborear con calma aquellas partes blandas, jugosas y doradas de aceite que tanto nos apetecían, y aun se me figura que también los muslos nos miraban a nosotros con lástima de no estar en nuestras manos y pronto en nuestras bocas y al fin dentro de nuestros cuerpos.

Durante la comida, mi tía estrechó a Chacho a preguntas sobre su padre y su madre, sobre su casa y sus hermanos, así como sobre un sinfín de minucias domésticas, y de vez en cuando mi tío metía baza en la conversación para preguntarle sobre su trabajo en el taller de automóviles.

El bueno de Chacho, que tenía menos malicia que

un cordero lechal, a todo respondía con abundancia de detalles, sorprendiéndonos a menudo con confidencias que no se le habían solicitado.

—Anselmito —le dijo mi tía, señalando a Mari Nieves—, espero que cuando seas el marido de esta la cuides bien y la hagas feliz.

—Lo prometo —se apresuró a responder él con la boca llena de pollo.

—No lo dirás por decir, ¿eh?

—Lo juro por Dios.

—Y con nosotros, tus suegros, ¿serás amable?

—Eso también lo prometo.

A este punto mi tía se volvió hacia Mari Nieves para preguntarle qué le parecían las palabras de su novio.

—Bien.

Se conoce que a mi tía la habría complacido una respuesta menos lacónica.

—¿Eso es todo lo que se te ocurre decir?

A mi tío Vicente se le enfadaron las cejas:

—¿Qué más quieres que diga? Ha dicho bien, pues bien.

Terminada la comida, retirados los platos, tomamos el postre y, quien quiso, café. Se produjo entonces un pequeño incidente sin mayores consecuencias, que puede darle a usted idea del tipo de matrimonio que habrían de formar Chacho y Mari Nieves.

Y fue que en el montón de pasteles informes había uno entero, apenas manchado por la nata y la crema de los otros, hacia el cual, desde lados opuestos de la mesa, alargaron los novios la mano al mismo tiempo.

Le repito que Chacho, en contraste con la parsimonia de sus gestos y palabras, podía lanzar con mucha rapidez la mano, que no parecía sino que la tenía hecha lengua de camaleón. Aunque por poco, logró tomarle la delantera a su futura esposa.

Percatándose esta de que su prometido se disponía a arrebatarle el pastel como le había arrebatado un rato antes el muslo de pollo, le tiró un grito repentino:

—¡Chacho!

El aludido retiró la mano con no menos ligereza que si la hubiera puesto en una brasa; dio un respingo y se quedó paralizado, al tiempo que Mari Nieves, con triunfal tranquilidad, retiró de la bandeja de cartón el pastel que codiciaba. Ya para entonces estaba claro a cuál de los dos habría de corresponder la jefatura matrimonial.

Los casó don Victoriano un domingo azul de mayo. La fecha de la boda se pospuso en varias ocasiones a petición de mis tíos, movidos por la ingenua esperanza de que Julen pudiera asistir al enlace de su hermana; pero la proximidad del parto y la impaciencia cada vez mayor de Txomin Ezeizabarrena, que llegó a insinuar un ultimátum, obligaron a tomar una decisión.

Debido a la obesidad agravada por el embarazo, mi prima estaba tan impedida de esforzarse que sin ayuda no habría podido subir las escaleras de la parroquia. Mis hermanos no conocían al novio. El mayor, cuando lo vio apearse del coche de su padre, no pudo resistir la tentación de proferir un «¡Vivan los gordos!» en voz lo suficientemente alta como para que la oyera mi tía, que estuvo en un tris de arrearle una bofetada.

A media mañana, mientras se vestía de novia, mi prima lloraba y daba voces en su habitación diciendo que no quería casarse; mi tío lloraba en la suya con sollozos no menos aparatosos porque su hijo ausente no podía asistir a la boda. Mi madre iba de uno a otro con palabras de consuelo y por el camino se cruzaba con mi tía, que hacía el mismo recorrido en dirección contraria regañando y metiendo prisa.

Mi tía salió a la calle muy estirada de cuello y como retando con miradas de refilón a los vecinos asomados a las ventanas. Algunos jalearon a Mari Nieves. Ella agradeció las felicitaciones con mohín risueño, agitando blandamente su ramo de novia a modo de saludo.

El vestido se lo había confeccionado su madre con tela blanca comprada en una tienda del Bulevar llamada Sederías de Oriente, adonde la acompañé. Se lo hizo holgado para tapar (con poco éxito, la verdad sea dicha) la hinchazón del vientre, y le puso unas puntillas la mar de aparentes en el borde del escote y en las mangas. Es posible que mi madre guarde alguna foto; si tiene usted interés, se lo preguntaré.

Fui con mis hermanos andando a la iglesia. Se supone que debía enseñarles el camino; pero, no sé por qué, se retrasaban aposta y yo los tenía que esperar. Estando así parado, echaban a correr muertos de risa hasta adelantarse cincuenta, cien metros, y cuando les daba alcance se hablaban al oído, hacían muecas de burla, quizá parodiando la expresión de mi cara, y no tardaban en separarse nuevamente de mí.

No bien perdimos de vista a nuestros parientes, me pisaron los zapatos recién estrenados. Estaban los dos de acuerdo en que el charol era cosa de niñas y maricas, y en que si me dejaba acicalar conforme al gusto de nuestra tía acabaría convirtiéndome en un hombre llorón como el tío Vicente. Más adelante, junto a la villa de Tres Forcas, se empeñaron en derribar un nido a pedradas.

Mi tía echó en cara a mi madre que no los hubiera vestido para la ocasión. Vestían y calzaban, es verdad, con evidente pobreza que a juicio de mi tía se habría podido disimular. Mis hermanos desprendían, además, un olor a madera seca que me hacía harto difícil reconocerlos. Estaban flacos, pálidos, ojerosos, y no paraban de mofarse de mí, de ponerme apodos y pellizcarme. En fin, no me explayo en estos recuerdos tristes porque ya sé que a usted le interesan otros asuntos.

Por la parte nuestra éramos ocho, incluyendo a Begoña, amiga íntima de mi prima. De la familia de mi tío no vino nadie porque nadie fue invitado; de los de Navarra, sólo mi madre y mis hermanos con un permiso especial de la Casa de Misericordia.

Le aseguro, por si juzga conveniente relatar una boda multitudinaria, que podíamos habernos juntado ciento y la madre. Que no ocurriera así no significa que la boda se hubiese celebrado en secreto. Toda la parentela fue a su debido tiempo informada del porqué y del cómo del acontecimiento.

Sucedió lo de costumbre entre parientes, que unos se enfadaron, otros se mostraron más o menos comprensivos y a otros les dio igual. Hubo quien envió al domicilio de mis tíos un regalo para la novia pese a no haber recibido invitación y quien, además de no enviar nada, se resarció excluyendo a mis tíos de sus celebraciones. A mi padre no se le mandó aviso por motivos que no vienen al caso.

Los invitados del novio formaban una tropa de casi cuarenta personas, algunas venidas del interior de la provincia (de Azpeitia y por ahí), gente robusta, muy vasca, de semblantes colorados y orejas de soplillo. Es poco lo que le puedo contar al respecto puesto que tanto en la iglesia como después, durante la comida, apenas nos rozamos con ellos. Mi tía Maripuy no paraba de decir que zampaban como bueyes. Oí primero a uno y más tarde a otro dar a Chacho la enhorabuena, medio en broma, medio en serio, por la tripa que le había hecho a la novia, de donde deduje que la verdad no debía de haber llegado hasta sus pueblos.

Por poco se me olvida contarle que el banquete tuvo lugar en un asador del barrio de Igara. Dicho asador se albergaba en una especie de caserío remozado que todavía conservaba la cuadra con vacas y desde cuyo balcón, por encima de las copas de los árboles, se divisaban los tejados de la fábrica de leche Gurelesa. Cada familia apechó con los gastos de sus invitados. No estoy seguro, pero es probable que la actuación del acordeonista y el plato del cura fueran costeados a medias.

Como detalle anecdótico puedo referirle que en el momento de cortar la tarta, los circunstantes reclamaron a los novios, uniendo sus voces a coro según se estila en tales ocasiones, que se besasen. Más tarde supe que era la primera vez que Chacho y Mari Nieves juntaban los labios. A Chacho le dedicaron algunas burlas por lo rojos que se le pusieron los mofletes. De pronto se envalentonó y repitió la acción. Mi prima se sometió al rito con visible repugnancia.

Mustio y silencioso, mi tío Vicente apenas levantó la mirada del plato durante toda la comida. A los primeros compases del acordeón, mi tía se acercó a echarle la bronca porque se negaba a bailar con su hija. Mi madre contribuyó a persuadirlo con palabras más suaves. Luego, en medio de la improvisada pista de baile, padre e hija, enlazados y sin apenas moverse, rompieron a llorar a lágrima viva y todo el mundo preguntaba qué les pasaba. Mi madre fue de corrillo en corrillo diciendo en castellano de Navarra que seguramente les habría dado la *cariñadica*.

En un momento dado, oí que don Victoriano trataba de consolar a mi tío.

—Tu hijo volverá, Visentico. No te preocupes.

A Chacho un pariente suyo le cortó la corbata para vendérsela en trozos a los invitados. Otro le aplastó un trozo de tarta en la frente, ignoro si en cumplimiento de alguna tradición. Y hacia las seis de la tarde, cuando algunos ya se habían despedido y otros se agarraban a sus copas y vasos para no caerse, el novio entró en el local con los pantalones empapados, ya que al parecer dos primos suyos lo habían metido en un abrevadero.

Terminada la fiesta, como estuviera la tarde buena, nos fuimos todos andando a casa. Poco después llegó Mari Nieves, a quien su madre, con ostensible suspicacia, preguntó si se había despedido de su marido.

—¿Y a ti qué te importa? —le replicó—. ¿No pensarás meterte en mis asuntos matrimoniales?

Tras quitarse el vestido y los zapatos de novia, se puso su ropa habitual y se marchó, apoyándose en un brazo de Begoña, a la calle.

En cuanto a Chacho, al día siguiente tenía que trabajar y se fue a dormir a casa de sus padres.

Los recién casados no hicieron viaje de luna de miel. Hablaban de ir un fin de semana a Zaragoza, incluso Txomin Ezeizabarrena se ofreció a llevarlos en su coche si aceptaban desplazarse más cerca, a Pamplona o Vitoria; pero al final no fueron a ninguna parte, decía el cándido de Chacho que para evitar que a Mari Nieves le «entraran ganas de parir lejos de casa».

Apunte 23

Chacho intervendrá en la trama al modo del cura, sólo en función de los personajes principales. Si pusiera a uno y otro, a los Ezeizabarrena, a Peio Garmendia y a la madre que los parió a protagonizar sus propios episodios, el libro se alargaría fácilmente hasta las quinientas o seiscientas páginas.

Me prometí ofrecer en cada diálogo, en cada peripecia, en cada reflexión, la menor cantidad posible de masa verbal. Mantendré la promesa. La novela será corta o no será.

Apunte 24

Convendría introducir una escena íntima de Chacho y Mari Nieves en los días previos a la boda para que la relación de ambos gane en matices.

Apunte 25

Se me ocurre que en un momento determinado la madre de ella los deja adrede solos en la vivienda; por ejemplo, en una de esas ocasiones en que él le trae las bolsas de la compra. Esto suena bien, aunque no tiene ni leches de vigor narrativo. Aún más sosa resultaría una cita convencional.

A ver cómo coño arreglo esto. Cabe la posibilidad de que Chacho se ofrezca a ayudar a Mari Nieves a envolver pastillas de jabón. Es entonces cuando la madre de ella, con una excusa que ya se me ocurrirá (espero), los deja solos.

Apunte 26

—Pues a mí me han dicho que tu padre le pega a tu madre.

—¿Quién te lo ha dicho?

—Se oyen las palizas por toda la vecindad.

—Eso era antes del paralís. *Ahora no le pega.*

—¿Y por qué le pegaba?

—Para que haría *las cosas bien y no le conteste, pero ya no le contesta.*

—Tú a mí no me vas a pegar, ¿eh? Porque te acuerdas.

—No, yo no... ¿Visentico le pega a tu madre?

—Mi madre una vez le rompió a mi padre el palo de la escoba en la espalda. Te lo cuento para que te hagas una idea de lo que te podría pasar.

—Yo me caso contigo para quererte.

—Huy, qué tierno.

—Y para que me quieras.

—Si eres romántico me gustarás. Y si te lavas.

—¿Tú para qué te casas?

—Para darle un padre a mi hijo.

—Aparte de eso, ¿no me vas a querer?

—Depende.

—¿De qué depende?

—De si eres cariñoso y no me pones en ridículo cuando vayamos por la calle.

—Bueno, yo hago lo que tú digas si por las noches me das eso.

—¿No has visto mi barriga?

—Digo después de tener el niño.

—Todo lo que yo te dé te lo tienes que ganar.

—Eso no es problema para mí. Me lo ganaré.

—¿Cómo lo sabes?

—Porque lo quiero mucho.

—¿Qué es lo que quieres?

—Que por las noches me lo des.

—Caramba con el Chacho. Y parecías tan inocente.

Etcétera.

Apunte 27

VISENTICO: *Hay cosas peores que estar casada. Tú piensa que él es buena persona. Tiene esa manera de ser, pero*

¿qué quieres que te diga? Tampoco tú eres un ángel, ¿eh? Anselmo es de buen corazón. Os arregláréis. Ya lo verás. No le falta trabajo. Con el sueldo suyo y lo que te paguen a ti en la peluquería saldréis adelante. Te ayudaremos todo lo que podamos. Yo te ayudaré, no te preocupes.

MARIPUY: *Huy, chica, qué cara de funeral. No sabía que se nos hubiera muerto nadie. Ahora sí, ahora ya puedes dar a luz con tranquilidad y pasear a tu hijo con orgullo por la calle. Y cuando el niño crezca y lo mandes al colegio, no se tendrá que avergonzar como otros que no pueden lucir el apellido de un padre. Y tú, no digamos. ¿Qué habría sido de ti soltera y con una criatura? ¿Crees que habrías encontrado marido? Deberías estar agradecida a Anselmito. ¡Menudo favor te ha hecho!*

DON VICTORIANO: *Dios te ha concedido una segunda oportunidad. No lo decepciones de nuevo. Conságrate a la vida del hogar, sirve a Dios sirviendo a tu marido y educa al fruto de tu vientre de modo que nunca se aparte de la senda de la religión. Te lo bautizaré en euskera. Hay que empezar de pequeñitos con el idioma.*

LA TÍA DE NAVARRA: *Si es trabajador y te respeta, quiérelo porque mejor hombre no ibas a encontrar. Reza al santo Javier o a quien tú quieras para que no te pase lo que me ha pasado a mí. Lo mío sí que es triste.*

TXOMIN EZEIZABARRENA: *¿Qué, nuera, cómo se porta el marido? Si te da guerra me lo mandas. Ya verás tú qué rápido te lo enderezo.*

BEGOÑA: *Pobre Mari Nieves, yo no sé cómo vas a aguantar.*

Las velas, como eran delgadas, se consumían con rapidez, y por dicho motivo mi tía Maripuy decidió sustituirlas por un cirio que le proporcionó don Victoriano. El cirio permanecía encendido día y noche, apoyado, para evitar accidentes, sobre una sartén ancha que cumplía la función de palmatoria. Ni el cirio ni la sartén tenían nada de particular, así que no hace falta que se los describa.

Cierta tarde, poco antes de la boda de Mari Nieves, al volver a casa encontramos el cirio apagado. El hecho se repitió a los pocos días, sin que tanto en una como en otra ocasión las ventanas cerradas dejaran entrar un hilo de corriente. A mi tía le vinieron unos ahogos de angustia pensando que a Julen se le habría torcido la suerte durante las horas en que le había faltado la protección de santa Rita.

El episodio del cirio desató en mi tía malos presagios. Por entonces, un encuentro casual con la madre de Peio Garmendia acabó con los últimos restos de su entereza. De hacerse la fuerte, la tranquila, la que confiaba en que Julen se valiera por sí solo, pasó de golpe a mostrar alarma y temor, a tal punto que una noche mi tío, estando todos cenando a la mesa de la cocina, harto de palabras aciagas (mi tía llegó a insinuar que a su hijo lo podrían haber matado), la mandó callar.

No era ella mujer propensa a admitir órdenes ni reconvenciones, y menos de su marido; con todo, guardó silencio, un silencio grave, tenso y un punto ofendido, y al rato vi que a escondidas se enjugaba una lágrima con el borde del delantal.

Huelga decir que al día siguiente reanudó sus funestos vaticinios en voz alta; pero noté que se esforzaba por comedirse en presencia del marido, no porque le tuviese miedo y ni siquiera respeto; antes, creo yo, por no darle ocasión de sumirse en uno de sus accesos habituales de melancolía.

Recuerdo a mi tío Vicente sentado algunas tardes en el sillón del comedor, escrutándose durante largo rato los pies embutidos en unas zapatillas de felpa.

Todos los días, a la vuelta de la fábrica, preguntaba si se sabía algo de Julen. Al escuchar la respuesta negativa soltaba una palabrota que, con el transcurrir de las semanas, se fue haciendo cada vez menos rotunda. Aquellas manifestaciones diarias de decepción y enfado fueron debilitándose hasta quedar reducidas a un resignado arqueo de las cejas, y otro tanto vino a ocurrir con la pregunta, que terminó semejando un brusco chasquido.

—¿Qué?

—Nada.

Una tarde de tantas lo vi sentado en una silla junto a la puerta del bar Artola. Sus amigos jugaban al bote cerca de él, formando un corro alegre, y mientras lanzaban las fichas, disputaban, intercambiaban bromas y reían, mi tío, con gesto petrificado, pelaba cacahuetes y se los llevaba lentamente a la boca. Se me ha quedado grabada en la memoria aquella imagen del hombre entristecido que comía cacahuetes *(cascagüeses,* decía él) con la solemnidad de un comulgante y hacía una figura solitaria al lado de sus amigos parlanchines.

En cierta ocasión, su pregunta lacónica de costumbre fue correspondida por unos bisbiseos misteriosos de mi tía. Los dos se encerraron con unas extrañas prisas en su habitación y, tras hablar a solas durante varios minutos, volvieron a salir.

Observé que mi tío Vicente mostraba una expresión aliviada, ligeramente risueña, mientras que a su mujer se le advertía el alborozo por todos los salientes y recovecos del semblante. Al fin, tras largas semanas de inquietud, les habían transmitido noticias de Julen, pocas pero tranquilizadoras.

Y fue de esta manera: que todos los años, por mayo, mi tía asistía a la novena de santa Rita en la capilla del colegio de los agustinos en El Antiguo. Profesaba grandísima devoción a la abogada de los imposibles, ya se lo he contado a usted. El 22, por la tarde, llevó un buen mazo de rosas a bendecir. Las rosas no eran suyas sino de una familia acomodada del barrio, de apellido Marichalar, con villa y jardín enfrente del centro Ibai. A la vuelta del oficio religioso, mi tía solía devolver una parte de las flores bendecidas a los Marichalar; ella conservaba unas cuantas, con las cuales adornaba una especie de altar casero montado en honor de su santa predilecta, y el resto lo repartía en el vecindario a razón de una rosa por familia. Perdone estos detalles tal vez superfluos.

Acudió, como le digo, con las rosas a la capilla referida; hizo sus ruegos y oraciones, y con tanto fervor imploró en sus adentros un milagro a santa Rita que logró conmoverla. El milagro, según nos contó más tarde con jubiloso convencimiento, ocurrió pasados diez minutos de su salida de la capilla, en el camino de vuelta a casa.

Y fue que, a la altura de la fábrica Suchard, un Seat 600 se detuvo a su costado. Viajaban dentro dos jóvenes de estas y las otras características (usted se las puede imaginar); el más cercano a la acera bajó la ventanilla para preguntarle a mi tía, medio susurrando, si era la madre de Peio Garmendia.

Ella, que no se fiaba, replicó con otra pregunta:

—¿*Quién* sois?

Se persuadió, por las palabras y por no sé qué señas de los dos desconocidos, que estos la habían buscado de parte del amigo de su hijo. Al parecer no era la primera vez que le seguían los pasos. Llevada de la esperanza de recibir noticias de Julen y con permiso de santa Rita para mentir, según nos contó, les dijo que sí, que era la madre de Peio, que lo echaba mucho en falta, etcétera.

Le contaron que Peio estaba sano y salvo en un lugar de Francia que no le podían revelar; agregaron que por favor no cometiera la imprudencia de ir a buscarlo ni de emprender indagaciones por su cuenta, que tan pronto como fuera posible su hijo le mandaría aviso con un intermediario de confianza sobre la hora y el sitio donde ella lo pudiera visitar sin riesgo de que la policía española se enterase.

Por último le rogaron que transmitiese a la familia de Julen Barriola las mismas noticias. Deseosa de averiguar pormenores del presunto amigo de su hijo, mi tía formuló algunas preguntas sobre él, simulando contención para no delatarse como madre; pero los jóvenes, cada vez más impacientes por dar término a la conversación, no le dijeron sino que el mensaje que les habían encargado comunicar era que los tales Peio Garmendia y Julen Barriola se encontraban a buen recaudo en Francia, y fuera de eso ellos no sabían nada.

Mi tía trató de convencerlos para que llevasen sendas rosas bendecidas a los dos refugiados. Le contestaron que, sintiéndolo mucho, no podían hacerle aquel favor ya que no tenían previsto dirigirse a Francia; ella insistió con tales extremos que al fin, supongo que por perderla de vista, los jóvenes aceptaron las rosas y se despidieron.

Por lo que nos contó después en casa, a mi tía, cuando se quedó sola, le sobrevino una emoción tan fuerte que tuvo que sentarse en el pretil, junto al río de aguas negras. Hasta tal punto le temblaban las rodillas que temió caerse al suelo si seguía de pie, o al menos eso es lo que nos dijo. Estuvo allí sentada un rato largo agradeciendo a santa Rita el milagro que acabada de concederle y derramando lágrimas de alegría con la cara escondida tras el mazo de rosas para que ningún transeúnte la viera llorar.

Pasó otro mes, llegó el calor. Se me hace que todo el mundo iba a la playa menos nosotros. A mi tía Maripuy, que no salía más que lo justo a la calle, segura de que la espiaban, le entró la obsesión de bajar cada dos por tres al portal a echar un vistazo dentro del buzón, creyendo ingenuamente que una posible carta de su hijo escaparía al control policial.

A veces, mientras preparaba la comida o hacía labor de punto, me llamaba a su lado y me decía:

—Sobrino, vete a mirar si hay algún papel en el buzón.

A finales de junio seguíamos sin noticias de Julen. Mis tíos no se lo podían explicar. En mis recuerdos de aquellos días resuena la palabra *raro,* que a todas horas asomaba a los labios de unos y otros.

—¡Qué raro! —decía mi tía.

También mi tío, como hablando para sí:

—Pues sí que es raro.

Llegaba mi prima a casa y, puesta al corriente de la falta de novedades, sentenciaba:

—Amá, esto es muy raro.

E incluso algunas vecinas:

—Ay, mujer, me parece rarísimo.

Con frecuencia, mi tía y la madre de Peio Garmendia se juntaban para hablar a solas en casa de una u otra. Cuando así sucedía sabíamos de antemano que por la noche la cena tendría un fuerte regusto a temor, a rumores desalentadores, a malos presentimientos. Mi tío se acostumbró a escuchar las peroratas agoreras de su mujer sin menear un músculo de la cara.

Junto a la estampa de santa Rita, secos dentro de una fuente los pétalos de las rosas bendecidas, no cesaban de arder y consumirse, uno tras otro, los gruesos cirios. Mi tía los compraba ahora en una tienda de ornamentos religiosos, cerca de la catedral del Buen Pastor, pues descubrió que allá los vendían por menos dinero que «el ladrón del cura», como ella a veces motejaba a don Victoriano.

En julio se produjo la ansiada novedad. No hubo carta, ni papelito, ni encuentro con intermediarios a tres o cuatro millas de la costa, ni lances novelescos a medianoche del tipo de los que he oído contar alguna vez, referidos a otros refugiados; sino que la madre de Peio Garmendia se llegó a casa de mis parientes con instrucciones encaminadas a facilitarles un encuentro con su hijo en un bar de Bayona. No me pregunte usted de dónde había sacado aquella señora la información porque no le puedo contestar.

Tiempo después, mis tíos tomaron a primera hora de la mañana el tren de Francia. Como no estaba previsto que volvieran antes del anochecer, mi tía nos dejó a Mari Nieves y a mí la comida preparada. Mi prima, que un mes antes había dado a luz, aprovechó la ausencia de sus padres para endilgarle el bebé al bueno de Chacho y marcharse al monte con su cuadrilla. La escapada le salió mal; pero quizá en consideración a su condición de madre y mujer casada, o por lo tristes que estaban sus padres, tanto ella como los oídos de los vecinos se libraron de los gritos habituales.

En torno a la una de la tarde mis tíos volvieron de improviso a casa. No les había sido posible reunirse con Julen porque los guardias civiles de la aduana les impidieron cruzar la frontera. Nada más bajarse del tren para someterse a los controles de rigor, mi tía, según contaba, le susurró una plegaria a su santa protectora.

Estaba convencida de que no le había faltado ayuda del cielo, puesto que a ella el guardia le hizo la señal de que podía continuar, mientras que a su marido, en castigo porque nunca pisaba la iglesia salvo para asistir a funerales, Dios lo desamparó.

—¿Qué quieres —protestaba él—, que me *colgaría* un rosario del cuello?

Uno de los guardias civiles encargados de registrar el equipaje de los pasajeros se retiró con el pasaporte de mi tío al despacho donde presumiblemente pidió informes por teléfono y, a la vuelta, sin darle explicaciones, lo mandó para atrás y a mi tía, al percatarse de que iba con él, también.

Al día siguiente, más tranquilos y resignados, se pusieron de acuerdo en que había sido un fallo emprender el viaje con dos maletas cada uno, atiborradas de ropa, alimentos y numerosos utensilios. Abiertas las maletas sobre el mostrador de la aduana, a la vista de los embutidos, los botes de conserva y demás provisiones, así como de diverso calzado y prendas de vestir (algunas, al parecer, de invierno), les preguntaron con ostensible suspicacia adónde iban con todo aquello.

Mis tíos, ya se lo imaginará usted, contestaron con la poca malicia que tenían. Les siguieron preguntando, ellos siguieron mintiendo torpemente y al fin los guardias, recelosos y bruscos, los obligaron a retroceder.

Transcurrieron dos o tres semanas hasta que pudieron concertar otra cita, de nuevo por mediación de la madre de Peio Garmendia, que por entonces pasaba a Francia con cierta regularidad. Chacho se ofreció a llevarlos en el coche de su padre. En esta ocasión, escarmentados, cruzaron la frontera sin apenas equipaje.

Si la primera vez volvieron tristes por no haber podido ver a su hijo, la segunda volvieron igual, si no más desolados, por haberlo visto. Lo encontraron tan desmejorado, sucio y alicaído que les daba picor de ojos sostenerle la mirada.

Ya le adelanté, señor Aramburu, en el curso de nuestra anterior conversación, que Julen lo pasó muy mal en Francia. De forma que si usted necesita para su libro la historia de un militante aventurero, emprendedor, protagonista de innumerables lances más o menos heroicos, le advierto que la de mi primo no le va a servir a menos que usted la exagere.

La cosa cambiaría si estuviera usted interesado en las pesadillas de un pobre chaval, que es lo que en realidad era mi primo, aunque yo entonces, propenso a idolatrarlo, no me daba cuenta; un pobre y sumiso chaval sin cultura, más apto seguramente como objeto de estudio psiquiátrico que para sostener con sus vulgares y anodinas peripecias la trama de una novela.

A mi primo le tocó padecer las duras condiciones de vida de todos o casi todos los refugiados de entonces, agravadas en su caso por la soledad en que lo dejaron sus compañeros por razones que no están del todo claras. Esta soledad suya quizá habría podido él mitigarla relacionándose con la gente del lugar, pero es que Julen no hablaba una palabra de francés ni dominaba el euskera como Peio Garmendia, que en casa, con sus padres y sus hermanos, no se comunicaba en otro idioma.

Huidos a Francia los dos amigos, el cura que se ocupaba de acoger a los refugiados les entregó un vale e intervino para que se alojaran de forma provisional en una vivienda de las afueras de Bayona, donde coincidieron con otros jóvenes de su misma condición.

Sé que, por los días en que sus respectivas madres los visitaban a menudo, aún residían en la susodicha ciudad, aunque en otro alojamiento, y que entretenidos en trabajos ocasionales, haciendo vida austera, se sostenían mal que bien.

No era fácil seguirle el rastro a mi primo mientras estuvo exiliado. La cautela y secretismo propios de la gente clandestina, las reiteradas mudanzas de domicilio, los lapsos a veces prolongados en que no recibíamos noticias suyas e ignorábamos, por tanto, dónde paraba y qué hacía, abrían en mi imaginación infantil un hueco oscuro que yo trataba en vano de alumbrar con suposiciones y fantasías.

Mis parientes hablaban poco de Julen, al menos en mi presencia, y siempre en voz baja, como con miedo a que hubiese un policía acechando detrás de las paredes.

Me consta que, pasados unos meses desde su llegada a Francia, Julen y Peio Garmendia se apuntaron a la vendimia en una región próxima al Mediterráneo; que de modo temporal Peio Garmendia formó parte de la tripulación de un barco pesquero y Julen fue peón en una serrería, y que los dos, acabando el año, presenciaron la boda del jefe de ETA Txomin Iturbe, oficiada por el mismo cura que los había acogido a ellos a su llegada a Francia, el cual por lo visto ejercía una gran influencia sobre los refugiados.

No hay duda de que, entrado el año 70, a Julen se le terminó de torcer la suerte a raíz de una discusión con su mejor amigo por causas que no han llegado a mi conocimiento. Lo que sí sé con bastante seguridad es que, como consecuencia de la pelea, los dos amigos dejaron de serlo. Mi primo, que apenas se relacionaba con nadie que no fuera aquel chaval de su barrio o que tuviera que ver directamente con él, se hundió sin remedio en la soledad y la melancolía.

Al parecer algunos empezaron a retirarle el saludo y él a desesperarse, y fue presumiblemente inducido por aquel estado de desesperación y tristeza como fue gestando en sus cavilaciones la idea obsesiva de volver a casa a cualquier precio.

Lo visité una vez en compañía de mi tía, a finales de febrero de aquel año. Él solía preguntar por mí, por Txiki, como gustaba de llamarme, y yo le pedí en una ocasión a mi tía que le llevase de mi parte un ciclista de plástico que había sido de los de su equipo cuando jugaba conmigo. Mandó a su madre que me transmitiera su agradecimiento, convencido de que el ciclista le daría suerte, pero no se la dio.

A ruego suyo, mi tía me llevó un domingo a verlo. Nos bajamos en la estación de Bayona y allí estaba él, mustio, demacrado, con una barba espesa que me impidió reconocerlo a la primera. Me estrechó entre sus brazos con tanta fuerza que al pronto pensé que me agredía. Enseguida, sin soltarme, rompió a llorar y, como sollozaba ruidosamente, mi tía le ordenó refrenarse porque llamaba mucho la atención.

Mi primo olía raro; no mal, raro. Y me parecía muy cambiado. Incluso su voz no sonaba como de costumbre.

También lloró cuando nos despedimos. Quiso decirme algo, pero le entró tal hipo que no pudo articular una palabra. En el tren de vuelta a San Sebastián, poco antes de llegar a la frontera, mi tía se volvió de pronto a mí para decirme:

—Si sé que le iba a afectar tanto no te traigo.

Apunte 28

¿Qué hago? Por un lado, compruebo que, efectivamente, es en 1969 cuando Telesforo Monzón y Piarres Larzabal fundaron Anai Arte *en San Juan de Luz con el fin de acoger a los refugiados vascos que cruzaban la frontera huyendo de la policía franquista. Por otro, mi informante, que a veces me exaspera con su desmemoria y sus imprecisiones, no me sabe aclarar si aquella red de ayuda a los militantes exiliados ya funcionaba en marzo, cuando Julen Barriola escapó a Francia.*

Ayer, por teléfono, me reiteró que el cura de Sokoa, el célebre Señor Oxia, *que durante años cobró personalmente el impuesto revolucionario de ETA (¡menudo papo!), auxilió a su primo y al otro que iba con él, aunque no acierta a especificar si cumpliendo funciones dentro de* Anai Arte *o todavía por iniciativa parroquial.*

El dato no carece de interés y hasta daría para una ramificación de la trama; pero 1) me niego a meter pacotilla histórica con propósitos meramente ornamentales, y 2) ojo con llenar de curas un libro breve.

Entiendo que con Victoriano Aseguinolaza ya estará suficientemente tratada la implicación de los curas vascos en las maquinaciones del nacionalismo.

Estas sotanas, como diría mi madre, «tienen muuucho pecado».

Apunte 29

Cuando me paro a repasar mis recuerdos de aquellos años, me vuelve una vieja sensación de lentitud. Se me figura que en la actualidad un minuto dura treinta o cuarenta segundos; en cambio, los minutos de la dictadura duraban un minuto y medio o dos. Tres décadas llevaba Franco en el poder, saludando a las dóciles y apolíticas multitudes con mano parsimoniosa, temblona y cada vez más decrépita (lo que no le impidió firmar sentencias de muerte), y aunque a finales de los sesenta ya empezaban a agitarse las aguas subterráneas, la historia de España todavía se arrastraba con pereza. En otros países parece como que se vivía más deprisa, las modas se sucedían con bastante rapidez, pasaban más cosas o simplemente pasaban cosas. Me tienta, al menos en algunos tramos de la novela, hacer un esfuerzo por transmitir mediante un estilo calculadamente moroso aquella sensación de marasmo histórico. ¿Se aburrirán los lectores? ¿Debería salpicar el libro de chistes a pie de página?

Apunte 30

Posibles penalidades de Julen Barriola en Francia:

—monotonía, aburrimiento

—accesos de nostalgia

—tensión con los compañeros (con algunos, se entiende)

—intimidación como no se someta (y si se somete, también)

—desconfianza hasta de la propia sombra

—presión para que no difunda opiniones (enseguida lo tachan a uno de disidente, de liquidacionista, de vendido)

—miedo a que los compañeros lo declaren traidor

—miedo a que un compañero lo delate a la policía

—miedo a dudar y que se note

—miedo a parecer cobarde (y serlo)

—miedo a ser detenido

—miedo a las crueldades durante el interrogatorio

—miedo a la pena capital, aunque él no ha matado a nadie

—desequilibrios mentales, comportamientos obsesivos, paranoia

—imposible trabar relación con una chica, llevarla al cine, echar un polvo (¿se usaba entonces esta expresión?) si no es adepta a la causa

—soledad

—limitación de movimientos

—estrecheces económicas apenas paliadas por las ocasionales y modestas aportaciones de su familia (familia que vive del sueldo de un obrero)

—alimentación deficiente

—otras penalidades que ahora no se me ocurren, pero que con toda seguridad existieron

No hace falta relatarlas todas. Apoyándome en criterios literarios, seleccionaré las tres o cuatro que mejor se dejen ilustrar por medio de acciones, cartas, reflexiones en voz alta, diálogos... Nada de pasajes explicativos, amiguito. ¿O es que has olvidado que escribes para adultos?

Apunte 31

Bien por carta a sus padres, enviada, no directamente, sino a las señas postales de algún vecino o de la tía de Navarra; bien en conversación a solas con su madre (ya veré):

«Amá, es mejor que no vengas. Por el momento. Ya te avisaré. Entiéndeme. Claro que me gusta que me traigas cosas y que me des dinero. Pero es mejor que no vengas. Dos meses o tres. Luego, a lo mejor, todo se arregla. Me han dado a entender / piensan / dicen que vienes demasiado, que te podrían seguir, que igual te usan para enterarse de nuestros sitios de reunión y tal. No vengas. Pues claro que quiero que vengas. Ya te diré. En realidad no debería estar aquí contigo. ¿Por qué? Joé, pues porque hay normas y disciplina, y porque me lo han prohibido. Así de claro, amá».

La pequeña Julia

Aunque no exentos de brusquedad, mi tía Maripuy solía tener gestos de ternura cuando trataba a Julen o cuando me trataba a mí. Sin embargo, a su marido y no digamos a su hija les mostraba de costumbre su lado menos suave, y si alguno de ellos le reprochaba su aspereza, ella se defendía diciendo que cuando niña la hicieron trabajar en el campo como a una burra.

Sería por eso, digo yo, que un atardecer de junio dejó a Mari Nieves con dolores de parto sola en la maternidad, sin más pretexto que el de preparar la cena en casa, de lo cual tengo yo constancia porque transcurrido un tiempo mi prima se lo echó en cara con acritud delante de mí.

El caso es que aquella noche difícil para la muchacha su madre la privó de consuelo y compañía, y como mi tío, mientras cenábamos, no ocultara su inquietud, mi tía le replicó que Mari Nieves se había buscado su justo castigo por no haber sabido comportarse como una mujer decente.

Por la mañana temprano subió de nuevo a la residencia sanitaria a comprobar si ya era abuela, y lo era, en efecto, de una niña a la que, en recuerdo de mi primo, pusieron de nombre Julia.

Mi tía volvió a casa poco antes de la hora de la comida, corta de palabras, las cejas hoscas, y a mi tío, que estaba envolviendo jaboncillos conmigo en el comedor, le soltó de golpe, sin darle los buenos días:

—Mejor no te alegres.

Mi tío, que no podía entender lo que se escondía detrás de aquellas palabras, por salir de su asombro formuló una pregunta, y a su mujer le faltó tiempo para perder la paciencia.

—No me hagas dar explicaciones. Cuando la veas, entenderás.

Acto seguido, me mandó que me llegase a dar la noticia a casa de Chacho y sus parientes, advirtiéndome que no me extendiera en detalles, lo cual yo no habría podido hacer ni aunque me lo hubiese propuesto, pues quitando la noticia del nacimiento de una niña ignoraba lo que había sucedido.

Trajeron a casa otro día a la criatura envuelta en paños, no sé de qué tipo, no entiendo de ropas infantiles. En la calle, de lejos, vi a Chacho bajarse del coche delante de nuestro portal y abrir a continuación con maneras de chófer solícito la puerta a su esposa. Se apeó mi prima, ya sin la barriga de preñada, sólo con la suya de diario que todavía conserva. Llevaba en los brazos el bulto de tela y su madre, que también venía en el coche, alargó los suyos para tomárselo, pero la muchacha no se lo consintió.

Determiné acercarme a ellas confiado en que me

permitieran echarle una mirada a la niña. Mis amigos me siguieron azuzados por la misma curiosidad, proclamando a voces que la Mari Nieves había tenido un hijo. A media carrera me detuve. Se me figuró que a causa del griterío se poblaban de ojos las ventanas.

Recordé que desde el nacimiento de Julia, mi tía estaba a malas con Dios, con santa Rita y con la Virgen de la urna por no haber librado ninguno de ellos a la inocente criatura de no sé qué castigo que mis parientes consideraban inmerecido y yo aún desconocía.

Mayor era el enfado de mi tía con ciertos vecinos por sospechar que murmuraban a sus espaldas y porque no se le quitaba de la cabeza que algunos de ellos se alegraban de sus preocupaciones y quebrantos. Conque debido a estas razones y por no aumentar su irritación, paré de correr en seco. Mi cautela se reveló, sin embargo, inútil, ya que mis amigos prosiguieron su carrera hasta llegar al costado de mi prima.

Ni a mí ni a ellos nos fue mostrado el bebé, sino que por hurtarlo a la vista de todos entraron mis parientes a paso raudo en el portal y yo, como miembro de la familia, los seguí.

En la escalera esperaban las vecinas encontradizas. Estas sí se asomaron al hueco entre los paños, dispuestas a alabar y felicitar; pero lo que fuera que veían les impedía el habla, y por ciertos susurros y muecas de mi tía Maripuy comprendí que el contenido de los paños no se prestaba a enhorabuenas.

Yo no olvido la cara que puso mi tío Vicente cuando vio por vez primera a su nieta. Ya usted, con sus años en el oficio literario, se la imaginará sin ayuda de mi testimonio. No obstante, me vencen las ganas de contarle que él nos miraba a unos y otros con la boca abierta, silencioso y bobalicón, como suplicando, cercano a las lágrimas, que nos dignásemos declararle el engaño de sus ojos.

En lugar de eso, su mujer le mandó que se apartara, aunque no me parece a mí que en aquel momento el pobre hombre estuviera entorpeciendo el paso.

Mari Nieves se esforzó por aliviar su desconcierto:

—Es lo que tenemos, aitá.

—Pero...

Al punto mi tía lo interrumpió.

—Hala, estate calladito.

Por fin me mostraron la criatura.

—Mírala, pero no te asustes. Y no cuentes nada por ahí.

Don Victoriano la bautizó una mañana, casi como a escondidas, en ausencia de mi tío y de Chacho, que estaban trabajando, y por supuesto de los padres de este, a quienes aquella niña infortunada que llevaba su apellido nunca interesó.

A fin de hallarme presente en la modesta ceremonia fui dispensado de acudir al colegio, lo cual, si quiere usted que le diga la verdad, me pesó puesto que yo era estudiante aplicado, además de formal. Por dicho motivo los profesores no me quitaban las ganas de aprender arreándome las tortas que descargaban a diario en las mejillas de otros alumnos más díscolos y torpes. Me detengo aquí, pues noto que estoy incurriendo en una digresión. Perdone.

No recuerdo al cabo de tantos años las palabras exactas que le dirigió el cura a mi prima en el instante de la despedida; pero el mensaje que le transmitió fue más o menos que Dios, en su infinita misericordia, le había hecho un regalo confiándole aquella niña para que la cuidara con no menos cariño y dedicación que si hubiera nacido normal, y que por medio de dicha prueba Dios le concedía una oportunidad de reformarse y así alcanzar, en premio a todos sus desvelos maternales, la gloria eterna por el atajo del sacrificio, al modo del santo Job, etcétera.

No bien perdimos de vista al cura, mi prima rompió a injuriarlo y dijo:

—Le tenía que haber pegado dos hostias.

No sentó mejor la perorata de don Victoriano a mi tía, de suerte que madre e hija recorrieron el camino de vuelta a casa despotricando contra el cura. Yo andaba en silencio a la zaga de ellas, tan admirado de verlas conformes en un asunto como asombrado de que fuera posible lanzarle tamaños denuestos a un ministro del Señor.

Con Julia en casa, ya nada fue lo mismo. Al principio mis parientes se comunicaban apenas lo necesario, reducidas sus pláticas domésticas a vocablos sueltos y medias frases que, con frecuencia, flotaban un instante en el aire sin obtener contestación. Pensaba yo que se hablaban poco para no causar molestias a la niña, en lo cual a mí me parecía bien imitarlos; pero pronto comprendí que cada uno de ellos tenía la boca obstruida de su amargura particular.

Mi tía, que antes gustaba de acompañarse con los sonidos de la radio, ahora ya no la encendía; a mi tío, absorto y mustio desde la marcha de Julen, se le congeló un gesto de apenado cansancio en el semblante, y muchas veces yo lo veía de refilón mover los labios como quien conversa sin voz consigo mismo, haciendo extraños ademanes con las manos.

En cuanto a Mari Nieves, atareada en los cuidados de su hija, partido el entrecejo por dos arrugas hoscas, parecía haberse enfadado para siempre. Tan sólo se le borraba la expresión ceñuda cuando conseguía endilgarle el trabajo a su madre y salía a pasear con su amiga Begoña. A Chacho, que seguía viviendo con sus padres, apenas lo veíamos.

Así y todo, los dos primeros meses, día arriba, día abajo, reinó en casa un ambiente tranquilo, como de espesa y silenciosa resignación, no sé si usted me entiende, y ello debido seguramente a que la pequeña Julia apenas se hacía oír. Cuando no dormía se estaba calladita e inmóvil en el fondo de un cajón donde le habían instalado la cuna. Lo confeccionó Lucio con tablas barnizadas. ¿Se acuerda usted de Lucio, apodado Cartucho, el carpintero que vivía en el 7 y tenía el taller en un costado de la villa de los Marichalar? Pues ese.

Las tablas desprendían un olor penetrante debido a la sustancia con que estaban recubiertas y también a la cola. Mi tío sugirió que aquel olor podría hacer daño a la niña. En vano esperó una respuesta. Al cabo de un rato se caló la chapela y, metidas las manos en los bolsillos, bajó al bar. Entonces mi tía, creyendo acaso que nadie la escuchaba, dijo para sí:

—¿Qué va a dañar el olor de marras que no esté ya dañado?

De vez en cuando entraba yo a escondidas en la habitación de mi prima a mirar aquella insólita criatura, y sobrecogido de fascinación y también, por qué no decirlo, de repugnancia, la veía yacer con sus ojos negros puestos en nada, pues era ciega, aunque esto al principio no lo supimos. La niña ya le digo que los primeros meses callaba y dormía, dormía y callaba, siempre con un costado de la cara apoyado sobre una pila de trapos y pañuelos. Y la razón de esta medida es que no cesaba de babear.

Cumplidos los dos meses de edad, dio de pronto en gemir sin que hubiera forma de calmarla, aquejados tal vez por algún dolor continuo sus órganos defectuosos. La infeliz se congestionaba hasta ponerse granate, dicho sea esto sin propósito de exageración, se lo juro. A causa de la excitación y el esfuerzo, los vasos sanguíneos se le hinchaban bajo la piel, particularmente los de la cabeza, de tal manera que no parecía sino que en cualquier momento habrían de reventar.

La llantina nos taladraba durante horas, tanto de día como de noche; roía el ánimo de mis parientes, volviéndolos irritables, bruscos, discutidores. Todos estábamos marcados por idéntico cerco de fatiga alrededor de la mirada.

No éramos los únicos que padecían aquel suplicio acústico. Corrían por el barrio dudas sobre si la hija de Mari Nieves recibía el trato y alimento que no debe faltarle a ningún recién nacido. A mi tía la ponían de los nervios aquellas insinuaciones de las que se enteraba por vía indirecta. No se podía defender contra ellas por ignorar quién las propagaba, aunque tenía sus sospechas.

Un día le llegaron nuevas de que en la tienda de comestibles de los Artola la criticaban. Ya no se pudo contener; hecha un basilisco, pegó desde el portal unos gritos capaces de atravesar las paredes:

—¡Pena es lo que deberíamos dar! ¡Pena!

En cierta ocasión, mi tío sacudió un manotazo al tablero de la mesa mientras cenábamos. Temblaron los vasos, algunos trozos de pan salieron despedidos del cestillo y él volvió a atribuir los padecimientos de su nieta al aire venenoso que respiraba. Sacamos mi tía y yo sin demora el armatoste al balcón para que se ventilase y tres días después lo metimos de vuelta porque la niña lloraba lo mismo con cajón que sin cajón.

A principios de octubre, la vida en casa se nos complicó un poco más con la llegada repentina de un nuevo morador. Yo estaba sentado a la mesa de la cocina, saboreando un plato de aquellas estupendas alubias de caserío que constituían una de las especialidades culinarias de mi tía, cuando sonó el timbre.

La pequeña Julia lloraba como de costumbre, sola en la habitación de mi prima. Con las puertas cerradas y una manta extendida por encima del cajón, los gemidos de la niña nos llegaban amortiguados. Por aquella época, con idea de completar la protección de nuestros oídos, el aparato de radio volvía a sonar a diario en la casa, desde el amanecer hasta la noche y a mayor volumen que en tiempos anteriores.

Pero a lo que iba. Sonó el timbre y mi tía, en previsión de mendigos, acudió con un arranque de cólera a abrir la puerta.

—¡Huy, Anselmito! ¿Adónde vas con tanta maleta?

—Que dice mi padre que venga a vivir aquí, que tenemos la casa llena y que para qué me casé.

Vi a mi tía darse la vuelta y desentenderse de él con aire de derrota, puestos los ojos en blanco, como pensando: ¡lo que faltaba!, y eso que entre los dos hacían (y siguieron haciendo) buenas migas.

Chacho se apresuró a llevar los bultos al comedor. Se conoce que los había ido juntando en el descansillo y que, cuando los hubo subido todos, pulsó el timbre. Deseoso de recibir una cordial acogida, de agradar y hacerse el bueno, nos estampó primero a mi tía y luego a mí sendos besos, en nada diferentes a si nos hubiera restregado por la mejilla un cactus. Ni se afeitaba a diario ni era aficionado a lavarse.

—¿Has comido?

—Maripuy, no se lo va usted a creer. Subía yo por la escalera preguntándome: ¿de dónde viene ese olor tan rico de las alubias? Ojalá venga de casa de la señora Maripuy. Y fíjese qué casualidad y qué suerte la mía.

En repetidas ocasiones manifestó el propósito de cubrir con una parte de su sueldo los gastos que su estancia en la casa pudiese ocasionar. El resto se lo pensaba confiar a Mari Nieves para que lo administrase según su entender. Hacía mucho tiempo que yo no veía sonreír a mi prima.

Las dos primeras noches Chacho ejerció de marido. No le faltaron consejos para que se instalase en mi habitación; pero él venía animado de ciertos impulsos carnales, los mismos que al parecer lo persuadieron a contraer matrimonio con mujer preñada de otro, y por encamarse con ella pasó dos noches en claro. A la tercera, señalado por las ojeras que hinchaban y enrojecían los párpados de toda la familia, sucumbió, y de allí en adelante durmió a metro y medio de mí, en la cama de Julen.

Con frecuencia, cuando se desvestía por las noches para ponerse el pijama, me llegaba a la nariz una vaharada de sudor rancio, de axilas e ingles poco ventiladas; olor menos agresivo desde luego que el pestífero de los pies de mi primo, pero, ¿cómo le diría yo?, más denso en su envolvimiento, más reposado y minucioso en su capacidad de aturdir y, en definitiva, igual de repulsivo. Él trataba de paliarlo con aplicaciones abundantes de colonia barata, hasta que mi tía le regaló una distinta porque estaba convencida de que la que él usaba le picaba la leche y le ponía agrios los alimentos de la fresquera.

Lo que nunca se le consintió a Chacho en casa de mis parientes, antes incluso de trasladarse a vivir con ellos, en los días en que venía a comer o a buscar a Mari Nieves para salir de paseo, eran las uñas negras de mecánico. Mi tía colocó para él un pequeño cepillo en una repisa que había sobre el lavabo. Chacho se esforzaba en llevar las uñas decorosas tanto por no contrariar a su suegra como por evitar que Mari Nieves consumase una amenaza que le tenía hecha, y era que sin manos limpias no le habría de tocar un pelo del cuerpo.

Chacho se las lavaba de continuo, en el taller, al término del trabajo, y en casa, y aun creo yo que se habría arrancado la piel de buena gana por no perder el premio a su limpieza. Nada lo complacía tanto ni lo hacía tan dócil, tan niño y tan feliz como el trato carnal con mi prima.

Lo que tenía de servicial y adulador lo tenía de parlanchín, y a diario, mientras esperaba el sueño, de cama a cama, a la manera de mi primo, aunque sin despertarme a deshoras, me abría sus pensamientos y me revelaba confidencias con desatada ingenuidad.

—Me casé con la Mari Nieves para joder. Porque yo, con lo feo que soy, ¿con quién iba a joder si no me caso?

La naturaleza lo había provisto de un miembro viril de proporciones inusitadas. Una noche que me sorprendió mirándolo anonadado, pues no era para menos, se lo aseguro, me dijo:

—Pues esto no es nada en comparación con el de mi padre. Mi padre dice que una vez se lo había metido a mi madre, y como mi madre estaba debajo con la boca abierta, él podía ver la punta de su cipote subir y bajar en la garganta de mi madre, por detrás de la campanilla. Yo a tanto no llego.

A veces intentaba entablar conversación con su suegro, tentándolo por el lado del fútbol, por el de las regatas de traineras o con cualquier asunto que le pudiese interesar; pero mi tío se había vuelto muy parco en palabras y, por regla general ensimismado, melancólico, lo despachaba con monosílabos, si no es que se hacía directamente el sordo.

Más fácil lo tenía Chacho para pegar la hebra con mi tía, con quien congeniaba. En ocasiones se ponían de acuerdo para que él acudiera a la parada del trolebús a hacerse cargo de las bolsas de la compra. No era raro ver a Chacho en casa con el delantal puesto o quitando el polvo a los muebles.

De atardecida, si la temperatura era agradable, gustaban de acodarse los dos en la ventana que se abría a la plazoleta del bar Artola y se pasaban largos ratos intercambiando chismes sobre la gente del barrio.

Yo espiaba de vez en cuando sus conversaciones.

—Mira, ahí va el tonto de Joserra. ¡Ay, no lo trago! ¿Tú crees que es el padre de Julia?

—Mucho no se parece.

—¡A quién se va a parecer semejante monstruo, con perdón!

—¿Sabe lo que le digo, Maripuy? Los hijos que yo le haga a Mari Nieves serán todos como Dios manda.

No hay duda de que Chacho se encontraba a gusto en casa de mis tíos, libre de la voz de mando y de la mano dura de su corpulento padre, libre también de otros incordios que ahora mismo no le sabría especificar a usted.

Acostumbrado a compartir con su familia numerosa un piso de tres habitaciones, Chacho no se percataba de lo apretados que vivíamos desde su llegada. Algunos días le daba por apoderarse de una balda de la nevera para colocar sus cinco o seis botellas de gaseosa. Recuerdo asimismo las veces en que se encerraba en el retrete con el periódico, mientras los demás esperábamos fuera urgidos de nuestras respectivas necesidades. Al menor reproche mi tía salía en su defensa.

Lo que es por él, estoy seguro, se habría quedado a vivir para siempre con sus suegros; pero su mujer soñaba a todas horas, y no lo ocultaba, con alquilar un piso en cualquier barrio de la ciudad que no fuera Ibaeta; lejos, en cualquier caso, de su madre. Con dicho propósito apartaba una cantidad de dinero todas las semanas, no me pregunte usted cuánto porque no lo sé. Chacho también contribuía a la caja común.

A partir de noviembre se les abrieron nuevas posibilidades de aumentar sus ahorros, ya que fue por entonces cuando a mi prima la hicieron fija en la peluquería del barrio de Gros donde había aprendido el oficio.

Apunte 32

Mari Nieves Barriola deberá experimentar algún tipo de transformación en el tramo final de la novela. Un cambio de actitud, alguna decisión que modifique el rumbo de su vida (ruptura con el barrio, por ejemplo), nuevas formas de relacionarse con los demás y, en fin, un par de repercusiones en su personalidad como consecuencia de todo lo que le ha pasado me darán materia para el desenlace. Aún más, constituirán el desenlace, se entiende que de la parte de la historia correspondiente a dicho personaje. Si hay que apartarse del testimonio del informante, se hará. Primero la literatura; después, si queda sitio, la verdad.

Apunte 33

En la trasera del centro Ibai. Julia nació hace unas cuantas semanas; por tanto, la acción transcurrirá en pleno verano de 1969, ya veré. El río, poco profundo, arrastra desperdicios. Breve descripción para introducir el episodio. Trozos de basura cuelgan de las ramas más bajas de los árboles, que se alargan por encima de la corriente, a escasos centímetros del agua. Recuerdo que era un río muerto. Ni un pez. Ni una rana. El río pasaba por debajo de la vieja fábrica de Plásticas Oramil (cartuchería para armas), en el barrio de El Infierno. A Ibaeta llegaba bastante negro y a veces de otros colores.

JOSERRA: *Desengáñate, Mari Nieves. Lo que es gustar no me has gustado nunca. ¿Te has mirado en el espejo? No gustas a nadie y ahora que te has casado con ese idiota, menos.*

MARI NIEVES: *Pues bien que te arrimabas.*

JOSERRA: *Se lo has dado a todo Cristo.*

MARI NIEVES: *Tú has olvidado lo que me dijiste. Te gustabas de mí, por eso te lo di, y no puedes decir que no lo dijiste porque sí lo dijiste.*

JOSERRA *(cigarrillo pinzado entre los dientes, ademanes y tono de chulito): Eres una vaca.*

MARI NIEVES: *¡Pues mira que tú! A lo mejor te has creído guapo.*

JOSERRA: *Piensa bien antes de hablar.*

MARI NIEVES: *Eres mala persona y no vales para hombre. Me has hecho una hija mal hecha.*

JOSERRA: *Eso te ha pasado porque fumas y bebes.*

MARI NIEVES: *No, por tu mala semilla. Nunca vas a tener los hijos sanos, entérate.*

JOSERRA: *¿A ti quién te ha dicho que la mongolita te la he hecho yo?*

MARI NIEVES: *No es mongolita.*

JOSERRA: *Venga, lo dice todo el mundo.*

MARI NIEVES: *La gente ¿qué sabe?*

JOSERRA: *Me importa un pimiento si es mongolita o no lo es. ¿De dónde sacas que soy el padre?*
MARI NIEVES: *¿Quién si no?*
JOSERRA: *Hostia, pues cualquiera. ¡Si se lo das a todo quisque, gorda, más que gorda!*
MARI NIEVES: *Nunca vas a tener hijos normales. Jódete.*
JOSERRA: *Jódete tú, que te has cargado con el fardo.*

Apunte 34

¿Duermes? Del cuerpo de Visentico, en su lado de la cama, se desprende un espeso olor a taberna: humo de tabaco, vino agrio, recinto sin airear. Maripuy le arrea un empujón. ¿Que si duermes, concho? ¿Cómo hostias quieres que duerma en esta casa? La oscuridad es completa. La niña llora en la cocina. Sus gemidos suenan lejanos. Un moscardoneo agudo, repetitivo. Últimamente la colocan allá por las noches, en su cajón envuelto en mantas, para que Mari Nieves pueda dormir. Se protegen los oídos con guata. Ayer un vecino dio golpes en la pared a las tres de la madrugada. Menuda desgracia nos ha caído encima. ¿Qué pecado habremos cometido para que Dios nos castigue de esta manera? Habrá que hacer algo, Vicente. Así no podemos continuar. Tú, con ponerte triste y bajar al Artola, lo arreglas todo. Bonita ayuda. ¿Me pongo yo también triste y nos terminamos de hundir? Vicente, te estoy hablando. Siempre me quedo sola con los problemas. ¿Tienes algo que decir? Sí, que me dejes en paz de una puta vez.

Un desenlace

Me viene al recuerdo aquella escena de que le hablé, sucedida en el verano de 1970, durante mis vacaciones escolares. Como sabe, me aficioné por entonces a pescar en el puerto, en compañía de dos chavales de mi edad, amigos del barrio. Y era así que varias veces por semana íbamos andando los tres de Ibaeta a la ciudad por ahorrar el gasto del trolebús, y con gusanos *(chicharis* les decíamos) comprados en una tienda de la Parte Vieja cebábamos los anzuelos. En lugar de caña yo usaba un palo de avellano. El aparejo solía ponérmelo a punto mi tío Vicente, quien, según contaba, de joven había ido muchas veces a pescar a las rocas de Igueldo.

Una tarde de sol nos colocamos mis amigos y yo en el espigón exterior, el que da a la bahía, y en un momento en que me di la vuelta, ignoro ahora con qué motivo, divisé o me pareció divisar al otro lado del puerto, por la zona de las casas, a mi primo Julen sin barba.

Se puede usted imaginar mi sorpresa y alborozo. Le lancé sin malicia, pero con mucha fuerza, un grito y él, o la persona que yo creía que era él, se metió con cierta celeridad en los soportales, de forma que desapareció por completo de mi vista. Pensando en que no me había podido oír por causa de la distancia, eché a correr espigón adelante, y dando la vuelta entera al puerto, me llegué sin aliento al sitio donde yo esperaba encontrar a mi primo, pero allí no estaba.

—Sobrino —me dijo mi tía por la noche con una sonrisa triste y más o menos estas palabras—, ¿tú crees que le dejarían pasar la frontera así como así? ¡Buenos son los policías! Lo mandarían de cabeza a la cárcel.

Tres días después, al término de otra tarde de pesca con mis amigos, encontré a mi primo en casa, cenando a hora temprana con la voracidad de quien llevase más tiempo de la cuenta sin ingerir alimentos. Al verme se levantó para estrecharme entre sus brazos. A juzgar por la intensidad del estrujamiento, no hay duda de que me había echado en falta y me quería.

Dijo lo primero de todo que acababa de venir de Francia, así que no le hallé sentido a contarle que esa misma semana me había parecido reconocerlo en el puerto.

Luego, reanudando la cena, agregó en son de broma:

—Txiki, ¿a que no sabes por qué he vuelto? Pues porque se me perdió el ciclista que me diste. A ver si me regalas uno que no se pierda y me dé más suerte.

Sentado junto a él, mi tío Vicente lo escrutaba con ojos olvidados de pestañear, la sonrisa alelada, los rasgos faciales aquietados en una expresión de orgullo, felicidad... Usted ya me entiende.

Cuando no le ofrecía más vino, le ofrecía pan o le acercaba el salero o lo animaba a seguir comiendo.

—Hijo —le decía de repente, sin añadir más, y acto seguido le daba con vacilante y torpe ternura, como temeroso de hacerle daño, una palmada de aprobación en la espalda.

Le preguntó en dos o tres ocasiones si había vuelto para quedarse.

—Que sí, aitá. ¿Cuántas veces quieres que lo repita?

Lo mismo que a mis tíos, tampoco a mí, muchacho de corta edad, dejaba de sorprenderme el regreso inesperado de Julen.

Por esos días se oía hablar a menudo de registros, de malos tratos en los cuartelillos y comisarías, de detenidos y fugados, y fíjese usted en que, a pesar de la marea represiva, de la numerosa presencia policial en las calles y del miedo colectivo, mi primo decide interrumpir su exilio o como se le quiera llamar a lo suyo; llega a casa en plena luz del día; bromea y se pone a cenar tan campante, como si hubiera estado fuera de casa unas horas en lugar de un año y cinco meses.

—¿Seguro que te quedas?

—Que sí, aitá.

—Oye, ya está bien —intervino mi tía—. Vas a hacer que se le corte la digestión.

La primera noche durmió en el comedor, acostado sobre un colchón de lana que le prestaron en la vecindad. Mi tía trató de organizar un nuevo reparto de las habitaciones, a su estilo: tú aquí, tú allá; pero mi primo se opuso. No le parecía bien que por su causa hubiéramos de poner la casa patas arriba; juzgó aún peor que yo, que ya me había acostado, tuviera que levantarme para cederle la cama. Se me figura, además, que le repelía la idea de pernoctar cerca de Chacho, a quien no profesaba ninguna estima.

Un día después, Chacho se ofreció a mudarse a casa de sus padres. Mi prima lo atajó:

—Tú no vas a ninguna parte.

Por entonces la pequeña Julia no lloraba con tanta frecuencia como algunos meses antes, y cuando lo hacía sus gemidos eran, con algunas excepciones, menos intensos y también duraban menos. De manera que por dicho motivo, así como por no ser imposible consolarla con trucos maternales, Mari Nieves se acostumbró a ponerla junto a su cama por las noches, sin sacarla del cajón, antes incluso del regreso de su hermano.

Había otro motivo para no dejarla demasiado tiempo sola. El médico encareció a mi prima que estuviese atenta a las babas de la niña, pues al ser tan abundantes existía riesgo de que la asfixiaran.

Total, que hubo acuerdo familiar para que Chacho se instalara con su ropa y sus cachivaches en la habitación de Mari Nieves y mi primo compartiera de nuevo la suya conmigo.

Desde el principio, Julen se esforzó por aparentar normalidad. Como en tiempos pasados, me daba conversación hasta horas avanzadas de la noche, fumaba en la cama el último cigarrillo del día y, apagada la luz, se entregaba en silencio a sus dos o tres minutos de concupiscencia bajo la manta. Con su llegada recobré la costumbre de arrebujarme hasta los ojos para no sucumbir a las hediondas emanaciones de sus calcetines y sus pies.

A primera vista se dijera que nada había cambiado y sin embargo, señor Aramburu, mi primo ya no era el mismo. Yo se lo notaba sobre todo cuando trataba de reproducir los viejos hábitos. Mostraba entonces un comportamiento artificial, que vaya usted a saber si no nacía, como creo ahora, del empeño desesperado, quizá inconsciente, por negar el abismo que lo separaba de los días anteriores a su fuga a Francia.

A mí, desde la perspectiva que dan los muchos años transcurridos, mi primo Julen me recuerda el corcho de mi caña posado en el agua del mar, arrastrado de aquí para allá por fuerzas superiores a él; fuerzas que lo llevaban y traían a su antojo, sin que él pudiera determinar el rumbo de sus propios movimientos.

Varias veces prometió:

—Mañana te acompaño a pescar.

Nunca lo hizo.

Una tarde, viendo que me disponía a emprender una carrera de ciclistas por las tablas del suelo, me retó, jovial, fanfarrón, a una partida. No se concentraba. A los pocos minutos, perdido el interés por el juego, se tumbó en la cama a escuchar la radio, su principal ocupación de aquella época, además de irse por ahí sin revelar a nadie adónde. En busca de trabajo, le oí decir en una ocasión.

Mi tío desconfiaba.

—¿No te estarás metiendo en política otra vez, eh?

—Que no, aitá. ¿Te crees que soy tonto?

A mí me contaba por las noches muchas cosas de su vida, de cama a cama, pero todas o casi todas, se lo aseguro, de poco espesor confidencial, y ninguna, salvo bagatelas deportivas, culinarias, meteorológicas, sobre su estancia de año y pico en Francia.

Nunca le oí mencionar el nombre de ETA. Los compañeros, decía. Alguna vez, con la voz enturbiada de solemnidad: la organización. Cuando rozaba el asunto de su militancia, se extendía de ordinario en pormenores relativos a peripecias personales.

—¡El puto frío que pasé en invierno! —era una de sus frases más repetidas.

Las cuestiones referentes a su época en Francia las despachaba con rapidez. Él prefería otros asuntos que le permitieran mostrarse socarrón. Quizá no se fiaba de mí o, simplemente, me consideraba demasiado joven para entender todo lo que callaba.

En cambio, le tiraba mucho hablar de pelota, de la Real Sociedad, de bebidas y comidas, apenas de chicas y sólo de vez en cuando de su sobrina. Una noche en que la pequeña no nos dejaba dormir con sus quejidos, perdida la paciencia, dijo, no sé si en broma o en serio, una cosa que me causó estupor:

—Eso lo arreglaba yo para siempre en diez segundos y no se entera nadie. ¿No piensas tú lo mismo, Txiki?

—No sé.

Me viene al recuerdo una tarde veraniega de esas típicas de San Sebastián; tarde de cielo azul, de temperatura agradable, con aquella brisa maravillosa que a menudo, al traerme hasta el olfato el olor del mar, me producía una especie de euforia, de ganas de henchirme de aire aromático y elevarme por encima de los árboles; una tarde en que, de camino al puerto con mis amigos, mi palo de avellano y la bolsa donde llevaba la merienda y los aparejos, vi a Julen en los jardines de Alderdi Eder.

Estaba a bastante distancia, no lo llamé. A la vuelta, pasadas tres o cuatro horas, seguía en el mismo sitio y en la misma postura, fumando un cigarrillo a la sombra de un tamarindo, cerca de donde jugaban los niños, frente al Ayuntamiento, no haciendo nada salvo mirar a la gente o al menos eso es lo que a mí me pareció.

Tiempo después, un domingo, a la salida de misa en capuchinos, adonde íbamos ahora mi tía y yo porque decía ella que o perdía de vista a don Victoriano o lo descrismaba de un garrotazo, encontramos a mi primo junto al estanque de los cisnes de la plaza de Guipúzcoa. Su madre le preguntó qué hacía allí. Él contestó que estaba esperando a un amigo. Se notaba que no le apetecía conversar. Tras despedirnos, no pude resistir la tentación de volver la mirada. Mi primo componía en aquellos momentos una imagen bastante lastimosa, la de un hombre solitario y sin oficio, y por primera vez en mi vida, yo, que lo tenía tan divinizado, sentí por él una violenta punzada de compasión.

El verano transcurrió sin novedades dignas de recuerdo. Mis parientes se habituaron lo mismo que yo a la vida ociosa de mi primo, a sus extrañas idas y venidas, sus largas horas tumbado en la cama con la radio puesta y a su soledad, pues era notorio que sus amigos no venían a buscarlo ni él iba a buscarlos a ellos.

Por octubre o noviembre, ya no me acuerdo bien, pero en cualquier caso por los días lluviosos del otoño, ocurrieron algunos incidentes por los cuales asomaron a nuestro conocimiento los primeros indicios de que mi primo se hallaba metido en asuntos turbios.

Y fue de este modo: que entrando mi tía una mañana en la tienda de los Artola, saludó y unas mujeres que había dentro no le respondieron, y lo mismo le sucedió días más tarde en el trolebús con una conocida del portal de al lado. Ella lo atribuyó a la envidia, a intrigas vecinales, a la maledicencia; en fin, a bobadas que pensaba aclarar, según decía y repetía arreándose golpes en la pechera del delantal con la mano abierta, tan pronto como fuera posible.

No dio al caso mayor importancia, hasta que otro día, al cruzarse con la madre de Peio Garmendia por la calle, esta le dijo unas palabras ofensivas. No me pregunte usted cuáles porque nunca las he sabido. Se las tendrá usted que imaginar cuando escriba su novela.

Despotricaba mi tía en la cocina:

—¡Qué se habrá pensado la idiota esa!

Mi tío la escuchaba en silencio, y como su mujer lo requiriese para que manifestara su opinión, entonces, con voz temblorosa, el pobre hombre reveló que el sábado anterior, en la sociedad gastronómica, el padre de Peio Garmendia le había dirigido similares insultos y acusaciones. Pensó que Garmendia había bebido más de la cuenta y que, como otras veces en situación parecida, le tomaba el pelo.

Al fin los rumores alcanzaron a los niños, y hubo uno, tan bajito como avieso, de los de las casas que decíamos de adelante, las más cercanas a la carretera, que a raíz de un balonazo que le di en la cara sin querer se resarció declarando delante de todos que mi primo Julen era un mal vasco y seguro que yo también. Lleno de rabia, me eché hacia él por derribarlo; pero los que estaban a su alrededor me contuvieron y, diciéndome algunos de ellos que ya no querían jugar nunca más conmigo, me tuve que retirar.

Salí humillado de la explanada, junto al río, donde estábamos jugando no menos de treinta chavales, sin que ninguno de los que formaban mi equipo me acompañara. Eso me dolió. Callé el suceso en casa por no empeorar el mal ambiente que teníamos.

La parte peor del odio se la llevó mi primo, a tal punto que en breve tiempo se vio obligado a abandonar Ibaeta. Y fue así: que volviendo a casa una noche, procedente de donde nadie sino él sabía, le salieron varios mozos al camino, como que ya lo estaban esperando, y sin decirle palabra, medio tapados para que no los reconociera, lo agredieron con los puños y los pies, y si no lo baldaron para toda la vida fue porque él rompió a pedir socorro. Con los gritos empezaron a encenderse las ventanas. Entonces a sus agresores les pareció conveniente que nadie los viese, conque dando uno de ellos la voz de retirada, se escabulleron a toda prisa en la oscuridad.

Julen entró con sigilo en casa para no despertar a su familia. La espalda recostada en los barrotes de la cama, fumó su cigarrillo de costumbre a la luz amarillenta de la lámpara, manchándose el pijama con la sangre que le salía de una ceja.

Sonreía, no sé por qué, contándome lo que le habían hecho. Y de pronto empezó a decirme cosas que yo no entendía y otras que sí, de las cuales recuerdo con exactitud algunas:

—Aprende mucho en el colegio, Txiki. Tú aprende y aprende. No pares. Si no aprendes estás perdido, hazme caso.

Nunca se franqueó conmigo ni con sus familiares acerca de lo que le había ocurrido en Francia. No lo hizo entonces, mientras estuvo en casa, ni más tarde, cuando, libre y lejano, ¿ya qué trabas podían impedir su sinceridad? Ni siquiera se molestó en inventar una versión honrosa que confortara a sus padres y desmintiera o contrarrestase la mala fama que le pusieron en el barrio.

Por lo demás, qué quiere usted que le diga, tampoco mis tíos mostraron empeño en emprender averiguaciones sobre un asunto del cual, por el mal olor que desprendía, prefirieron no saber nada o saber lo menos posible.

Amigos desde la niñez, Peio Garmendia y Julen se malquistaron quizá por política, como pensaba mi tío («la puta política», decía), quizá a consecuencia de alguna nadería cotidiana, pues si en algo se parecían los dos como un grano de uva a otro era en su propensión a discutir. Tan rápidos eran entablando controversias como reconciliándose, sin que las divergencias de opinión ni las palabras gruesas, a veces muy gruesas, llegaran jamás a desunirlos.

Pero se conoce que un día, en Francia, castigados por la nostalgia, el miedo, los recelos, las incomodidades, en fin, por cuanto se sufre de ordinario cuando uno está forzado a vivir lejos de su casa y de su gente, no atinaron a encontrar el camino por el que, al término de las discusiones, solían volver a la armonía, y entonces su amistad de tantos años se rompió como se rompe una vasija, que luego no hay quien junte los pedazos.

Peor situado que Peio Garmendia en la organización, sin los amigos, ni el carácter fuerte, ni el prestigio combativo de aquel, mi primo, un pobre diablo a fin de cuentas, salió perdiendo. Los compañeros, quizá incitados por Peio Garmendia, se pusieron de acuerdo para hacerle el vacío. Dejó, no sé si obligado o por su propio pie, el piso que compartía con algunos de ellos. De pronto se encontró en penosa situación, arrastrando su desesperación y su soledad por las calles de Bayona. Parece ser que acudió al cura que se ocupaba de los refugiados. Si el cura lo ayudó, lo ignoro. Se contaba, se decía, se rumoreaba que había sido visto varias veces hablando con unos tipos raros y que no mucho tiempo después estaba en San Sebastián. Saque usted sus propias conclusiones.

A primeros de diciembre, Julen abandonó la casa de sus padres. Su marcha del barrio, no del todo repentina, pues llevaba varias semanas dándole vueltas a la idea de instalarse en otra parte, la determinó un incidente que tuvo con don Victoriano, con quien se topó una mañana en el cruce de Zapatari.

Mi primo venía andando de El Antiguo a casa; al llegar a la altura del taller de carrocería de Sorrondegui, vio bajar al cura por la cuesta del asilo. En lugar de doblar la esquina hacia la carretera general, juzgó lo más razonable del mundo esperar al cura para saludarlo. A su vuelta de Francia, una de las primeras cosas que hizo fue mantener con él una larga y por lo visto grata conversación en la oficina del centro Ibai. Desde entonces no se habían vuelto a ver.

Julen se quedó parado junto a la entrada del taller con su sonrisa y sus ganas de charlar un rato con el cura, a quien profesaba un respeto rayano en la veneración. ¿Qué hace don Victoriano? Negándose ostensiblemente a contestar al saludo de Julen, pasa de largo por el borde opuesto de la carretera. A duras penas lograba mi primo contener las lágrimas en casa, cuando nos refirió la escena.

Dolido en lo más hondo, dio alcance al cura y,

colocándose a su costado, le suplicó que le dijese por qué no quería hablarle, a lo que don Victoriano, sin detener el paso ni volver la cabeza, le replicó con sequedad una frase en euskera que mi primo no comprendió.

Intuyó, no obstante, que aquellas palabras entrañaban una sentencia condenatoria. Durante varios días no supimos nada de él, hasta que mi tía vino un sábado de la compra y dijo:

—Vive en Rentería y está bien.

Mi tío quiso averiguar más detalles.

—Trabaja en Pasajes, en el puerto.

—¿Y en qué trabaja?

—Vete y se lo preguntas.

Julen nos visitó unas cuantas veces aprovechando que por aquellos días oscurecía temprano. Llegaba al atardecer, cuando el cielo ya estaba negro y la gente recogida. Cenábamos todos juntos, no sin que él nos moviera a risa con sus bromas, y hacia las diez o diez y media de la noche, después de darnos un beso a su madre y a mí, se marchaba.

Mi tía no le permitía salir de la vivienda sin antes haberse cerciorado de que no había vecinos en la escalera. A modo de despedida, Julen solía arrearle a su padre una afectuosa palmada en el hombro. A Mari Nieves, como mucho, le hacía un gesto, y a Chacho ni lo miraba. Ahora que lo pienso, me cuesta recordar a mis primos unidos en una conversación, y no porque se llevaran mal, se lo aseguro; es que desde pequeños se habían acostumbrado a mantener una relación similar a la de dos árboles que crecen uno al lado del otro.

Julen acudió por última vez a casa de sus padres el día de Navidad del año 70. Después ya no quiso volver debido a una pena muy grande que le dio cuando supo por su madre que a media tarde el coro del Olentzero, al que él había pertenecido antes de escaparse a Francia, no se había detenido como el año anterior, hallándose él ausente, bajo el balcón de casa a cantarle con don Victoriano de director. Por las rendijas de la persiana, mi tía y yo vimos al grupo de mozos ataviados con sus blusas, sus chapelas y abarcas de caseros pasar de largo en dirección al edificio donde vivían los Garmendia, bajo cuyo balcón cantaron varias piezas, intercaladas con *goras* a Peio y otras exclamaciones de aliento y adhesión.

Cerca de dos meses estuvo mi primo Julen trabajando de operario en el puerto de Pasajes. Lo vi poco durante ese tiempo. Mi tía le lavaba la ropa, le fregaba los suelos, le dejaba la comida preparada, y dos o tres veces me preguntó si quería acompañarla y la acompañé.

A mi primo no le iba bien, no tenía amigos, se le había parado en el semblante una expresión de fatiga. La última vez que fui a su piso de alquiler nos contó que andaban buscando sustituto a un marinero hospitalizado por causa de un accidente. Le pedían una respuesta rápida puesto que el barco estaba a punto de partir. Que qué nos parecía.

—Tú sabrás —le dijo su madre, y ahí terminó la conversación.

Se conoce que mi tía le leyó los pensamientos a través de la frente. Nada más llegar a casa le dijo a su marido que fuera a Rentería a despedirse del hijo sin falta.

—¿Pues?

—Ese se nos marcha para siempre.

Esto fue un lunes. El viernes 20 de febrero Julen se embarcó con mar movida en el *Juan María Artaza*, una motonave mercante de casco negro que salió cargada de potasa con rumbo a La Coruña. Nos citó a su madre y a mí a la entrada del puerto con la excusa de que yo le llevase uno de mis ciclistas como amuleto.

—Aprende mucho, estudia —fue lo último que me dijo.

Su madre le preguntó cuándo estaría de vuelta.

—Eso depende del barco —respondió al tiempo que se miraba la punta de las botas.

Transcurridos más de cuatro meses desde su partida, nos llegó una carta suya sellada en Paranaguá. Estaba muy contento, había encontrado trabajo, conocido a una chica, etcétera. Le pedí a mi tía el sello para mi colección. Ella me regaló el sobre; la carta la llevó consigo a la tienda de los Artola como prueba de que Julen se había quedado a vivir en el Brasil. El mismo día, por la tarde, la gente del barrio empezó a saludarnos de nuevo.

Apunte 35

Y dale con los puñeteros tamarindos. Los árboles que pueblan Alderdi Eder son tamarices. Ta-ma-ri-ces. ¡Pues no hay diferencia ni nada!

Apunte 36

¿Les cambio el nombre? Cobardía. ¿Lo conservo? Crueldad. Visentico Barriola murió hace unos cuantos años. Su mujer vive, aunque con un pie en el otro barrio. En caso de escribir la novela (ya veremos) y publicarla, alguno de los hijos (o de los nietos) podría demandarme. Si es que leen. Inconvenientes de cultivar el realismo. Vamos, pusilánime, hay cosas peores.

Apunte 37

MI PADRE: *Decían que si el hijo* sería *chivato. Pero ¿hay pruebas? Se encoge de hombros. Cree que si lo decían muchos algo tenía que haber. ¿Alguien fue detenido por su culpa? ¿Lo vieron hablando con policías? No sabe. Que pregunte a mi madre.*

MI MADRE: *Yo no sé si sería verdad. La madre tenía un genio que ni* pa *qué. Estaba enfadada con medio barrio. No le podías llevar la contraria. Le insisto en lo de la acusación de chivato a Julen Barriola. No le suena. Que pregunte a mi padre.*

MI PADRE: *Visentico, jugando a la* toka, *era un manta. Al bote algo mejor, pero también malo. Al mus parecía tonto, pero, hostias, si te confiabas al final te la daba. Le pregunto de qué murió. No sabe. Que pregunte a mi madre.*

MI MADRE: *De viejo. Bueno, y de beber y fumar. Ella está en el asilo Matía. Tiene esa enfermedad* que *se te olvida todo. Le pregunto si vendieron el piso. ¡Jesús, hace años!*

Apunte 38

Un recuerdo personal que no debería faltar en la novela a menos que no la escriba. Soy adolescente y viajo en el autobús. Los trolebuses puede que ya los hubieran suprimido.

Cristales empañados, aire saturado de humo (entonces se fumaba en los medios públicos de transporte), muchedumbre de pasajeros. Fuera llueve o ha llovido. En cualquier caso guardo el recuerdo del cielo nublado y las aceras mojadas. Vuelvo a casa con mi bolsa de deportes del entrenamiento de fútbol en la playa. En El Antiguo, frente a cervezas El León, se monta Visentico. Chapela, camisa de cuadros, jersey a la espalda con las mangas anudadas sobre el pecho, mondadientes en la boca. Siento nada más verlo una aversión invencible. No me ha hecho nada. ¿A quién iba a hacer nada malo aquel obrero bondadoso e inculto? Se dice, se cuenta, se murmura. Me han contagiado el odio que le profesa a él y a su familia mucha gente en el barrio por causa del hijo supuestamente colaborador de la policía. Me ve, me saluda. En lugar de corresponder a su saludo le clavo una mirada de fuego. Comprende. Sin decir nada vuelve la cara hacia otro lado. De entonces acá han transcurrido cuarenta años. Me gustaría pedirle perdón, pero no vive. Así y todo me gustaría pedírselo y además públicamente, y ya sólo por dicho motivo debería escribir la novela.

Otro desenlace

Fue así. Cuando acabé el desayuno, ignoraba si debía acompañar a mis parientes al cementerio o acudir a mis obligaciones escolares como cualquier otro día de labor. Conque a la hora en que solía marcharme esperé junto a la puerta de casa a que alguno me dirigiera la palabra. Al verme allí parado, mi tía me reprendió diciendo que iba a llegar tarde. Mi tío, sorprendido, preguntó si yo no iba a ir con ellos al entierro.

—Para lo que hay que ver —le contestó ella—, mejor que vaya al colegio.

Desde el fondo de la casa nos llegó la voz adusta de mi prima:

—Que venga. ¿O es que no es de la familia? —Y ya no se habló más del asunto.

Chacho nos subió al cementerio de Polloe en el coche de su padre. Fue en mayo del 71, una mañana gris, tan apagada, tan mate, que daba pereza mover los párpados. La fecha exacta no la tengo ahora en la cabeza ni creo que importe demasiado. Caía un sirimiri desangelado, como sin ganas de caer.

Y en medio de aquella grisura y rocío flotante y silencio de todos mis parientes, la caja blanca.

Un cura anciano, de sobrepelliz y bonete, habló con desvaída solemnidad, echó varias hisopadas y al fin estrechó la mano de los circunstantes, la mía también. Dos hombres bajaron con cuerdas la pequeña caja hasta colocarla sobre el ataúd negro de la madre de mi tío Vicente. Aún había sitio para más.

Mi tío, que no había llorado hasta entonces, soltó de buenas a primeras un sollozo al asomarse a la sepultura. Yo lo entendí. Estaban allí su madre y, debajo, su padre y otro difunto desconocido para mí. Mi tía le hizo una mueca como para que dejara de portarse mal.

Tres días antes, por la tarde, yo leía encerrado en mi habitación *Los sueños* de Quevedo. El profesor de Lengua Española había impuesto a los alumnos la obligación de leer el libro en el plazo de una semana; transcurrido el cual, nos sometería a un examen consistente en resumir el argumento de cada una de las narraciones que integran el libro. De esa manera, nos advirtió, comprobaría si habíamos cumplido la tarea.

Lleno de confianza a causa de las buenas notas obtenidas al examinarme de los *Milagros de Nuestra Señora* y del *Lazarillo de Tormes,* fui retardando la lectura de *Los sueños,* hasta que la víspera del examen me encontré con que aún no había pasado de la página veinte.

Yo no entendía una jota de los abstrusos renglones que mis ojos recorrían con desgana. No me era posible consultar el diccionario, pues en casa de mis parientes no había ninguno, ni ellos estaban en condiciones de aclararme vocablos que jamás habían sonado en sus oídos.

Y ahí no se acababa el problema. Debía renunciar a una parte del tiempo disponible para la lectura debido a que mi tía me había arrancado la promesa de ayudarla a envolver pastillas de jabón antes de la cena. Estaba resignado a que mis sueños de aquella noche me los dictase Francisco de Quevedo.

Leía sin comprender, leía a toda prisa y, a cada instante, mis pensamientos erraban en la niebla de gratas distracciones.

De vez en cuando, volviendo en mí de golpe, formaba propósito de fijar toda mi atención en el libro. Pero era en vano, pues lo impedían desde la habitación de Mari Nieves los gemidos de la pequeña Julia.

Las puertas cerradas los amortiguaban, pero sin acallarlos por completo. Me tapaba los oídos calándome la almohada como si fuera una capucha, sin otra consecuencia que aumentar mi incomodidad, mi desasosiego y el calor de mi cara. En consecuencia, la lectura me resultaba por demás enojosa, por no decir insoportable.

Sepa usted que, a punto de cumplir dos años, la niña lloraba bastante menos que en tiempos pasados. Con todo, todavía, cuando le daba por berrear, podía taladrarnos durante una hora o dos sin descanso. La última tarde de su vida fue especialmente tortuosa para los que estábamos en casa.

A mi llegada del colegio, oí su llanto frenético desde el portal, mezclado con las voces que proferían mi tía y mi prima, enzarzadas en una de sus discusiones habituales.

Abrí con mi llave, saludé, nadie me respondió. No tardé en averiguar que el motivo de la discordia era el mismo que el de la víspera y el de tantos otros días de por entonces. Mari Nieves se había citado con Begoña y el resto de su cuadrilla, y mi tía le reprochaba que saliera con amigos estando casada, se desentendiese de su hija y le endilgara a ella el trabajo de cuidarla. Decía la una estar harta; la otra, que no aguantaba más, y al fin, como de costumbre, Mari Nieves se marchó dando un portazo.

Mi tía se quedó despotricando en la cocina, como si prosiguiera la discusión a solas. Aunque no la podía entender desde mi habitación, con la puerta cerrada y la llantina incesante de la pequeña Julia, que atravesaba tabiques, horadaba tímpanos, hacía imposible la paciencia, la calma, acaso la cordura, me percaté de que en aquellos momentos la desazón de mi tía Maripuy había alcanzado proporciones inusuales. Tanto temor me infundían sus lamentos, su voz quebrada, que por no acercarme a su lado desistí de prepararme la merienda.

Me encerré, como le he dicho, a leer. Leía, otro inconveniente, con el estómago vacío, y al cabo de una hora irrumpió mi tía en la habitación. Con un destello de lágrimas en los ojos, me mandó bajar a la tienda de los Artola a comprar una botella de vinagre.

Añadió que si encontraba la tienda cerrada, como no podía ser de otro modo pasadas las siete de la tarde, hiciera el pedido por el bar. Me premió por adelantado con una peseta, dijo que para regaliz. Su generosidad no pudo menos de sorprenderme, pues ella no solía darme dinero entre semana ni tenía costumbre de dulcificar sus órdenes con recompensas.

Deseoso de perder de vista el libro, me calcé deprisa y salí a la calle. Calculo que tardé cosa de quince o veinte minutos en estar de vuelta, más del doble de lo que habría necesitado pues me entretuve mirando a los hombres jugar a la *toka*.

En casa ya no se oían los gemidos de la pequeña Julia. Sin pérdida de tiempo volví a mi habitación, donde estuve leyendo por espacio de media hora, quizá un poco más, hasta que mi tía me llamó a su lado para que la ayudase con las pastillas de jabón. Poco antes de las nueve, se fue a la cocina a poner la mesa para la cena.

Separados por escasos minutos, fueron llegando los demás. Mi tío, alegre de vino vespertino, trató en broma de besar a su mujer, que lo rechazó de un empujón. A Chacho, que la obsequió con un mazo de puerros del huerto de su padre, le consintió en cambio un beso ritual en la mejilla. Y, cuando estábamos todos sentados a la mesa, llegó mi prima, que se fue directamente a su habitación después de musitar un rápido y borroso saludo.

Volvió de allí a poco para decirnos que la niña no se movía. No había en la cara ni en la voz de Mari Nieves atisbo alguno de alarma. En fin, esto es un pensamiento mío, no me haga usted mucho caso. Quizá por dentro le ardía un brasero de angustia, aunque a mí, a decir verdad, no me daba esa impresión.

Mi tía no se dio por enterada.

—Bueno, qué, ¿empezamos? Se va a enfriar la sopa.

—Siéntate, hija —terció mi tío en tono afable—. La niña se habrá dormido.

Mari Nieves continuó de pie en el umbral. Buscaba sin la menor duda la mirada de su madre, pero su madre no cesaba de dar vueltas a la sopa con el cucharón. De pronto, sin perder el aplomo, mi prima dijo:

—No se mueve porque está muerta.

Mi tío se asustó.

—Pero, hija, ¿por qué dices eso?

—Pues porque creo que no respira, aitá.

Instantes después nos juntamos los cinco en torno al cajón. En su interior, sobre una sábana blanca con corros amarillentos, yacía boca arriba, con la barbilla y el cuello mojados de baba, el cuerpito deforme. Tenía los ojos negros y ciegos completamente abiertos. Mi prima le arreó varias sacudidas sin que la niña mostrase ninguna reacción.

Mi tía sugirió llevarla a que la viera un médico. Volviéndose a Chacho, le preguntó si la podría llevar él. Chacho se apresuró a explicar que no era posible disponer del coche de su padre por no recuerdo ahora qué motivo. Y a continuación mi tío reanudó su cantilena de costumbre. Estaba seguro de que la pintura del cajón había corroído los pulmones de su nieta. Así y todo, no podía concebir que la pequeña hubiera muerto.

—Igual sólo está desmayada. Hay que hacer algo.

Sin miramientos maternales, antes bien con brusquedad como de persona ofendida, Mari Nieves envolvió el cuerpo menudo e inerte de su hija en una manta y, pidiendo que nos quitáramos de en medio, salió con el bulto en brazos a la calle.

—¿Adónde ha ido? —preguntó mi tío, desconcertado.

Nadie le supo responder.

Más tarde averiguamos que Mari Nieves había llevado a su hija al hospital de la Cruz Roja, en El Antiguo. Yendo a paso vivo por la carretera vieja no creo que tardase menos de veinticinco minutos en llegar. Confirmado el fallecimiento de la niña, la dejó allí y volvió a casa. A eso de las once de la noche, cuando el resto de la familia estaba acostado, la sentí meter la llave en la cerradura. Yo seguía con la luz encendida, pasando los ojos irritados de cansancio por el libro de Quevedo.

Mi tío, a quien sospecho que no le era posible dormir, salió al encuentro de Mari Nieves.

—¿Qué te han dicho?

Hablaban en voz baja, a oscuras; pero, con la oreja pegada a la rendija de la puerta, yo no tenía dificultad para entender sus susurros.

—Muerta, aitá. Ya os lo había dicho.

—Cago en diez, qué mala suerte...

Ni mi tía ni Chacho salieron de sus respectivas habitaciones. La última en hablar fue Mari Nieves.

—Vete a la cama, aitá. Ya no hay remedio.

Siguieron al entierro de la pequeña Julia días grises en los que apenas se conversaba en casa. El mutismo general lo aprovechaba Chacho para ejercer sin continencia su propensión al parloteo. Durante largo tiempo madre e hija dejaron de discutir, aunque esta quizá sea una percepción mía que no se ajusta del todo a la verdad. La verdad es que rara vez se dirigían la palabra. Puede, no estoy seguro, que se evitasen mutuamente.

El más afectado me parece a mí que fue mi tío Vicente. Más o menos hecho a la idea de que su hijo residiera en un país remoto, tras la muerte de la pequeña Julia volvió a recluirse en sus silencios impenetrables. Le hablaban, no respondía. Estaba allí cerca de nosotros y era como si no estuviera. Comía poco, sin apetito, y algunas noches llegaba a casa tan cargado de alcohol que no se podía tener de pie, soltaba un gruñido a modo de saludo y, barbotando incoherencias, se metía en la cama sin cenar.

Semanas después del entierro, un sábado, ocurrió aquel incidente, escándalo, hecho vergonzoso o como quiera usted llamarlo, del que tanto se habló en el barrio sin que los chismosos, que eran muchedumbre, entendiesen las razones del suceso que yo le voy a contar a usted ahora en cumplimiento de la promesa que le hice.

Y fue de este modo y no de otro: que volvía yo con mi tía a media mañana del mercado de San Martín, adonde solía acompañarla algún que otro sábado cuando ella así me lo pedía por no poder contar con la ayuda de Chacho. Al bajarnos del trolebús nos dimos de manos a boca con don Victoriano, que nos estaba esperando detrás de un árbol.

Mi tía me susurró con disimulo:

—Sígueme, no *le* mires.

Y sin pararse a hablar con el cura ni dirigirle la mirada, sino imitando el desprecio que meses antes le había hecho él a su hijo, echó a caminar con sus bolsas de la compra hacia casa y yo con las mías a su lado, encogido de vergüenza. «Que Dios nos perdone», dije entre mí.

A todo esto, el cura le habló a mi tía por detrás requiriéndola a detenerse. Mi tía, por toda respuesta, apretó el paso.

Él se acercó y a corta distancia, caminando a nuestra zaga, dijo muy serio y con no muy santas intenciones:

—Rezo mucho por ti, Maripuy. Quiero creer que Dios se llevó a tu nieta y no que tú se la llevaste a él.

Al oír esto último, mi tía se paró de golpe. Sin perder la calma, pero visiblemente ofendida, depositó las bolsas en el suelo, se dio la vuelta y recorrió con pasos decididos los dos o tres metros que la separaban del cura.

Mi tía era baja y corpulenta, y el cura, mediano y delgado, maestro en la parsimonia gestual melosa y dolorida.

Al pronto pensé que entablarían conversación; pero mi tía no estaba con deseos de intercambiar palabras, sino que plantándose ante aquel hombre cincuentón vestido de sotana, que gobernaba las almas del barrio con poderosa y astuta dulzura, le sacudió un bofetón descomunal que produjo un restallido de carne maltratada.

Don Victoriano se tambaleó, rojo de bochorno, demudado de ira. Le faltó un tanto así para caerse al suelo. Vuelto en su postura natural, no pudo ver de su agresora sino la espalda que se alejaba.

Mi tía agarró sus bolsas y, diciendo como si tal cosa: «Vamos, sobrino, aquí hemos terminado», arrancó a caminar hacia casa y yo a su lado, cohibido, seguro de estar condenados los dos para toda la eternidad a la misma caldera del infierno.

Ya bien sabe usted que mi tía fue relacionada durante años, y puede que hoy todavía lo siga siendo entre los últimos viejos de Ibaeta, con el tortazo aquel que le arreó al cura en plena calle.

Sea por favor discreto con cuanto le he contado por escrito en estas hojas y con lo que me falta por contarle, que ya es poco.

Una sospecha me arde por dentro desde aquella época lejana. Pequeña al principio, se me agrandó al descubrir que también don Victoriano la profesaba. El otro día se la declaré a mi madre, cuando fui a pedirle datos para la novela que usted proyecta, por si ella me podía sacar de dudas.

Le referí que mi tía me mandó a comprar vinagre la tarde en que la pequeña Julia murió, y que cuando abandoné la casa la niña lloraba y a la vuelta ya no se la oía gemir.

Mi madre abriga el convencimiento de que la niña murió ahogada en sus babas, quizá mientras yo hacía el recado, y para demostrarme la veracidad de su versión alegó que así como me la contaba a mí se la había contado a ella su hermana.

—¿Por qué piensas mal, hijo mío? —me preguntó.

—Porque recuerdo muy bien lo que cenamos aquella noche.

—¿Y qué tiene que ver una cosa con otra?

Respondí más o menos con estas palabras:

—Pues que en ninguno de los alimentos, ni en las rodajas de tomate con ajo, ni en la sopa de fideos, ni en el pescado rebozado hizo falta el vinagre que yo tuve que ir a comprar a toda prisa.

A mi madre la incomoda el tema y a ruego suyo lo dejamos. También yo dejo en este punto mi crónica, no sin antes contarle para terminar que mi prima Mari Nieves aguantó por así decir hasta finales del 71 en casa de sus padres. Para entonces ella y Chacho ganaban lo suficiente como para irse a vivir por su cuenta. Alquilaron un piso de tres habitaciones en Lasarte, donde residieron por espacio de varios años, hasta la disolución del matrimonio.

En 1972 mi prima dio a luz un niño, Aitor, el único de los cuatro suyos concebido por Chacho. Sobre esta cuestión no hay lugar a dudas. Basta con mirarle al muchacho el labio colgante y las orejas de soplillo.

En cuanto a mí, continué viviendo en casa de mis parientes hasta después de la muerte de Franco, porque decía mi tía que no me había de mover de San

Sebastián en tanto no hubiese terminado el bachillerato. Mi tía me profesó en todo aquel tiempo un gran cariño que yo he procurado agradecérselo de mayor por la vía de correspondérselo tantas veces como me ha sido posible. Con frecuencia afirmaba que me tenía por hijo y que por nada del mundo me quería ver en la Misericordia como a mis hermanos.

En 1977 regresé a Navarra resignado a aprender un oficio manual. El destino, sin embargo, me deparó una sorpresa que habría de cambiar el rumbo de mi vida, y fue que por entonces mi primo Julen estuvo de improviso en San Sebastián. Tan corta y secreta fue su visita que no lo pudimos ver. Nos enteramos de ella porque nos lo dijo mi tía por teléfono cuando él ya se había marchado.

También nos dijo que Julen había dejado una suma cuantiosa de dinero con una nota dirigida a mí. La nota, que aún conservo, dice: «Gracias por el ciclista, Txiki. Este sí que me ha dado suerte. El dinero es para que estudies en una universidad lo que a ti te guste. Tu primo que no te olvida, Julen».

Mi madre consideró que aquella cantidad debía repartirse entre los hermanos y poco faltó para que consumara el propósito. A mi tía Maripuy le entró tal sofocón cuando lo supo que viajó sin demora al pueblo dispuesta a que se cumpliera la voluntad de su hijo.

Al año siguiente me establecí en Pamplona, en cuya universidad estudié. Y aquí me tiene, señor Aramburu, después de tantos años, con mi bata blanca, mi farmacia, mi mujer, que es una santa, y mis hijos, no tan santos, a los que quiero más que a mi vida.

¡Quién lo hubiera dicho conociendo mis orígenes humildes!

A mis hermanos no les hizo ninguna gracia la generosidad con que me favoreció nuestro primo Julen; pero esa es otra historia que no tiene cabida en la novela de usted si es que finalmente se decide a escribirla.

Apunte 39

Ninguna novela mía sin episodio de cementerio. Quizá era este el empujoncito que me estaba faltando.

Así pues, decidido. Mañana, al dentista. El jueves, tras el desayuno, los primeros teclazos. Si noto que la historia fluye, que se deja contar, que desea que la cuente, le dedicaré todo el mes.

Y, como de costumbre, si alcanzo la página cincuenta no habrá vuelta atrás.

49

The Sound of our Time

The Sound of our Time

Dave Laing

Quadrangle Books • Chicago

 For
information, address: Quadrangle Books, Inc., 12 East Delaware
Place, Chicago 60611. Manufactured in the United States
of America. Published simultaneously in Canada by
Burns and MacEachern Ltd., Toronto.

Library of Congress Catalog Card Number: 74-108446

CONTENTS

'Music is truly the
sound of our time, since it is how we most
deeply recognise the home we may not
have.'

J. H. Prynne, *Thoughts on the Esterhazy Court Uniform*

FOREWORD

The first part of the book emphasises the *media,* technical and human, and commerce, all of which have helped to shape the structure of popular music.

The second part argues that in the mid-fifties popular music was superseded by a new development, pop music. Here the focus is most of all on the *audience,* since it was in its closeness to one particular section of society, the young, that pop music represented a radical change.

In the third part recorded pop music is considered in itself. I have made no attempt at an inclusive survey of recent music here. Reasons of space have limited the discussion to those major performers who most engage my own interest, or who have been, in my estimation, the most influential. If a performer isn't mentioned, it is not because I consider him to be unworthy of comment.

The final chapter brings together the generalisations and theoretical hints made in various places throughout the book, and indicates the direction from which a systematic method of looking at individual discs might come.

PART 1

The Media and the Music

1

INTRODUCTION: FOLK MUSIC AND POPULAR MUSIC

The first task is to provide a preliminary definition of popular music. For this purpose, an exploration of what differentiates popular music from other musics concurrent with it in Britain and the United States is necessary. The major emphasis will be on folk music, but art music also demands some examination.

In the first chapter of his *Folk Music in England,* A. L. Lloyd considers at length a number of formal effects that have been offered as definitive characteristics of folk music. He concludes that nearly all lack the widespread validity necessary to substantiate the claims made for them by musicologists. The following account will approach the problem from another direction than that of musical factors. It will focus on the context within which each different music is made, on the patterns of relationship that seem essential to its creation.

1. *The Change*

Folk music characteristically occurs in rural, preindustrial societies. Popular music comes out of, and enters, people in situations made possible by the twin processes of urbanisation and industrialisation.

In the second half of the eighteenth century Britain was changing from a country of small poorly-linked rural communities into a predominantly urban society served by communications improved immeasurably by the development of turnpikes, canals, railways and postal services. The primary effect of all this was to make the country homogeneous. Economic unity and the regional division of labour, under which different areas produced different goods and thereby became increasingly interdependent, went hand in hand with cultural unity. Dialects were eroded by the speech of the Great Wen; London newspapers replaced regional ones.

In rural situations people's way of identifying themselves was by where they lived, and dialect held this sense of place within them. But in the industrial cities people increasingly felt defined (and confined) by their jobs. Regional variation was being crowded out by the speeding up of communications, and by the uprooting of country people moving to the cities for work.

Urban labour differed from the work of the farm labourer. In the rural economy, each man had to be able to do several different agricultural tasks, varying with the seasons or with the separate demands of livestock and crop farming on one farm. Even those who did specialise, blacksmith or wheelwright, saw their job through from start to finish. In the factory, however, even such an apparently simple activity as the making of a pin was split up into myriad stages, each of which was the sole occupation of one man:

> One man draws out the wire, another straightens it, a third cuts it, a fourth points it, a fifth grinds it at the top for receiving the head; . . . and the important business of making a pin is, in this manner, divided

into about eighteen distinct operations, which, in some manufactories, are all performed by distinct hands. . . .[1]

2. *Musical Division of Labour*

All sectors of popular life were affected by these changes, not least the cultural sector. 'The city tends to split the artist from the citizen, and to turn most of the arts into "entertainment", a special need supplied by specialists.'[2]

The pre-industrial folk music was a generally informal music. There was no necessary constraint on who could make it or where they could make it, although certain arrangements would become customary: certain singers proved more talented than others, and evenings after work would be the most popular time. But there was no need for the trained musicians, audiences, theatres and box-offices that characterise art music. Folk music was nobody's profession and had no need of cash for its sustenance. It was neither an artistic nor an economic phenomenon. By 'artistic' I understand a situation in which there is both a maker and appreciator with, between them, and clearly separate from them, an artefact, object or work. Psychologically the situation is governed by what Leroi Jones calls 'the West's principle of the beautiful as opposed to the natural thing'.[3]

Folk music was the natural thing. Casual music in which one song mingled with another, where essentially expression of the moment was the aim. It didn't matter whether an artefact, a song separable from that per-

[1] Adam Smith, *The Wealth of Nations,* Book I, Chapter 1.
[2] Francis Newton, *The Jazz Scene,* London 1959, 156.
[3] Leroi Jones, *Blues People,* London 1965, 30.

former at that performance, capable of repetition by someone else, somewhere else, resulted, or even whether there was an audience.

This is the 'philosophical' basis of folk music, and the lack of the imperative to create *works* for *audiences* in folk music is what I am concerned to emphasise here. In the British folk tradition casualness in the merging of deliberately made songs is more common than the 'pure' informality of some African folk music. But the folk music crucial to the development of popular and pop music, that of the American black man, is closer to the African in this respect. Here the contrast between the prudence of art music (its construction of the artefact with an eye to the future) and the unpremeditated nature of folk music is clearly apparent.

The country blues of the negroes of the rural South in the first decades of this century was a musical form shared by many guitarist-singers from which each of them was able to fashion an intensely personal utterance. Leroi Jones comments: 'The music remained that personal because it began with the performers themselves and not with the formalized notions of how it was to be performed.'[4] Expression of the natural, not creation of the beautiful was what counted.

In the twenties an urban form of blues appeared, sung by women like Ma Rainey and Bessie Smith accompanied by small groups of musicians. Jones writes that the blues now 'became a music that could be used to entertain others formally. The artisan, the professional blues singer, appeared; blues singing . . . could now be-

[4] *Ibid.*, 67.

come a way of making a living.'[5] And not all those who made a living from the singing were actually singers.

As the formal aspects increased, the music became 'entertainment', a special need supplied by specialists, and entered the realm of commerce. A stark polarisation ensued. Where before, in the rural situation, a group of people came together to make music amongst themselves, now there were audience and performer physically separate in the theatre or dancehall. What separated them and linked them in their separation was cash. Some paid and some were paid. The institutionalisation of this simple relationship signified the arrival of popular music. This relationship was the essential basis upon which the complex development of popular music and its industrial apparatus, to be described in the next four chapters, took place.

3. *Rural Community and Urban Community*

One does not need to be a member of the 'organic unity' school of social and literary criticism[6] to realise that something was lost when industrial change destroyed traditional rural life. There was some sense of continuity, in time, the seasons and the generations, and of community in that way of life. It is intrinsic to the songs of rural England collected by Sharp and others in the last century. These are set at no particular moment in history, and often work through a symbiotic relationship between human lovers and the phenomena of nature,

[5] *Ibid.*, 82.

[6] A representative expression of this viewpoint is *Culture and Environment*, by F. R. Leavis and Denys Thompson, London 1933.

The sense of community and timelessness is unconscious, making the simple parallels and identifications between human life-span and the seasons, and emotions and the weather, 'natural' as opposed to 'beautiful'.

This sort of parallel is much used in contemporary popular ballads, where it is almost always trite because it is self-conscious, that is, felt as something other than life as it is characteristically lived. The appeal of these songs is calculated on the basis of their dissociation from the rigours of 'ordinary' life.

The sense of community embedded in ordinary rural life was lost for men in the new cities, but new possibilities were opened up. A man became that much more conscious of his individuality because there was no 'time-honoured' way to be any more. Something like that old 'community' was one of the new possibilities, but was a matter of choice, not a necessity imposed by the inconceivability of any other way of acting. Popular community in the cities took the form of 'solidarity', and was a conscious decision provoked mostly by adverse circumstances. Many of the popular songs that have appeared outside the cash-nexus since about 1800 in Britain are in some way related to an expression of solidarity; a whole group or class of people coming together because of a strike, a war, a natural or industrial disaster, or a political event.

These industrial folk songs are *occasional* songs. They refer to particular events or to daily life in particular industries or districts. They have been more tenacious in areas in which one industry is dominant, be it mining, heavy engineering or spinning and weaving. The communal music of solidarity never really took root in the diversified industrial towns of the Midlands and South. As well as the particular songs, it was expressed in the village pit or factory brass band, and in the male voice choirs of Wales. Organised 'community singing' is a modern, self-conscious attempt to regain something of the feeling that lay behind industrial folk music.

In two areas the range and number of industrial folk songs were significantly greater than elsewhere. These were among the Lancashire weavers and the miners of the North-East. In both places there was a certain industrial continuity, since the local industry had been well established centuries before the transformation in technique and scale that marked the 'industrial revolution'. Consequently, for miners and weavers modern industrialisation was perhaps felt as an intensification of the known rather than something new and unknown. The cultural expression of this experience thus tended to be a modification of old ways, the making of songs in the old tradition, rather than a relatively swift transition to a music based on the idea of entertainment of audiences by performers.

The industrial folk song was nevertheless very close to the urban street ballads written about famous current events and hawked about the cities for several hundred years before the growth of industry. And in the North-East it existed in the last century side by side with the new music hall which embodied the fundamental relationships of popular music. George Ridley, a crippled pitman who wrote 'Cushie Butterfield', the loveliest of the industrial folk songs, earned his living by singing in the halls. The Victorian music halls likewise swallowed up all but the most isolated remnants of English folk song.

2

POPULAR MUSIC AS PARASITE

1. *Minstrel Show and Coon Song*

In the 1880s popular music in the urban United States was dominated by two types of song: the Ballad and the Coon song, mainstay of blackface minstrel shows. These were pot-pourri of song and dance varying in tone between admiring emulation and crude lampoon of the music of the negro slave. And the first negro music to emerge from the strictly functional work-songs, itself incorporating phrases and tunes from the Southern white's repertoire, inspired the sentimental balladry of Stephen 'Swanee River' Foster, as well as banjo, bones and fiddle dance music of the 'Hamfat, hamfat, frying in the pan' variety.

So, despite the fact that for a quarter of a century only white men were allowed to appear in blackface shows, it can hardly be argued that the popular music enjoyed by white Americans in the last century derived from white American sources. All that white Americans had produced in the early part of the century were patriotic ditties based on eighteenth century British models, notably 'Heart of Oaks', and *Carmina Sacra*, a collection of religious popular songs by one Lowell Mason which sold half a million copies between 1844 and 1861. But there was to be no indigenous popular song untrammelled by patriotic or religious motive, produced by white Americans until the sophisticated urban music of Berlin, Gershwin, Porter, *et al.* (In this context I regard the regional music of the Appalachians and the Ozarks as folk rather than popular music.)

2. *Ragtime from Black to White*

The negro song of the eighties—'music with a smearing of burnt-cork over its face, like the performers themselves', was ready for Tin Pan Alley, 'and needed but the stimulation of the ragtime craze to leap from the stage of minstrelsy into the new market of mass production.'[1]

Accounts and valuations of ragtime, the main current in American popular music from the late nineties to the start of the twenties, vary enormously. Isaac Goldberg, a white man, composed this eulogy: 'Ragtime is something that music did to the Negro and that the Negro did to music. It began, as more than one Negro has assured me, in the restless feet of the black; it rippled through his limbs, and communicated itself to every instrument upon which he could lay his hands.'[2] But in his book *Blues People* the black writer Leroi Jones argues that ragtime exemplifies the 'kind of music (which) resulted when the negro abandoned too much of his own musical tradition in favour of a more formalised, less spontaneous concept of music. The result was a pitiful popular debasement that was the rage of the country for almost twenty years.'[3]

Ragtime, as developed by Scott Joplin and others in St Louis in the 1890s, was a complex, syncopated, dance

[1] I. Goldberg, *Tin Pan Alley,* New York 1930, 88.
[2] *Ibid.,* 144.
[3] Leroi Jones, *Blues People.*

music. In some ways it represented the translation of banjo riffs and 'rags' into piano music. Its apparent lack of internal order and laws puzzled white musicologists. 'To formulate ragtime is to commit synecdoche, to pretend that one tone is the whole gamut, and to pretend that chaos is orderly. The chief law is to be lawless,'[4] wrote one critic in 1899. To use Jones's terms, the white critics with their training in *formalised* music were at a loss when faced with a *spontaneous* music. Goldberg is also able to perceive the gap between white and black music: 'Ragtime is in an aural, not a notational, tradition. It has come down from ear to ear, not from sheet to sheet. . . . It still retains a racial accent which the white, for all the uncanny skill with which he has translated it from the black, has not fully mastered. And yet, by paradox, it is the white—the Northern white in association with the Negro—who has developed ragtime and jazz to their fuller (not yet their fullest) possibilities.'[5]

The 'fuller possibilities' were all to be within the rapidly emerging popular music industry, where ragtime had to be expressed in the form of a saleable commodity —at this time sheet music. When ragtime passed into the hands of the music publishers it moved out of its aural tradition and into a world of notational music. It was no longer something made by the man who, in Louis Armstrong's words, 'doesn't know anything about (music)—who is just plain ignorant, but has a great deal of feeling he's got to express in some way, and has got to find that way out of himself'[6]; it became 'a composed

[4] Rupert Hughes, quoted in Goldberg, 144.
[5] Goldberg, 143-4.
[6] Neil Leonard, *Jazz and the White Americans*, Chicago 1962.

music—going that far toward the European, or "legitimate" concept of musical performance' (Jones).[7] It's no coincidence that Joplin and the Harlem ragtime pianist James P. Johnson (both black men) were composing unsuccessful ragtime operas and concertos alongside the white Tin Pan Alley men turning out hit tunes from 'All Coons Look Alike to Me' (including 'a choice chorus with negro "rag" accompaniment') of the 1890s to the relatively sophisticated 'Alexander's Ragtime Band' of the First World War period.

3. *The Tethering of the Vagrant*

Ragtime music was subjected to a form of storage which allowed for its dissemination on a massive scale, and for far greater remuneration by the sale of hundreds of thousands of pieces of white paper with black marks on them than one negro playing piano in a bar could dream of. But, as Goldberg notices, something is missing from the transformed music. For, in order to get ragtime where they wanted it, white men had to reduce it to conventional musical notation. This process involved a reduction because original ragtime was not composed, that is conceived in terms of black dots on a page so that all its aspects could be recorded that way, and thus the nuances of ragtime alien to Western music inevitably got lost in translation. In non-Western cultures, musical impulses tend to come out as immediate expression without the sense of the conservation of musical energy in an object, which is the dominant feature of Western music. Composing and performing are not easily separable in such cultures.

[7] L. Jones, 90.

Ragtime, then, was the first alien music to be developed to its 'fuller possibilities' by being changed into objects capable of being mass-produced in the time-honoured method of Western culture. Soon other negro musics suffered a similar fate. Goldberg noted approvingly that 'What Paul Whiteman was soon to do for the vagrant polyphony of jazz, tethering it to the lines of the staff so as to ensure the same performance twice running, Handy had done for the stigmatic break of the blues.'[8] The trouble is that tethering and restraining is just what mutilates the true nature of any vagrant.

W. C. Handy tethered the stigmatic break of the blues merely by being the first man to publish a tune with the magic word in the title. This was 'Memphis Blues' in 1912—which, as Samuel Charters, the blues historian, notes—was not a blues at all but 'more or less derived from the standard popular music styles of the "coon-song" and "cakewalk" type'.[9] But this was beside the point. Handy's contribution to popular music was to have set in motion the musical craze that was to succeed the faltering ragtime. He was the ideal man to tailor negro music for the mass white market. A negro himself, he led respectable dance orchestras and avoided contact with the more ethnic music of his race until he shared the bill at Cleveland, Mississippi, with a local three piece coloured band: 'A rain of silver dollars began to fall around the outlandish stomping feet. The dancers went wild. Dollars, quarters, halves, the shower grew heavier and continued so long I strained my neck to get a better

[8] Goldberg, 246–7.
[9] Samuel Charters, *The Country Blues*, London 1961, 25.

look. There before the boys lay more money than my nine musicians were being paid for the entire engagement. Then I saw the beauty of primitive music.'[10] Handy went on to become one of the most successful Tin Pan Alley composers.

'Jazz' soon followed blues into the offices of recording companies and music publishers. The first jazz hits were records by the Original Dixieland Jazz Band, five young white men genuinely dedicated to re-creating the sound of the New Orleans music of Louis Armstrong and King Oliver. But more typical of jazzmen in popular music was another Whiteman named Paul. He undertook to bring jazz into the concert hall, and exemplified one of the two ways by which jazz was rearranged for the white popular market. He was a pioneer of what Leonard calls 'refined jazz', which was reached by such effects as 'de-emphasising . . . those blue notes with particularly savage and poignant effects or substituting notes of conventional tonality.'[11] By 1922 Whiteman had an annual income of over a million dollars from the 28 bands he controlled, and even the ODJB were playing jazz his way.

In one sense New Orleans jazz was an intensely serious music. This seriousness is implied in the quotation given earlier from Louis Armstrong, about the overwhelming need of the jazz player to express himself. And it was also a music of tremendous gaiety, in its rhythms and in its Storyville settings, in bars, dance-halls and brothels. For the negro player and listener these things were inseparable aspects of the music; but for white musicians

[10] W. C. Handy, *Father of the Blues* quoted in Charters, 27.
[11] Leonard, 13.

of the Whiteman stamp they seemed contradictory. How could serious music be made in a dance hall? Was jazz suitable for the concert hall or for the vaudeville theatre? Their answer was to present two jazz musics to the white audience; the refined jazz described above and 'nut' jazz, which 'sought to entertain the public by reducing jazz elements to absurdity'.[12]

Neither refined nor nut jazz could comprehend those elements of jazz alien to Western musical practice. One deliberately excised them in eagerness to make jazz acceptable in the terms of contemporary 'light' music, just as ragtime concertos had been attempted earlier. The other grotesquely distorted them into grunts, squeals and deliberate out-of-tune playing in a crude burlesque very similar to the minstrel and coon shows of the previous century.

4. *Ragtime Revolution*

The impact of ragtime, and of the later music of negro origin, on a quiescent popular music was substantial. It shifted the centre of gravity of popular music away from the song on to the dance. The music began to move from music hall to dance hall and the focus of attention from solo singer to orchestra. Goldberg reports the opening of the modern phase of popular music in suitably apocalyptic style: 'Up from the South and out of the Middle West, from the dives of the despised negro, was coming once again the temper and the tempo of a new song, to restore life to the melodious languor of the Alley—to wreck the prunes-and-prism rigidity of the 3/4 school of

[12] *Ibid.*, 13.

morality—to undermine, as new rhythms always undermine, the order of things-as-they-were.'[13]

The transformation wrought by ragtime brought about a great expansion in the scale of operations of music publishers. It was around this time, the turn of the century, that popular music became a recognisable industry.

[13] Goldberg, 138.

3

TIN PAN ALLEY—THE MUSIC INDUSTRY

1. *Continuity*

Many of the activities which coalesced in the first decade of this century in New York into recognisable structures of promotion and distribution for popular music came from much further back. Country pedlars and city hawkers of broadside ballads on topical subjects performed much the same function as the 'plugger' or 'boomer' did around the music halls and vaudeville theatres later on.[1] The eighteenth century pedlar and the twentieth century plugger were both concerned to advertise the existence and the excellence of their songs. And the methods employed became more various and more ingenious as entertainment grew in importance as a sector of the consumer economy.

2. *Commerce and Music*

The growing economic significance of popular song produced intensive competition among music publishers. And the pressures of competition soon had their effect on the entertainment itself.

'Every publisher was being compelled, if he would make his pieces known, to effect a tie-up with a prominent vocalist who, in more senses than one, would "sell"

[1] A. L. Lloyd, *Folk Music in England*, London 1967, Chapter 1.

the song to the public.'[2] Singers received retainers from publishers to feature certain new songs in their acts when they went on national tours of burlesque houses and vaudeville theatres. This marked the start of the association of a specific singer with a new song, a relationship to be cemented when gramophone records rather than sheet music became the main medium for popular music.[3] The day when 'the singer not the song' would be the reason for the commercial success of much popular music, the age of the singing star, was prefigured in embryo by the publishers' tie-up with the vocalist in the early years of Tin Pan Alley.

The dynamics of the market economy affected even the manner of the singer's performance. 'Encores engraved the song upon the memory of the audience and sent them to the counters for copies.'[4] Songs were strategically arranged, for example with a chorus accompanying the vocalist, to incite demands for encores. Eventually encores were written in to the song as extra repetitions of the chorus. The process reached its logical conclusion in the practice of some songwriters of using a pithy phrase, arresting or clever, to assemble a song around. At this point the method of composing a song becomes indistinguishable from that of writing advertisements. Each strives for a slick and deft slice of language capable of endless, effortless repetition. In one recent hit song, Lulu's 'I'm a Tiger', the title was repeated over forty times in about three minutes.

[2] I. Goldberg, 'Tin Pan Alley', 170.

[3] For a full discussion of this point see Chapter 4, 'Music and Mass Media'.

[4] Goldberg, *op. cit.*, 171.

3. *The Mechanics of Promotion*

The development of music publishing into an industry brought with it industrialisation's inevitable companion, the division of labour. The publisher could no longer be just a middle man, waiting for artisan tunesmiths to bring him songs to take to artisan singers. The whole musical process, to ensure a regular output of new songs, had to be brought under his control. Composers were taken directly on to the staff of publishing houses and singers placed under contract. In addition a whole new profession emerged, that of the 'boomer', or song-plugger. His job involved two things. First he had to bring together the singer and the song by cajoling vocalists into visiting his employer's office to listen to new songs. Then he had to bring both song and singer to the attention of the sheet-music buying public.

In the early years of the century the boomer had to do for his songs what radio would later achieve: making music part of the air people breathed, something they were unable to avoid in their daily lives. In an article written in 1898 Theodore Dreiser wrote of 'the important part played by the hand and street organ and by the phonograph in familiarising the masses with the merits of a song. Nearly all the piano-organs so numerously dragged about the city are controlled by an Italian padrone, who leases them to immigrant Greeks and Italians at so much a day.... With the organmaster-general the up-to-date publisher is in close communication, and between them the song is made a mutual beneficiary arrangement.'[5] Dreiser also mentions the

[5] Quoted in Goldberg, 200–01.

practice of distributing free handbills containing the words of a song outside the theatre where it was being performed to encourage audience participation during the show and to persuade people to 'hum and whistle it on the streets'.

This mode of selling a song was the one employed by the broadsheet sellers of pre-industrial England. The hawker would perform the song himself as a means of convincing potential customers of its worth. The method was exactly similar to the means by which folk songs were transmitted in the oral tradition, with one crucial difference. Instead of the listener memorising the song directly from another's singing (with the possibility of error), the privilege of literacy now involved him in having to pay to possess a new song. In addition, the broadsheet ballads often based their appeal on novelty. They referred to current events, battles and murders, and thus depended on the apprehension of detail, something that the oral tradition cannot guarantee. In this sense part of their appeal was that of the modern newspaper; they purported to give the (necessarily unique) facts about a current event.

The pattern of promotion described by Dreiser, whose present day medium is radio, is basically the same as that of the broadsheet hawkers. Its strangeness is, however, emphasised in the modern context. A song is 'given' to you, free of charge, on handbill, barrel-organ or radio, but in order to express your own appreciation of it, to make it part of your consciousness, you have to acquire an object, sheet-music or gramophone record.

Now one obvious component of the appreciation of a song is the urge to memorise, and for the village singer in the pre-industrial period who would expect to sing any new song for the rest of his life, the usefulness of an *aide-memoire* was motive enough to buy a broadsheet. And in modern popular music this motive is the basic rationality which underpins the manifold irrationalities enshrined in the massive structures of the music industry. A contemporary record does not become a million seller simply because a million people want to be able to recall the song six months hence. Interwoven with this authentic impulse are others produced by the song's touching on actual needs and concerns in people in a momentary and superficial way. The most important instance of this process is the way in which songs within the 'hit' system play on deeply felt needs for community with others. In his 'On Popular Music', Adorno writes that 'the connecting reaction consists partly in the revelation to the listener that his apparently isolated, individual experience of a particular song is a collective experience.'[6] David Riesman takes the point a bit further by arguing that the popular music enthusiast 'listens in a context of imaginary "others"—his listening is indeed often an attempt to establish connection with them'.[7] In a more complex way, sentimental songs can allow expression of deep frustration and disappointment, while at the same time neutralising them as possible occasions for action to change one's situation. This point will be more fully developed in Chapter 5.

The potency of the appeal of even the most banal of

[6] T. W. Adorno, 'On Popular Music', in *Studies in Philosophy and Social Science*, New York 1941.

[7] D. Riesman, 'Listening to Popular Music', in *Mass Culture*, ed. B. Rosenberg and D. M. White, New York 1957.

popular music is intelligible if seen in this light. It can attract deeply felt impulses in people, but the only means of satisfaction of these impulses it provides is the product offered for sale, the disc or music sheet. And of course, the satisfaction is shortlived. New songs with the old appeal must be found as the previous hits turn to ashes in the mouth.

Music of this kind was characteristic of the period marked by extensive investment in popular music by Wall Street, the later twenties and the thirties. But the boomers of the earlier phase of Tin Pan Alley, though working on a smaller scale, had a similar intuitive grasp of the possibilities of manipulation of the audience.

The simplest method was to hire people to sit in the gallery to join in the chorus or whistle the tune. But sometimes the boomer's efforts were more spectacular. One inspired song-plugger engaged to promote a song called 'Please Go 'Way an' Let Me Sleep' described his method to Goldberg:

> I met the girl who did a singing part and fixed the thing up with her. The orchestra and the manager, an old friend of mine, readily fell into line. . . .
>
> I leaned back in my chair with one elbow on the table. As the girl sang I began to snore. I snored so loud that it disturbed those listening to the singing. They looked around in disgust. . . . The entire audience turned our way. Some persons stood on chairs and others moved out into the aisles. Just as the policeman and the waiter raised me out of my chair I stretched and yawned like a man dead for slumber and began singing: 'Please go 'way an' let me sleep. Ah would rather sleep than eat.'. . . I kept on singing

> as I was being led and carried to the elevator. I sang going down and I sang coming up.
>
> As the elevator reached the landing the girl on the stage struck up the chorus along with the orchestra, and the audience tumbled.
>
> I never saw an audience go so nearly crazy over anything in my life. Men laughed until the tears came and women became hysterical.[8]

This plugger had an innate mastery of the psychology of the performance. He knew that by breaking the taboo of absolute separation between active performer and passive audience (through a member of the audience dethroning the singer as the focus of attention) he could throw that audience into a frenzy of embarrassment and anger. Then by a deft re-assertion of the conventional dichotomy: singer sings, audience listens, when the singer and orchestra took up the song, he produced an enormous sense of relief in the audience. The natural order they associate with the music hall is restored. They are no longer threatened by the disruption of the relationships of leisure for which they had paid by their weekday work. And, best of all, the whole series of events is connected in their minds with 'Please Go 'Way an' Let Me Sleep'.

5. *The Boomers Superseded*

With the coming of radio and the phonograph boomers and pluggers lost the direct access to their potential customers that they had enjoyed in the era of music hall and sheet music. Their attention was now concentrated on the singers and bandleaders featured in radio shows, and,

[8] Goldberg, 209.

as recordings became more important than music sheets, on disc jockeys, who were now the men in direct contact with potential record buyers.

The pluggers' methods, no longer subject to public scrutiny, became more covert and less dramatic. Cash now loomed as large as showmanship, and the practice of 'payola', the bribing of disc jockeys and bandleaders to feature particular songs became common. The singer Al Jolson was rewarded with a racehorse for featuring a certain song. Oddly enough payola, though essentially the same as the earlier payment of fees to singers by publishers, was officially regarded as iniquitous, and had therefore to be concealed. The further intensification of competition, and the consequent increase in the amount of cash at stake was probably responsible. Even as early as 1910 only one in two hundred of newly published songs was successful.

The flamboyance necessary to catch the public's attention was now the property of the disc jockey, who was entrusted with the task of maintaining his station's audience (and advertising revenue) in a situation where rival stations were offering exactly the same music. Some of the old flamboyance of the boomer and performer passed into the songs themselves. The process of writing more and more encores into the song as published and recorded became accelerated as live performances became less and less vital to a song's success.

6. *The Hit Parade*

One of the features of American life that struck Jean-Paul Sartre when he visited the USA in 1946 was the weekly list of the ten best selling records read out at frequent intervals over the radio. In his most recent theoretical work, the *Critique de la Raison Dialectique*, he has taken the measure of this experience. The book as a whole is concerned with the formation, functioning and dissolution of various kinds of human groups. In this particular instance he describes the group of buyers of hit records as being formed by a process of 'extero-conditioning'.

This term refers to the way in which the sovereign group (in our case the pop music industry) manipulates the serial group (the record buyers).[9] This is achieved through ' "fascinating" the Other, every Other, with a deception, the deception of believing that in acting like the Other, he is acting like the totality.'[10] The Hit Parade itself is held up to the individual listener as the mirror of the authentic preferences of the People (in Sartre's terminology, the 'totality'), and he is invited to identify with them by participating and buying a disc. In fact, however, he will only be acting like thousands of other isolated record buyers subjected to the same persuasion. There is no true totality collectively deciding the fate of pop records in the way implicitly suggested by the charts. If the mass of record buyers were to assemble and discuss such things, they would also discuss the price, presentation, etc., of records and thus present a threat to the organisation of pop music by the industry.

[9] The terms 'serial' and 'fused' are used by Sartre to denote the two major types of human group: the first is passively united by something external to it, the second is formed by a conscious decision of its members.

[10] *Critique*, 615. This quotation comes from Wilfred Desan. *The Marxism of Jean-Paul Sartre*, 184, the only detailed account of the book available in English.

The mechanism of the Hit Parade maintains them as 'inert and passive',[11] in an illusory community but an actual separation. In its general outline it is a situation common to all as consumers in contemporary society.

Underpinning the workings of the Hit Parade is an assumption that all the record buyers must share, or at least acquiesce in. '... Through the announcement of the sale of a certain record, a "best seller", there is a mutation of quantity into quality. The supposition is that this must be a good record, since many have been sold.'[12] In fact the mystification involved is not always so crude. On the television show *Juke Box Jury*, the jurors were invited to judge records not on the basis of their personal opinion of them, but on the likelihood of their being best sellers. The mere subjectivity of personal preference had to give way to the higher objectivity of the market.

A further element that the Hit Parade has gathered to itself is the competitive interest normally reserved for professional sport. Attention is focussed by radio, TV and the music papers on the week-by-week movement of discs up and down the chart, as if they were football teams. And again the unspoken assumption is that (as in soccer) he who is top is best.

Sartre concludes his incisive discussion of the charts by an examination of the way in which the urgency of the process is maintained. 'The purchases have to be made in *this* week, and the whole "psychology" consists in showing the person who has not bought the record what he has missed during that span of time. He is an accused man, a defendant! Fortunately, he can still re-

[11] Desan, 184. [12] Desan, 185.

pair his mistake, for there is another week coming; it is characteristic of the advertising in this field to speak of the future, of "the record you *will* love".'[13] In this way, the listener is forced to reconsider his position in regard to the charts and the hit records each week. The industry hopes to establish a pattern of regular weekly purchases of the latest and greatest by the consumers.

The crucial importance of the charts in pop music is inevitably reflected in the music itself. Many performers remain reliant on sales of single records to ensure their economic survival, and thus pay close attention to what seems to be popular taste. There is thus tremendous pressure towards standardisation. The vital role of the disc jockey in a record's success enforces a limitation of about three minutes on the length of a song; most disc jockeys won't play anything longer on their programmes. And often a singer will reproduce the features of a first hit record in subsequent songs in the hope of repeating the success. Frank Ifield, for example, had a series of records each incorporating a falsetto/yodel effect, following the success of 'I Remember You' in 1961.

This standardisation affects each song as a whole, as well as its constituent elements. The competitive essence of the Hit Parade means that within it each record is reduced to a false equivalence with all the others. The role of the chart here is similar to that which Marx described exchange-value, as embodied in money, playing with regard to the varied goods made by human labour; 'it . . . converts every product into a social hieroglyphic.'[14] The Hit Parade converts songs of very

[13] Desan, 185.
[14] *Capital,* Chapter 1, section 4.

different kinds into one category, within which they can be differentiated by their degree of success, just as money, in Marx's account, reduces all human products to the category of 'value'. The result is a standardisation of possible responses to songs on single records in which a comparison between songs close to each other in the chart is almost unavoidable.

This process forces the listener into seeing the songs as alternatives to one another, and into choices between them or for or against each one. And this choice, the identification with a record, is the precondition for the purchase of a copy. It is here that the record buyer is drawn into the illusion that he is helping to 'make history', the illusion essential to his 'extero-conditioning'.

The social function of this illusion both in the organisation of pop music and in the maintenance of the *status quo* in the wider society is fairly clear. Raoul Vaneigem sees it as part of many other sectors of society and remarks: 'Everyone is asked their opinion of every detail to stop them having one of the totality.'[15] So long as people feel involved in the movements within the charts they will not begin to question their necessity.

The reduction of all songs to one level has one possible advantageous effect. It allows music of unfamiliar kinds to be given the same emphasis as songs of well-worn types, providing the unfamiliar music is issued as a single record and is an apparent contender for the chart. In this way songs in 'minority' styles (blues, jazz, coterie comedy) have had a large popular success. Examples are Chris Barber's 'Petite Fleur', Donegan's 'Rock Island Line' (the success of which precipitated a new trend in

[15] Vaneigem, *The Totality for Kids,* section 18.

pop music) and more recently 'On The Road Again' by Canned Heat.

7. *Industry and Creativity Now*

Adorno's comment that 'when plugging reaches a certain point it becomes an autonomous force' is epitomised in the workings of the charts as described above. In them the competitive principle transforms everything into its own image. Yet as far as artistic quality is concerned, the machinery of plugging is neutral. It is not concerned with the content of a song, but only with its potential popularity. Thus the Tremeloes reach number one, but so do the Beatles. Nevertheless, it is true that the majority of records in the top twenty at any time seem to have little of value to offer. This is because the conditions a record has to satisfy in order to be taken up by the pluggers are such that songs attempting something new and untried seldom qualify for the full promotion treatment. The industry is deeply conservative, and always looks to the future assuming that it will be the same as the past. Innovations come from outside its ranks, as a minority of dissident consumers unite to push the Beatles' 'Love Me Do' or the Rolling Stones' 'Come On' into the bottom of the chart. Only after a nudge does the industry embrace innovation.

That embrace has, more often than not, been the kiss of death for the musical autonomy of the newcomer to the best sellers. Like the barbarian hordes invading the Chinese empire, he fairly soon accepts the standards of his new environment. He must maintain his new level of earnings and popularity and it seems easiest to do so by strapping himself in his seat as the roundabout whirls faster. So Ifield carries on yodelling and Neil Sedaka carries on echoing and multiple-tracking his voice through a series of discs. Some however have preferred not to sit down but stay on the roundabout by ignoring the safety regulations. The Beatles, Rolling Stones and Donovan treat each song in terms of their personal concerns, not in terms of the state of the market. That they have remained successful while committing heresy is one sign that the dominance of the Hit Parade in pop music has weakened in the last few years.

There are others. In the USA, and in Britain, sales of LP records are rising faster than sales of singles, indicating that for many record buyers the competition-compulsion of the charts has become irrelevant. This has had a liberating effect on the music; many of the new 'progressive' groups are recording LPS as their debut discs, bypassing the old pattern of two or more single releases before a group earned its LP. The arbitrary restriction on the length of songs on record set by chart considerations is also now being disregarded more and more.

In the years before about 1967, groups earning a precarious living playing music of a minority appeal five or six nights a week knew that the day would come when they would have to go commercial or go under. The day, that is, when the particular bubble of skiffle or rhythm and blues would burst and the audiences and bookings dwindle. But the last two or three years have seen the audiences for music on the 'progressive' and blues edge of pop music become large enough and, more important, stable enough, to make the music commercially viable independent of what's happening in the charts. And for groups of this kind LP records are more important than singles.

The fact that physical survival in pop music is possible without an orientation on the Hit Parade has provided the material basis for the upsurge of creativity and variety in the music in the last few years. That music is to be discussed in the third part of this book. This chapter has been concerned to establish the extra-musical context within which pop music has been, and is being produced. And here, the breaking of the monopoly of the Hit Parade, and of the large record companies' monopoly by new independent labels, are the most important recent developments.

4

MUSIC AND MASS-MEDIA

> Music in the home, made by the family, rather than listened to, seems for the nonce to have been ousted by mechanical devices. We do not need the printed page.[1]

By the twenties the period of music-making in the family context was over. Traces of it remained only in the isolated areas of the Appalachians, home of the immensely successful Carter Family, an old-time country music group spanning three generations. But even they, the last of the rural family singers, made their name in the south-east through broadcasts and recordings, which sold in millions. In the towns sheet-music (Goldberg's 'printed page') had been superseded by radio and the phonograph. This was all part of the solidification of popular music into an industry, a process begun with the ragtime craze in the first decade of the century, and a process which precipitated the dislocation of shared musical tastes within the American family. Through the new media, the new music—ragtime, 'jazz' and the dance fashions of the twenties—edged the older generation's drawing-room and parlour ballads out of their long held centrality in popular music. The new music was preeminently a young people's music, and a music around which and through which young people conceived of

[1] I. Goldberg, *Tin Pan Alley*, 217.

themselves as a group apart. This was a development which would become muted for the next few decades, until, at the next great watershed in popular music, it reappeared, more heavily accentuated, in the fifties.

The maximum number of copies a song could sell in the US in the twenties was something over a million, and Irving Berlin's exceptionally successful 'All By Myself' had a sale of almost 2½ million, equally divided between sheets and discs. The advance of radio meant that this saturation point was reached much more quickly, and the effective life of a hit song from the commercial point of view was reduced. For whereas it had previously taken a national tour lasting several weeks by J. Aldrich Libbey or another well-known balladeer for the whole potential market for a song to be reached, a networked band show by Rudy Vallee at a peak hour on the radio could now be heard by the same number of people. Goldberg's summing up of this transformation was that 'the talkies and the radio have abolished time and space', and he writes of the subsequent intensification of competition between promoters of rival songs that 'music is no longer a pleasure: it is a race.'[2]

1. *Gramophone Records*

Within this race, the new media—radio, talkies and the phonograph—were instrumental in changing the focus of public attention from the song itself on to one particular performance of a song by a particular singer. The pianola played a transitional role in this change of emphasis. On the one hand it kept alive the old idea of

[2] *Ibid.*, 309.

the family at the hearth making music, since the piano roll with its complex patterns of small holes was fed into a 'piano' in the parlour which reproduced the tune. And it was not unknown for ladies to sit at their front windows banging away at the keyboard while an unobtrusive child would wind the handle operating the roll. But on the other hand, the pianola was essentially the same kind of machine as the phonograph, in that it reproduced the *sound* of a *performance* of a piece of music. And this way of preserving music is, as was shown in Chapter 2 (see pp 13ff), crucially different from that of sheet music, whose notation is based upon a series of (ultimately) arbitrary decisions about how music is to be measured and classified. Those decisions, about scales, chords, keys, quavers, crotchets and semibreves, have formed a whole musical tradition in literate Europe and white America, to the extent that anyone defining himself as a composer in that tradition *thinks* music in terms of these categories, and literally *writes* music, a phrase redolent of that hegemony of the written and printed word charted by McLuhan in *The Gutenberg Galaxy*.

For this kind of music, composing and performing are separate acts—the one is the translation of the other into action. But for music produced in cultures other than the western, and for music within that culture produced in ignorance of notation, there can be no clear division between composition and performance. The 'oral tradition' of European folk music is a prime example of a music in which songs change and develop in being learnt by one singer from another, and even because of vagaries of memory or pressure of personal experience on one singer. The preservation of a song on paper eliminates such a possibility, just as the transcription of an oral poem does.

Now the advent of gramophone records made possible the preservation of 'non-written' music in its own terms. That is, the relationship between the music and the medium of recording was as harmonious as that between a Beethoven concerto and Western musical notation. For the US the significance of this was that jazz and blues could now be faithfully recorded in the form in which their negro originators conceived and played them, rather than being dismantled and distorted in order to conform to the notation system.

These recordings gave the denizens of the pop music industry, now more and more the record companies and the operators of local and national commercial radio stations rather than song publishers, access to a whole new market—the urban negro proletariat of the north and the rural negro sharecropper of the south. Each major record company started a separate, segregated, catalogue of what came to be known as 'race records'. Their main targets were the thousands of negroes who streamed north to work in the auto plants and the steel mills of Chicago and Detroit in the decade following Mr Henry Ford's lifting of the colour bar in his factories in 1917. Engineers with portable recording equipment combed the Deep South from Florida to Texas in search of country blues singers whose music would have a deep appeal for the uprooted northern negro. Later some of these men moved to the cities to record and perform there on the strength of the success of their earlier field recordings.

The music contained in the best-selling records on the

white popular market also could not have been properly transcribed into sheet music suitable for the parlour piano, but for a different reason. It was jazz music, pioneered for white audiences by the Original Dixieland Jazz Band; a group of college boys playing an only slightly diluted version of the sounds King Oliver, Kid Ory and Louis Armstrong were making in Storyville, the red light district of New Orleans, until its closure in 1917, when they went north to find black and white audiences in the industrial cities. The white jazz audiences had been created by the ODJB, whose own records sold in millions, exceeding the successes of previous best-sellers like Caruso. The important 'non-written' aspect of this jazz was not so much the improvisation, of which there was little on a three-minute record, but the polyphonic character of the ensemble playing. The trumpet, trombone and clarinet meshed together while playing different notes at different pitches. Musical notation might have been able to cope with the details of this, but it could never have captured the totality.

2. *Dance*

From one viewpoint, that represented in the quotation which heads this chapter, the triumph of the new media in the twenties, the triumph of the 'mechanical devices' over the family piano, signified the extinction of mass-participation and initiative in popular music, reducing people into passive consumers, listeners not makers. This view, it seems to me, fails to take into account the full significance of another fundamental change in the character of popular music at this time, namely the new ascendancy of dance over song. The communal centres of the music were no longer the concert and music halls, but were now the dance halls. At the centre of popular music in the 'jazz age' were a whole succession of fashions in dance—ragtime, turkey trot, charleston, black bottom, etc. Important sections of the leisure industry were geared to devising and promoting new dances.

'To me, ragtime brings a type of musical experience which I can find in no other music. I find something Nietzschean in its implicit philosophy that all the world's a dance. . . .' wrote one American music critic in 1916. And this Nietzschean imperative has subverted successive attempts to reduce new dances to manageable commodities. The attempts to harness dance for commercial exploitation were based on the creation of analogies between the new 'jazz' dances and the traditional waltzes, foxtrots and polkas. Once you could establish that the Charleston or Turkey-Trot had a specific sequence of steps which had to be carefully learnt, and that they could only be danced to specific kinds of tune, you had created the market for instruction books, dancing classes and new dance-band gramophone records. Unfortunately it soon became obvious that a music as unpredictable and undisciplined as the negro jazz from which the dances of the twenties stemmed could not inspire dancing that would stay for long within sequences carefully laid down. Where the waltz's arithmetic patterns produced a corresponding arithmetic in the dancers, ragtime and the more recent popular musics have encouraged an empathy which at its highest point consists in improvisation by the dancers in response to the musicians. This is to a great extent the current dance situation in pop music.

The only way which the cultural industrialists have found to combat this constant tendency towards anarchy (or self-expression) in dance has been to keep a constant stream of new dances coming off the assembly line in the hope that an appetite for novelty in dancing, comparable to the one they seem to have located and carefully tended in the field of hit records, could be exploited. They have had only limited success. The dance-crazes of the twenties, spearheaded by the Charleston, gave way in the next decade to jitterbugging, a dance which emerged from amongst the dancing masses and which was even banned by a number of respectable dance-halls. Its impetus was taken up in the forties and fifties by jiving, the most strenuous form of which was the choreographic counterpart of rock & roll. The industry gained the upper hand again briefly in the late fifties and early sixties when it launched the Twist, which inspired dance studios to introduce classes to teach the archetypal hip movement which the dance consisted of. But attempts to follow up this commercial success with further innovations, the Shake, Turkey Trot (again!), Hitch Hike and Frug, were partial or complete failures. What has evolved since then is the most general of frameworks, that one dances with a partner, within which the steps or movements are not prescribed. It seems, for the moment, that this unity of custom and self-expression has made this important aspect of young people's participation in pop music impregnable to commercial exploitation. The implications of the dance's function of participation will be explored in a later chapter. For the moment we are concerned to emphasise the new centrality of dance after about 1910 in relation to the ensemble of commercial, artistic and media forces whose various pressures have shaped popular music.

3. *Radio*

During the twenties and thirties fluctuations in the economy were paralleled by massive swings in record sales. Over 100 million were sold in 1921, but the slump of the following year caused a large drop. The mid-twenties saw the development of electrical recording which superseded the old acoustical methods, and brought with it improved sales; but the great crash of 1929 practically wiped out the industry. Production of race records ceased for several years. The mid-thirties saw the start of a slow recovery, mainly through the introduction of the juke box, which in 1940 accounted for 44 per cent of all record sales.

The consumer in modern neo-capitalism is involved in a very particular psychological confrontation with the objects of consumption. It is what the ideologists of the system call 'choice', and involved in it is a weighing up of, on one side, the cost and loss involved in expenditure, and on the other, the gain and advantage involved in acquisition. Now the juke box, like the radio set and the newspaper, is an object of consumption which minimises that confrontation. That is, someone will put five dimes into a juke box with much less 'weighing up' of the gain and loss involved than if he were paying fifty cents for a record. The same is true where the purchase of radio receivers is concerned. The distinctive quality of juke boxes and radios amongst other consumer goods is their role as *media*. Their presence guarantees a continuous stream of varying material in contrast to the static quality of the content of a record or a book or a chair. They are indispensable ways of access to a whole area of valued experiences.

Something like this psychological pattern must lie behind the fact that in the period when record sales slumped, sales of radios rose steadily; the numbers of receivers in the USA rose from 3 million in 1922 to 15 million in 1931 and to 51 million in 1939. There was a parallel growth in the numbers of radio stations—from 'over 200' in 1922 to 694 in 1926.[3]

During the twenties music constituted three-fourths of the material heard on the radio. 'Listen in on the radio any night' said the magazine *Etude* in 1924, 'Tap America anywhere in the air and nine times out of ten Jazz will burst forth.'[4] The programmes featured dance bands in the main, and the proliferation of stations increased the demand for new dance tunes. In the depression years and up to the early forties these 'live' shows predominated over gramophone record programmes on the radio. The relaying of new discs naturally faded into the background when popular purchasing power was low, and radio's function was to provide the equivalent of contemporary 'canned music' in shops and rail termini.

The expansion of radio was one vital factor in the shift of emphasis in popular music from the song to the

[3] N. Leonard, *Jazz And The White Americans*, Chicago 1962, 92.

[4] Quoted in *ibid.*, 92.

singer. Dance bands would include a vocalist as 'one of the band', an equal among equals to help in putting across the songs of the day. But the focus of public attention within that band was often not the bandleader but the singer. Both Frank Sinatra and Ella Fitzgerald began as journeyman singers with popular dance bands.

This process had begun in the sheet-music period when music publishers vied with one another to get the photograph and signature of a vocalist well known on the concert and music hall circuit on to the cover of copies of their latest song. Payments to the singers for this were sometimes in the region of $500. The singer would in addition feature the song in his public appearances, and many lesser vocalists, though not thought famous enough to be of use in music shop windows, received regular retainers in return for performing the current numbers of a particular publisher. Gramophone records and radio took the process a long way towards its logical conclusion, since they enabled the transmission of a particular rendering of a song by a particular singer and band to take place.

4. *Talkies and Big Business*

The medium within which that logical conclusion, the metamorphosis of the popular vocalist into the singing star, was reached was the talking picture. It was here that Al Jolson, Eddie Cantor and Bing Crosby achieved their 'star' status.

Early silent pictures were shown in vaudeville theatres alongside the singers, comedians and acrobats. From the beginning they had musical accompaniment; crude attempts at 'acoustical realism' (Goldberg) on the piano, special songs like 'Oh Oh Those Charlie Chaplin Feet' written to go with serials (and forerunners of the theme songs of thirties' musicals), and occasionally specially synchronised scores produced jointly by film companies and theatres.

So by 1927, when Jolson's *Jazz Singer*, the first talkie, appeared, music and films were already intimately associated. Musical techniques of the silent film, background mood music and the identifying title song, were easily transferred on to the soundtrack. Even films that weren't musical comedies had their theme songs because Hollywood producers saw it as the best means of promoting their pictures, as well as a further source of income through the record companies and music publishers quickly swallowed up by the new film corporations.

For the late twenties saw a growing centralisation of the means of promotion and distribution of popular music. The new networks of radio stations, the Radio Corporation of America and the Columbia Broadcasting System took over record companies (Victor and the American Record Company, which itself controlled several others, respectively), and then merged with film firms and music publishers. This was the extent of the RCA group in the thirties:

Records: Victor Talking Machine Co.
'Live' Theatre: Keith, Albee, Orpheum Vaudeville Circuit.
Films: Pathe Film Co.
Publishers: the firms of Leo Feist and Carl Fischer.
Radio: the National Broadcasting Company with 138 stations by 1937.

Thus, as Leonard succinctly puts it 'show business became increasingly big business. By the twenties Wall Street had invested heavily in commercial entertainment and at the end of the decade radio and films were among the nation's leading industries.'[5]

This tremendous expansion in the music industry's scale of operations meant that new demands were made on the songs themselves, and on the men who wrote them. In order to be a success now songs had to be able to satisfy the demands of the new total media (radio, films) and of the commodity-media—records, sheet music, music hall and dance hall. By total media I mean the media with whom the consumer's relationship was an 'indiscriminate' one, those which relayed a variety of messages. Thus people would turn on the radio or go to the pictures without the specific expectations they had in buying a disc or sheet music. The music-hall and dance-hall are really transitional media in terms of these categories, and their role as 'total' or 'commodity' media varies at different periods. It's arguable for instance that while some people will decide to go to a music hall show on the basis of an advertised bill, while others would go regularly each week, as they would to the cinema. And the forties and fifties have seen the rise of the Palais de Danse as a 'total' media, frequented regularly without specific regard to the musical content.

However, in the USA in the late twenties and thirties, movie and radio audiences included virtually everyone. In 1927, 110 million people, 80 per cent of Americans went to the cinema each week. And a song had to become popular in this context in order to be a hit. Thus

[5] *Ibid.*, 102.

all rough edges had to disappear, the song (and film or show) title had to be prominent and catchy, and the emotional pattern was to be familiar, simple, normative and assimilable. The demands of Wall Street, not some lowest common denominator of mass taste, were the pressures behind this development, as they were behind the attacks on the deviant element in song-writing—the growth of censorship—which also characterised the phase of the domination of total media, and of monopoly control in popular music.

Censorship's effect on the jazz of the twenties was similar to the smoothing of ragtime by white musicians and publishers described in an earlier chapter. This time it was the words which suffered. NBC, the radio network, changed 'silk stockings thrown aside' to 'gloves thrown aside' in one song, and even record companies censored songs at source. Louis Armstrong had to change the words and title of his 'S.O.L. Blues' in 1927. It emerged as 'Gully Low Blues'. By 1942 NBC had blacklisted the words of 290 songs.[6]

The development of total media had laid the technological basis for the growth of the giant corporations and the mass audience they needed. But parallel to its fostering of this integrated national context for popular music, the spread of radio in the form of the local station focussed, in some areas, a regional consciousness that was expressed musically in the 'popularisation, among the inhabitants of the hinterland themselves, of the old hill-billy songs. . . .'[7] The Carter Family, Jimmy Rodgers, and later Hank Williams, all sold large quantities of

[6] *Ibid.*, 100.
[7] Goldberg, *op. cit.*, 316.

country music records, almost all in the south-eastern states. And the growth of a regional music had a significance for the national music scene when Nashville, the recording centre of country & western, as the music came to be known, was one parent of rock & roll in the fifties.

The domination of the giant corporations was weakened too when records returned as the prime medium of popular songs with the economic recovery of the thirties. The decline of the film as a total medium, most marked since 1945, has allowed a diversity of style to emerge, and the crumbling of the machine-like construction of popular song. The last decade has seen a growth in the number of 'hand-made' songs within the industrial context of transmission and distribution.

Popular music's evolution into the material of the *mass*-media left the musicians with a critical choice. In order to remain in business they had to adapt themselves to styles acceptable to, and in line with, the musical policy of the music corporations. To refuse to compromise meant to risk losing all access to the means of transmission. Jazzmen found themselves in orchestras purveying bowdlerised dance tunes. Leonard quotes one of them, Artie Shaw, as saying: 'I never knew one of them who didn't feel exactly the same as I did about what we were doing. Which could be put in the following words: *Sure it stinks, but it pays good dough so the hell with it*'.[8] Others managed to play the system, and survive while producing music that was their own. This was the strategy of Duke Ellington, who exploited the anarchic ambiguities of dance, and of songwriters like Rodgers and Hart, in whose career a certain self-aware-

[8] Leonard, *op. cit.*, 107.

ness and their association with the musical theatre were crucial. These last points will be elaborated upon in the next chapter of the book.

5. *Stars and Groups*

The hegemony of electric media meant the eclipse of the live performance, as it had existed before 1920. Leonard reports a case in 1924 when half of the 3,000 tickets sold for a concert were returned when it was announced that the concert would be broadcast.

But the new dominance of the canned 'personal appearance' on the air and the screen ironically re-invented the live show as the 'in-person appearance' of the star whose fame had grown through celluloid or radio waves. It might be noted, in passing, that a star in the sky is something visible to people hundreds of miles apart simultaneously, linking them in a negative unity just as radio or television does for its audience with its 'stars'. The in-person appearance produces added excitement in the audience because they are about to 'experience', 'in reality' and 'in the flesh', someone whose presence is normally mediated by films or radio. Thus the music industry achieves both the feat of finding a new role for a source of income its own progress has made obsolete (the live show), and, on occasions, manages to generate fantastic amounts of emotional energy from people at the prospect of being in the same room as someone else.

What has occurred is that the vaudeville relationship between performer and audience has been reversed. There the singer was almost the servant of the patrons.

Who was paying whom was reflected in the conventions of performance. The star system on the other hand completely mystifies this aspect of the performer-audience relationship. The audience becomes fans (short for 'fanatics'?), who sometimes seem like the star's supplicants. Where the music-hall singer at his best was a kind of spokesman for his peers in the audience, the star becomes the incarnation of the fans' aspirations, which are never easy to define. Adorno speaks, in his article *On Popular Music*,[9] of pop songs allowing 'the temporary release of the awareness . . . (that) one has missed fulfillment.' And this gets close to the cathartic emotional scenes at appearances of any one of a series of film and singing stars in the thirties and forties from the young Crosby up to the 'cry' singer Johnny Ray, whose speciality was actually to sob and weep during his songs. There is an almost unbearable tension in this fan-star interaction. The star must be near enough to seem reachable, and thus attract the fan's aspirations, to hold out the promise of dissolving his or her frustrations focussed so keenly but so indistinctly in the act of fan-worship, but must in the same instant remain at a distance, within the conventions of the public relationship in order to preserve his legendary status, which all involved secretly know to be a lie.

The nature of the star is also bound up with the songs he sings. The solo performer singing songs written especially for him uses them as a vehicle for himself—he converts them to his style, which is his image. There is a crucial difference when the star is a pop group writing

[9] T. W. Adorno, *Studies in Philosophy and Social Science*, New York 1941.

their own songs, however. The principal attraction remains the performers, rather than some quality that can be isolated within the song. But because the group play their own music and write the songs they sing, to say that, for instance, the success of the Beatles was a result of their presence rather than the music is to make an unnecessary distinction. That distinction would be a useful one in discussing Johnny Ray, since there is a separation in his work between composition and performance. The Beatles' songs may be merely a vehicle for them, but the songs are also the them they are a vehicle for. Because they unite within themselves song-writing, accompaniment and performance, they are their music, and their music is them. We have come almost full circle to the situation of the folk musician, reworking and adding to inherited material to express *himself*.

In this sense, today's musicians-songwriters-performers have destroyed the subordination of musical to extra-musical elements in popular music which the star system, underpinned by the pressures of total media and new levels of investment, threatened to make permanent. And they have achieved it not by the assertion of 'purely' musical values against the commercial structures, but by absorbing extra-musical elements into their expression. The Mothers of Invention have a song called 'You're Probably Wondering Why I'm Here' which discusses the absurdity of the dance-hall situation of group and goggling girls facing each other across the stage, in a multiple spiral of irony, mockery and anger. But the song never loses its anchor in the paradox that the singer can sing the song and reach people only because he is part of the very situation he finds absurd. And the

Beatles themselves, starting from their situation as performers in a dance-hall, earning their living in an industry, could go on to express themselves through public gesture, clothes and music as a totality. They have come through because they never succumbed to the twin false consciousnesses of 'sincerity' and 'artistic motives'. Their progress is to be traced at length in Chapter 9.

5

THE SONG ITSELF

Writing in 1930, Goldberg noted three kinds of Tin Pan Alley songs: Rags and Blues, Novelties, and Ballads. Ragtime tunes and blues in the W. C. Handy style were the first of the popular dance musics, deriving rhythmically from negro music. The popular novelty songs drew on various traditions of white music, notably the street ballads in celebration of topical events, and the comic songs of the American vaudeville and the British music-hall. So far as the music business is concerned, however, it is the ballad that has been the mainstay of popular song.

1. *The Urban American Ballad*

> Though all industrial mass production necessarily eventuates in standardization, the production of popular music can be called "industrial" only in its promotion and distribution, whereas the act of producing a song-hit still remains in a handicraft stage.[1]

In previous chapters I have tried to show the influence that changes in the methods and scale of the promotion and dissemination of popular music have had on the music itself. In this chapter, I shall focus on what Adorno

[1] T. W. Adorno, *op. cit.*, 23.

calls the handicraft stage, and on the internal structure of what has been the major song-form in popular music, the ballad.

One of the greatest popular songwriters, Irving Berlin, wrote in an article published in 1916 and entitled *Love Interest As A Commodity* that: 'Our work is to connect the old phrases in a new way, so that they will sound like a new tune. Did you know that the public, when it hears a new song, anticipates the next passage? Well, the writers who do *not* give them something they are expecting are those who are successful.'[2] By way of contrast, Adorno contends that 'to be a potential hit, a song must be fundamentally the same as all the other current hits and simultaneously fundamentally different from them.'[3] These contradictory demands, he argues, are resolved by the subordination of the latter to the former; although one song is conspicuously different in one or two details from another, no real innovation in its structure ever occurs. Berlin's comment is ambivalent on this point, and he seems unwilling to broach the issue of the value of the songs.

Irving Berlin's reticence here, and the provocative nature of his article's title, must be understood in its context. At this time a section of the American musical intelligentsia was bent on recruiting popular music as the basis of a truly national concert-hall music, an alternative to their erstwhile wholesale imitation of European art-music. George Gershwin's 'Rhapsody In Blue' was a product of this climate of opinion. De Koven, a writer of comic operas, wrote that it was necessary to

[2] Quoted in Goldberg, *Tin Pan Alley*, 220.
[3] Adorno, *op. cit.*, 27.

'turn to those comparatively less learned, and therefore, perhaps, more natural composers who are now producing the popular songs heard in every music hall, on every street corner, from ambulant pianos and itinerant organs, which are sold by the hundreds of thousands of copies among the masses of the people, as the early, and however crude, progenitors of the future American music.'[4] The passage is replete with a lordly condescension, and it's against this background that the crude progenitor Berlin emphasises his own position as an honest artisan plying his trade in the Tin Pan Alley market place.

By the twenties and thirties, in fact, Berlin and other writers had produced a substantial number of ballads which stand collectively as the first indigenous white American musical form. Even Adorno, writing in 1940, has to acknowledge their achievement with a nod towards 'innovations by rugged individuals' in a distant golden age of untrammelled competition. The songs, and the plays and films many of them were written for, came directly from a context of city life. They rose above the general level of the popular love song for several reasons.

The fact that a song came from a Broadway musical or a Hollywood film meant that it would be anchored to a specific angle or aspect of a love affair, which the lyricist would have to explore at some length. In addition, the practice of setting a poem to music, in the manner of European art-music, had by this time been reversed. Since the transformation of Tin Pan Alley by the rhythm of ragtime and 'jazz', the music was para-

[4] Goldberg, 181.

mount. The new complexities of rhythm demanded a corresponding ingenuity from the lyric writer, which often took the form of playing on words and other light kinds of wit. In this connection, Goldberg complains that 'today (1930) with our undiscriminating cult of sophistication we have reached a stage where the lyrics are sometimes distressingly self-conscious.'[5] In fact this self-conscious attitude was very important for Berlin, Jerome Kern, Cole Porter, Lorenz Hart and others since it provided a way of avoiding the system of sentimental phrases which was all the history of the popular ballad presented them with as examples. One feature of the typical ballad was its attempt to draw the listener into an immediate and total identification with the singer. In rejecting this nirvana effect, the 'self-conscious' writers used wit to get a distancing effect, which in a sense parallels the 'alienation-effect' that Bertolt Brecht sought to achieve in his plays. The dramatic framework within which most of the songs were originally set was also crucial to the rejection.

The filter of sophistication between sentiment and listener added to, rather than detracted from, the emotional presence of the song. In Cole Porter's 'Every Time We Say Goodbye', written for a revue in 1944, there are the following lines:

> When you're near there's such an air of spring about it
> I can hear a lark somewhere begin to sing about it
> There's no love song finer
> But how strange the change from major to minor
> Ev'ry time we say goodbye

[5] *Ibid.*, 231.

To begin with, the ingenuity of the rhyming is considerable. Between the first two lines there are echoes (near/hear, air/where, spring/sing) and the double 'about it'. Then there is the reverberation set up by the proximity of 'strange' and 'change', generated within the tension created by the wait for 'minor' after 'finer'. The song itself has a great fluidity, to which this lack of metrical rigidity contributes, and the poignancy of this whole verse is pivoted around the way that the music acts out the 'change from major to minor' in the fourth line.

Porter has built up a complex series of connections between love and music in this verse, from the possible pun on 'air' and the introduction of the lark to the 'technical' effect of the key change just mentioned. Each of these contributes to the distancing characteristic of standard popular songs, as does the contention that no love song could be finer than the lark's singing. They all make us aware that this is a love song we are listening to. The word 'strange' is particularly resonant here. The lark's key change is strange firstly because it evokes a sense of sadness at their parting (it is strange that such a fine song should not finish on a happy note), and secondly it is strange in its coincidental appropriateness (how odd that the bird's song should change at their moment of parting). This second sense of 'strange' emphasises the difference between Porter's use of nature in the love song, and the way it appears in the sentimental ballads whose nirvana-effect the 'self-conscious' songwriters were reacting against. Lukacs says that in the lyrical moment 'the soul . . . fixes its pure interiority in substance and estranged and unknowable nature is transformed into a luminous symbol by the force of interiority.'[6] In the sentimental ballad, 'unknowable nature' is a mere mirror for the singer's feelings, reflecting his tears in rain and his joy in sunshine. And though Porter also transforms nature into a symbol, he does it in a far more limited way by the ambivalence of 'strange', and by his choice of song as a natural object to illuminate human feelings which are themselves finding expression in a song. He undercuts the dissolution of the human subject and natural object in a new third term, a nirvana-like passive state of soul, which marks many sentimental ballads.

The agility of the lyrics in following the contours of the melody closes the gap between words and music in songs like 'Every Time We Say Goodbye'. Some of the same strategies were later to be used in the sixties by Lennon and McCartney in their compositions. There is no conscious imitation involved, since the Beatles came out of a musical context polemically opposed to 'sweet' music, but the same pressures are at work behind the compositions. Both Porter, Berlin *et al.* and the Beatles were concerned to capture the idioms and movement of spoken language for their songs, and each in doing so brought new energy into popular song. Both too retained a stance as entertainers within their songs, as a safeguard against sentimentality; the composers of the standards by their distancing self-consciousness, and Lennon and McCartney by the 'creation-elation' effect which is discussed in Chapter 9.

[6] Georg Lukacs, *Theorie du Roman*, 56.

2. *The Sentimental Universe*

> The difficulty of discovery . . . is, that definition is as much a part of the act as is sensation itself, in this sense, that life is preoccupation with itself, that conjecture about it is as much of it as its coming at us, its going on. In other words, we are ourselves both the instrument of discovery and the instrument of definition.[7]

Every song encapsulates a particular human universe made up of particular definitions of emotions, values and relationships. These constitute the instrument of definition through which sensations are refracted in the song. The peculiarly shrivelled human universe of the sentimental ballad dominates hundreds of popular songs composed during the last hundred years, but, because of their vapourish nature, it is not easy to isolate.

The ethic of the average popular ballad seems to have always run parallel with the ethic of the average story in women's magazines. A good account of the latter is given in Betty Friedan's *The Feminine Mystique*. Both are among the last repositories of a complex of ideas and feelings about Love that derives ultimately from the Courtly Code of Love, formulated in mediæval Western Europe. In numerous poetic Romances of the time the Code provided an elaborate and formal chivalrous route which a love affair should take. Its main features included an intense, almost hyperbolic, devotion of the protagonist for his mistress (a secularisation of the adora-

[7] Charles Olson, 'Human Universe' in *The New Writing In The USA*, Harmondsworth 1967, 185.

tion of the Virgin Mary), vast physical and emotional hardships by which the lover is tested before he can be successful, and concomitant with these, the lover's abasement before his lady. He is known in the Code as her 'servant'. Fate and the gods are often very much in evidence.

Love takes on similar heroic dimensions in the popular ballad. Its beginning and end are marked by emotional explosions so overpowering that often they cannot be seen as products of mere human intentions. Fate brings people together and separates them, and most sentimental ballads are enveloped in clouds of gleeful fatalism or miserable self-pity. 'The character of (external) laws and that of states of soul originated in the soul in the same way. They presuppose the same impossibility of reaching a signifying substance, the same impossibility for the subject of finding an adequate constitutive object in the world.' (Lukacs).[8] 'The economic system prevents involvement; it is within the family that people struggle to become involved with one another. . . . The emphasis on love in the American family seems almost in direct proportion to the orientation toward profit, competition, destructiveness, and de-personalization of the outer world.' (Henry)[9] As with the family, so with the popular ballad. Nothing in the external world offers the possibility of personal fulfilment, so the search is displaced into an interior 'world of our own/That no one else can share'.[10] Every external object in the human universe of

[8] Lukacs, *op. cit.*, 59.

[9] Jules Henry, *Culture Against Man*, 128.

[10] 'A World Of Our Own' recorded by the Seekers, and a hit for them in 1967.

the sentimental ballad is a mirror, reflecting the sentiments of the inmates. But in such a universe it becomes difficult to distinguish cause from effect:

> Into each life some rain must fall
> But too much is falling in mine

The rain, originally a 'luminous symbol' mirroring the lover's sadness, and merging with it into a 'state of soul', has become the embodiment of some obscure necessity, a 'Law' in Lukacs's terminology. The emphasis has moved from 'I am unhappy', which admits the possibility that I might act to eradicate the cause of my suffering, to 'I am unlucky', which entirely precludes that possibility.

The fact that things happen through process rather than through the praxis (consciously willed action) of lovers lends weight to Adorno's thesis that such songs act as 'social cement'. Sentimental songs end up by reinforcing the sense of powerlessness that pervades the everyday world which they try to escape from, because they reintroduce it at a more ethereal level, and by ennobling it as Fate or Destiny they neutralise it. Adorno's conclusion seems no more than accurate: 'The actual function of sentimental music lies in the temporary release given to the awareness that one has missed fulfillment. . . . Music that permits its listeners the confession of their unhappiness reconciles them, by means of this "release", to their social dependence.'[11]

The ballad, unlike most other popular music, has behind it a whole semi-articulate system of emotional situations, reactions and relationships ready to flood

[11] Adorno, *op. cit.*, 42.

forth with each minute grammatical or melodic twist. Thus the dance hall pick-up situation can be transmuted into: 'I had the last waltz with you/The last waltz will last for ever'. The slick repetition of 'last' brings swarming with it a complex of implications about emotional security, marriage and fidelity. Magical status is conferred on the most prosaic occasion because the inexplicitness of the ballad is rooted in a human universe which, though shrivelled, is the one towards which all the institutions of our culture are intent on propelling us. Each refusal of sentimentality in a popular song is in some way a refusal of that universe. The line of pop music that is traced out in the remainder of this book constitutes a major contemporary refusal.

PART 2

The Genesis of Pop

6

ONE O'CLOCK, TWO O'CLOCK, THREE O'CLOCK

Pop music begins with rock & roll. The radical differences between rock and the popular music that preceded it produced radical changes in the structure of the whole musical field. The popular music ballad tradition had then to adapt itself to survive under the hegemony of rock & roll.

1. *What's In A Name*

In a contemporary blues associated with B. B. King, the two words appear separately but adjacent. The first verse has the line 'Rock me baby, rock me all night long', and the second verse runs 'Roll me baby, like you roll a wagon wheel'. This particular song may in fact have appeared after the advent of rock & roll in the mid-fifties, but it shows how, along with others like 'shake' and 'move', these words were used in a hortatory way by black singers in the casual lyrics of songs meant for dancing. Their function was merely to reinforce the rhythmic excitement.

The role of the two words in black dance music produced on the fringe of the mainstream of white popular music lends weight to one account of the origin of 'rock & roll' as the description of a genre. According to this account, a white disc jockey in Cleveland, Alan Freed, decided to feature negro rhythm and blues records on his show, after learning of its growing popularity locally. But to avoid what he called 'the racial stigma of the old classification', he chose a new name by picking the two words most common to rhythm and blues lyrics of the time: 'rock' and 'roll'.[1]

Freed's neologism didn't capture the public imagination outside Cleveland immediately. It was not until 1954 that he was signed by a major New York radio station to present a nightly 'Rock & Roll Party'. And in the meantime, a group named Bill Haley and the Comets had recorded songs in which the two magic words were prominent, but separately. These were 'Shake Rattle and Roll' and 'Rock Around the Clock'. Hardly any of the early hits in the genre known as rock & roll incorporated the phrase into their lyrics.

Two features of this account of the origin of the name recur in the exploration of rock & roll itself. The first is the role of colour in the shaping of the music. A large part of the activity of the commercial elements of the music industry in the promotion of the new music lay in their traditional function of making black music safe for the white market. As we have seen, the genre owes its very name to this activity, but a more important effect of the whitewashing process was the 'covering' of hit songs by black artists, by white singers. Invariably, the white singer would have the nationwide success. One example is Haley's 'Shake Rattle and Roll' mentioned above, which had originally been recorded by Ivory Joe Hunter. And 'Hound Dog', one of Elvis Presley's early

[1] This account is taken from *Eye*'s 'Rock Crammer' (*Eye* magazine, New York, November 1968).

hits had already had segregated success in the hands of Willie Mae Thornton in 1953. However, one of the eventual effects of rock & roll as it gathered momentum in 1957 was to desegregate the national hit parade, as Little Richard, Larry Williams and Chuck Berry became immensely popular with young white audiences.

The second feature arising from the opening discussion is the restricted sense in which rock & roll as music can be described as new or revolutionary. Freed merely placed existing negro music in his new category, and, as we shall see, many singers in the mid-fifties were able to ride high on the rock wave with only minimal changes in their customary style. The different musical strands that came together to make up the rock & roll of 1956 in the USA are present in the styles of the two men whose records were the catalyst for the emergence of the new genre; Bill Haley and Elvis Presley.

2. *The King of Western Bop*

Presley's poor white parents lived in Mississippi and then in Tennessee. The three musical traditions available in the southern states were all important to his musical history. There was firstly the music of revivalist and fundamentalist religious sects, both white and coloured. Presley's parents were both religious, and to begin with he sang with them on sanctified occasions. One story tells of him scrambling on to the platform at the age of two in the First Assembly Church of God at Tupelo, Mississippi, trying to sing along with the minister.

A second influence was that of the 'country music' of

the white lower classes in the south. Insofar as this was unaffected by negro music, it consisted of more or less sentimental narrative ballads and swift dance music, in which the fiddle was very much to the fore. As a young boy he sang 'Old Shep' to win a music contest at a state fair. This is a doleful song about the death of an old dog with whom the singer had grown up. As country music's intercourse with the mainstream of popular music since the war has grown, ballads of this kind have been absorbed easily into the category of the popular ballad. The outstanding example of this development is the enormous popularity of Jim Reeves, who to begin with had only a local reputation. The rather simplistic singing style adopted by Presley on his recordings of ballads derives from his background.

The final influence on the developing style of the young Elvis Presley was that of the ubiquitous blues. This of course was quintessentially a negro music, but in the 1920s the form, if not the substance, of the blues had been taken over into white country music.

The relaxed dance music of the negro jug bands, who contrasted with the fiercer style of the solo guitarist-singers, was echoed in the work of the white Carter Family. Their style with its relentless strumming on the faster tunes was later to be used in the skiffle craze in Britain in the middle fifties. But the starker form of the blues, with its characteristic bleakness and tension could also appeal to white singers in the depression years. Jimmie Rodgers, with his high thin nasal voice, was the singer who most successfully incarnated the experience of poor white people in the three line blues form. It was a period when the blues' particular ability to express situations in which a man is both isolated, and typical in his isolation, gave them especial relevance.

Rodgers' blues were still distinct from those of black singers, however. He was known as the ' Singing Brakesman' because prior to becoming a professional singer he had worked on the railway. By contrast, many negro blues songs are pleas to train crews to give the singer a free ride, or tales of illegally 'riding the rods'. There were few negro railwaymen. This contrast is symbolic of the distance maintained between negro blues and the music of Rodgers and his successor as the most popular country singer, Hank Williams. (The man who seems to me to have made the best use of Rodgers' legacy is Johnny Cash, whose musical integrity has led him to make an LP of songs celebrating the American Indians, and most recently to a recording project with Bob Dylan.)

Hank Williams featured blues in the Rodgers manner, but also cut many records in the apparently antithetical sweet country style of 'Old Shep'. The alternation of rough and sweet music in Presley's career was prefigured in the work of Williams. The latter's blues, however, tended to have less tension than those of Jimmy Rodgers, and when Elvis Presley chose a blues as his first recorded song, he took it from the repertoire of a negro singer.

This was 'That's All Right Mama', a rhythm and blues song of a singer called Arthur 'Big Boy' Crudup. The Sun record company of Memphis issued the record, it was played on the local radio station, and became a sizeable local hit. One commentator states that the audience for these early Presley records was almost entirely negro.

With this success, Elvis became a full-time performer, and a few months later he appeared on the Nashville television show 'Grand Ole Opry'. This was in October 1954. This was rather an odd event in that the Opry is a show fairly strictly devoted to country music of the Hank Williams kind, and Elvis's hit records seem to have been negro inspired and to have appeared primarily to negroes. In fact in this period of purely local success, Presley was firmly placed within the country music category. In November 1954 a newspaper described him as a '19-year-old comer in the C & W field'; and he was billed as 'The Hill Billy Cat' and the 'King of Western Bop'. ('Bop' was a word applied strictly to the relatively esoteric music of young negro jazz musicians in the 1940s, but came to have the same general connotations of 'roll' and 'rock'. One of the early rock & roll singers was called Big Bopper.) And finally, Elvis first came to the attention of the national music industry at the convention of the Country and Western Disc Jockeys Association at Nashville in the autumn of 1955.

The paradox between black music and white industry in Presley's early career is a familiar one in the history of popular music. In the strictly segregated South of the early fifties, before the growth of the Civil Rights movement, it would still have been extraordinary for a white singer to give performances before a black audience. The music itself was split on racial lines; rhythm & blues and country & western each had their own hit parade, radio stations and singers. As a white man Presley necessarily entered the white world of country & western music.

There is a further side to this paradox. In an interview in 1965, Sam Phillips, the head of Presley's first record company in Memphis, stated that in an attempt to popularise negro blues music he had fused it with the prevailing country & western style to form 'Rockabilly' music. He cited Carl Perkins, Jerry Lee Lewis and Elvis Presley as exponents of the new style. Both Perkins and Lewis have subsequently returned to the orthodox country manner. Their hit records of the fifties have a characteristic country 'openness' in the singing allied to the fast, heavy rhythm taken over from black music. Lewis's 'Great Balls of Fire', for instance, features singing in a high register with intermittent falsetto notes. The overall effect is one of energetic high spirits in contrast to Elvis's deeper, more brooding delivery, which owed more to the black blues singers.[2]

3. *Down the Aisle Crocodile*

Elvis Presley's rock & roll was a complex amalgam of the white and black musics of the South. Bill Haley also combined musical elements of both races. He produced his own description of his sound: 'It's all jazz, of course, just a question of beats to the bar. It's the simplest form of music; a bit of Dixieland, four bar rhythm and jazz.'[3]

The Dixieland music Haley refers to had grown out of the smooth effeteness of the dance orchestras of the thirties. Men like Benny Goodman formed small bands, often within the Swing orchestras, to play 'hot' music, faster and less mellow than the characteristic big band

[2] Sources for this section: articles in *Record Mirror* (published in London), January 21 1956, and January 9 1965; Samuel Charters, *The Country Blues*, Chapter 19; Royston Ellis, *The Big Beat Scene*, London 1961.

[3] Royston Ellis, *op. cit.*, 22.

sound. Alongside Goodman, who played well within the orthodox dance band ethos, was Cab Calloway, a black trumpet player, who wore a showy zoot suit and mouthed wordless scat vocals. He represented a much more subversive reaction to the big 'bands'.

The forties saw further developments in this subversion. Most important was the emergence of 'bop' amongst a group of young negro jazz players in Harlem led by Charlie Parker and Dizzy Gillespie. It was a music unequivocally opposed to the dance music black jazzmen had had to play in the thirties, and to the commercial system within which they had been caught. Bop did however have some effect on popular negro music, or, to be precise, on the music that existed in the no-man's-land between jazz and the commercial field. Its influence was in the lyrics of singers like Slim Galliard and Louis Jourdan. Their words were often based on the argot that grew up among the bop musicians and the circle of young negro hipsters in Harlem who formed their keenest audience. 'Jive talk', as the hip argot was named, readily lent itself to a sharp wit, whose purpose as often as not was to confuse outsiders. Thus, 'jive' itself came to have a derogatory meaning. In Herbert Simmon's *Man Walking on Eggshells* one character says: 'Man, where the hell you pick up on this jive-time stud from?'

Slim Galliard was a bop musician whose novelty was to fashion lyrics from scat techniques and jive phrases. He was popular on the white *aficionado* fringe of bop, as the long description of a performance by him in Kerouac's *On The Road* testifies. Louis Jourdan's music was based on the fast dancing city blues style called boogie-woogie, and in the late forties he had several hit records in the race, or rhythm & blues as it was now known, field. The lyrics of his songs were imbued with the verbal felicity and sense of the ridiculous essential to jive-talk.

See you later alligator
After a while crocodile

It's now clear where Bill Haley's inspiration for lyrics such as this came from. He took the content of his songs from the negro source of Louis Jourdan. His slick, quick delivery however came from an impeccable white country source, that of the square dance caller. At traditional square dances in the south and west the caller's job was to half-sing, half-talk the instructions for the dance steps, embroidering his performance with hortatory and witty comments. His special skill was to combine the cramming of a large number of words into a few bars with a throwaway, deadpan delivery. This skill was a crucial component of the style of Haley and of his British imitator, Don Lang.

Haley was also more racially eclectic than his white contemporaries in his musical sound. His hit records were boogie-based as were Jourdan's, and his band, the Comets, featured a tenor sax played in the black rhythm & blues style. Leroi Jones described this style in this way: 'The point, it seemed, was to spend oneself with as much attention as possible, and also to make the instruments sound as unmusical, or as non-Western as possible.'[4] To understand Haley's singularity, we might compare his music with that of Merrill E. Moore, another leader of a small white dance band of the late forties and

[4] Leroi Jones, *Blues People*, 172.

early fifties. Moore has the same square-dance caller singing-style, and his music is based, for the most part, on a fast twelve-bar boogie. But instead of a rhythm & blues sax, his group featured his own piano-playing and a Hawaiian style guitar. This guitar style is a relic of the thirties when exotic Hawaii invaded US dance music, including the country field. However, when there is a guitar solo on one of Moore's fast numbers, the effect is incongruous; the guitar seems to be dragging the tempo down. The rhythmic emphasis of drums and bass that Haley's music has is lacking on Moore's records, where the piano dominates. What Merrill Moore seems to have done is to take the pre-war styles of negro jazz pianists like Jelly Roll Morton and James P. Johnson and transpose them into the context of white country dance music.

Moore's LP *Barrelhouse 88* contains songs with titles like 'Buttermilk Baby', and novelty nonsense songs with words like 'When the grocer puts sand in the sugar, I'll come back to you'. They lack the compact quality of 'Down the aisle, crocodile', something Haley had to go to black music for. However, this LP also contains a song called 'Down The Road Apiece', a curtain-raiser to introduce the band, later recorded by the young black rock & roll singer Chuck Berry, and even later by the Rolling Stones.

In general, we can see that the reason Haley and not Moore achieved national success with teenagers lay in his transcendence of the country music tradition by incorporating elements of contemporary negro rhythm & blues into his style. Moore's piano-playing, it is true, was negro in inspiration, but he added it to a basic style whose problematic[5] remained that of white country music. The injection of black elements into Haley's music created a new problematic, which became known as rock & roll. The following table is an attempt to sum up the components of the musical styles discussed in this section:

MUSICIAN	MUSICAL STYLE	VOCAL STYLE & LYRICS
Cab Calloway	Swing/Dixieland	Scat singing
Slim Galliard	Bop	jive talk/scat singing
Louis Jourdan	Boogie/R & B	jive talk/city blues
Merrill E. Moore	Barrelhouse/Country	square dance caller
Bill Haley	Boogie/R & B	jive talk/square dance caller

It is clear from my cursory account that the interactions between black and white elements in the music of performers in the south in the decade after 1945 were exceedingly complex. To give one more example: a song called 'Jambalaya' was recorded both by the country and western star Hank Williams and by a popular New Orleans rhythm & blues artist called Fats Domino. The song itself comes from southern Louisiana, an area where the French cultural influence is dominant, and some of the words seem to owe something to the Creole dialect. It would be interesting to go into the origin of the song, the dates of the two hit recordings, and to enquire whether (as I suspect) they were aimed at two separate, segregated audiences. For it seems that during these ten years there was a significant breach in the previous segregation of popular musical style, and that

[5] 'Problematic' is a term used by the French philosopher Louis Althusser to indicate the 'specific unity of a theoretical formation'. I am adopting it to express the specific unity of diverse musical elements in the style of a musician.

white musicians took many negro elements into their music, culminating in Sam Phillips's rockabilly, and in Haley's new problematic. And yet, apparently, in the performance, promotion and distribution of music, beyond the very local level where it seems negroes did buy Elvis's Memphis records, segregation prevailed. However close white musicians were to the negroes in their music, they had to play under a C & W heading, to white audiences. Amongst these audiences, it's fair to assume, the older people, their expectations moulded by Hank Williams and his like, were unable to comprehend Presley and Haley. Their followers from the first were the young.

This I must emphasise, is a hypothesis. It will need to be tested by detailed research into the musical situation from which came Presley, Haley and their new music.

4. *Performance and Audience*

There is one factor which clearly marked off Presley and Haley from their country music contemporaries: their behaviour on stage. In the period of their national appeal, the stage act at live performances and on film were an essential part of their success. Haley's Comets would throw themselves about the stage, the double bass player playing lying down, sometimes with the saxophonist on top of him. Elvis relied on a more economical leg-wiggle and pelvic swing. His stage act, and not Haley's (which was essentially a throwback to the knockabout days of nut jazz—see Chapter 2) was the model for the rock singers who followed. Others who shaped this important feature of rock & roll were the 'cry' singer Johnny Ray, a model for singers without guitars slung around their necks, and Chuck Berry, the young black guitarist, who featured his 'duck walk', a modification of Cossack dancing, which he executed while playing an intricate guitar solo.

The stage movements of Presley and Berry were prefigured by black performers on the edge of the rhythm & blues field. Aaron T-Bone Walker was a singer/guitarist who had sung with large jazz bands as well as with smaller blues combos. Since the forties he had been playing with his guitar behind his neck, and doing the splits in mid-solo. The only development in this particular area of showmanship since Walker has been Jimi Hendrix's trick of playing guitar with his teeth, which he found useful as a trademark at the start of his career. It is also noteworthy that when Elvis went to New York to be groomed for stardom at the end of 1955, he was sent to learn some stage movements from Bo Diddley, a somewhat idiosyncratic blues player performing at the Apollo Theatre in Harlem.

To begin with it was what the rock singers did as much as what they sang that alienated older people from them. They were used to the public display of emotional energy from Sinatra and Ray, but not to the physical and sensual energies that were expressed in Presley's performances. In a similar way this was the factor that drew young people towards rock. For them it was an incitement to action, and the self-expression of the singers was an example to be followed immediately. The action of the audience was dancing, and if they were constrained from doing so, by being prevented from dancing in the aisles by theatre or cinema managers, vengeance in the form of slashed seats was swift.

Mass hysteria in itself was nothing new. The treatment meted out by 'bobbysoxers' to the young Sinatra in the forties and to Johnny Ray by his fans in the fifties was of the same level of intensity as the treatment Presley received from his fans. But there was a change in the way the music itself mediated the performer/audience relationship. The popular ballads addressed each member of the audience individually, either directly, or through the invitation to identify with the singer's joy or sorrow. The audience at a Johnny Ray concert was a crowd of people identical in their rapport with the singer, but separately, isolated from one another. The early rock hits, however, tended to address the audience (and the world) collectively: 'Come on everybody, let's rock'. And the action produced in the audience by rock, whether dancing or rioting, was essentially a communal one.

The music, then, gave its young audiences a sense of themselves as a group, something enhanced by the hostility towards rock & roll of most older people, especially those with access to publicity; clergy, academics, editors and legislators. The arguments against rock were those that had been aired at the time of the ragtime and Charleston crazes, and had just as little effect on those who enjoyed, and those who profited from, the music. But the realignment in popular music produced by the rock & roll eruption has survived the eclipse of the initial wave of rock music spearheaded by Haley and Presley. The central feature of this realignment has been the primacy of young people (defined as such, over against older generations) as makers and consumers of pop music. It is within a system dominated by this fact that older singers and older consumers have had to find their place.

The role of the industry in the realignment—of the record companies, promoters and media men—is to ensure that it is popular, or to decide that it will be popular; they underwrite it, and then turn it to profitable use. After each explosion of the new they run about with bottles, catching and sealing in the smoke to make it easier to market. Almost always they dilute it before selling. Riesman calls this 'restriction by partial incorporation'.[6]

The industry underwrote the realignment that is pop music for sound economic reasons; the spending power of the young. The post-war boom in the US enabled wage-earners as well as salaried workers to give their high-school age children 'what we never had': substantial pocket money. In Britain, with its lower school leaving age, the boom meant high wages for teenage workers. Teenagers were economically viable, they had demonstrated their approval of rock; the industry was happy to supply the goods, on its own terms. These were that the Hit Parade became crucial to the success of the artist (and to his survival). The single disc became more than ever the focal point of the music. The implications of the charts for performer and audience have already been discussed.

The pop singer and the industry are like 'Love and Marriage' in the Frank Sinatra song: 'You can't have one without the other'. The mutual necessity of their relationship is rooted in pop's paradoxical status as both creativity and industry. The artist needs the industry to communicate through, and to make a living to continue

[6] David Riesman, 'Listening to Popular Music' in *Mass Culture*, ed. Rosenberg and White, New York 1957, 412.

his work. The industry, despite its control of the essential channels of distribution, still needs the artist to provide its commodity. It's quite capable of reproducing, with varying degrees of success, sounds that have already been popular. But the initial creativity remains the prerogative of an individual producer.

This formula is of course an abstraction. In practice, things aren't usually so equally balanced. In the case of many artists, the pressures to conform to well-tried patterns sanctioned by the industry are too great for them to withstand. Many, in fact, are quite willing to repress any urge to play something different by invoking the false consciousness that 'we are playing what the fans want'. This myth has been exploded in practice by the Beatles who have produced the expectation of something new in their fans at each stage of their musical career. The Beatles in fact are the major example of the situation where the balance between creator and industry has swung in favour of the creator.

One reason for introducing the above model is to combat simple ideas of pop as a machine for churning out tunes, as the computer in Orwell's *1984* does, or as an area of the free play of free will and free enterprise. In fact, the career and music of each singer and group has to be examined in terms of the balance of creative and industrial forces involved. How far each has been able to transform the terms given as necessity by the business will then be clear.

5. *Pop Music and the Folk Pattern*

I have already mentioned the coalescence of young people into a specific group both as audience and as potential consumers. There was a further and more significant way in which young people came to see themselves and to be seen as a group apart. This was in the content of rock & roll music itself.

Songwriters of the popular music era considered themselves to be writing for a known audience, called 'The Public'. The assumption necessary for their confidence in this respect was that since certain songs and types of song had been popular in the past, similar songs would satisfy the popular music audience in the future. Given the serialised nature of The Public, this assumption was unfalsifiable. The Tin Pan Alley writer could continue composing happy in the belief that he was sharing common experience of life and love with his Public, whereas in fact he was sharing only the common experience of the sentimental ballad tradition (see Chapter 5).

The relationship between writer and audience in rock & roll was different. They first of all had a shared solidarity which set them apart from the rest of society—their age. It was a solidarity that had previously appeared in US culture among racial or regional minorities, in the form of negro blues or the mountain and country musics of the south and west. These musics had been folk music in the sense that performer and audience had been linked by more than the cash nexus (see Chapter 1). The resonance and range of reference of the music was immediate for this particular group in American society only.

This was also true of many early rock songs. They were not written for a Public who it could be assumed would appreciate another treatment of the eternal verities. They were, in the main, concerned with situations typical of or conceivable within, the experience of young people at high school in the 1950s. For these young people 'Have You Met Miss Jones?' had no relevance; but Chuck Berry's 'Oh Baby Doll', the Everly Brothers's 'Wake Up Little Susie' and Dale Hawkins's 'See You Soon Baboon' had relevance for them and for hardly anyone else. Some examples of this new kind of song are examined in the next chapter.

The appearance of these songs reflected a certain reality, but they also moulded it. One effect they had was to hasten the homogenisation of living patterns, and hence to consolidate the group identity, of young people on a national, and ultimately international, scale. In a limited way, young people were (and still are) a community of the folk music kind, in terms of the relationship between performer and audience.

There is another way in which the pop music configuration resembles a folk music. That is in its ignorance of the Western musical tradition. To return to terms I used in the opening chapter, the rock & roll tradition of pop music (which I shall be charting in the rest of this book) represents the natural thing rather than the beautiful one. Deriving, as it does, its main impulse from negro music, it seems to be concerned less with producing finished artefacts than with expressing the feeling of the moment. Elvis Presley's stage act made this clear.

Nevertheless, this closeness between pop and folk music should not be over-stressed. Intimately entangled in the commercial milieu as it is, pop music can never be a folk music of the traditional kind. All I would claim is that it has managed to retain some of the strengths of non-Western negro music which the popular musics of previous decades either rejected or emasculated. The catalytic action of rock & roll has produced something that is both Western and non-Western and both creativity and industry.

7

I WAS ON MY WAY TO HIGH SCHOOL

1. *The Ubiquity of Rock*

Haley and Presley were the new figures around whom rock & roll found its characteristic form. But the name was soon being applied to many negro singers producing music they had been performing for a number of years before 'Rock Around The Clock'. Musically, they resembled Haley and Presley only in the rhythmic basis of their style, but they became rock singers by virtue of their acceptance by the young, mainly white, audiences the new music had created for itself.

Thus, Joe Turner, a fierce-voiced blues shouter who had worked with negro big bands in Kansas City and New York since the late thirties (when he recorded the classic 'Roll 'Em Pete' with pianist Pete Johnson), found himself amongst the young teenage idols when he had a hit with 'Corrina Corrina', sung only a fraction faster than his customary songs of the previous decade and a half. Another established singer in the segregated rhythm & blues field to move into the new arena was Antoine 'Fats' Domino, a pianist-singer from New Orleans with his own band. His music was infused with the melodic inflexions of the French-influenced Creoles, as the rolling gait of 'Blueberry Hill', his most well-known hit, indicates.

There were also younger singers, schooled in pre-rock styles, who became involved in rock & roll in a more complex way. They were impressed not by Presley's music, but by the fact that he addressed himself to a specifically young audience. Thus Chuck Berry, who in purely musical terms stands squarely in a city blues guitar tradition, deliberately set out to communicate in many of his lyrics with a generation, and not with a race.

Berry's song 'Sweet Little Sixteen' exemplifies his position in the rock & roll canon. The music has the precision and relaxed flow of bluesmen like Muddy Waters (although the song is taken at a faster speed than anything Waters has done), but the lyrics are aimed wider than the Chicago negro community that is the context of Muddy's songs. The chorus of 'Sweet Little Sixteen' is a list of the places where 'they're really rockin' and where 'all the cats wanna dance with sweet little sixteen': Boston, Philadelphia, Texas, Frisco, St Louis, New Orleans. It's a celebration of the national success of rock music, and an indication of the extent to which young people had become a group-for-itself.[1]

The two verses are each concerned with the teenager's dual existence in the adult world and in that of her generation; and with her jarring dependence on the former:

Oh mummy, mummy please may I go
It's such a sight to see somebody steal the show.
Oh daddy, daddy I beg of you
Whisper to mummy it's all right with you.

[1] A 'group-for-itself' is a group conscious of its unity and cohesion as distinct from a 'group-in-itself' whose unity is purely objective.

Sweet little sixteen, she's got the grown-up blues
Tight dresses and lipstick she's sportin high-heeled shoes
Oh but tomorrow morning she'll have to change her trend
And be sweet sixteen back in class again.

Home and school are the twin necessities which circumscribe the new life teenagers are making for themselves under the impact of rock & roll. And this situation provides the raw material for the songs of singers following in the wake of Elvis, in whose own songs rhythm counted for more than the words.

The Coasters were a black vocal group whose harmonies differed little from those of the Ink Spots, a swing-influenced group of the late forties, and those of the Orioles, Ravens and other ornithologically inspired rhythm & blues groups of the early fifties. However, like Chuck Berry, they chose to record songs with the generation theme for several of their hit records. In 'Yakety Yak' the battlefield is the home, and the tone is humorous:

Don't you give me no dirty looks
Your father's hip—he knows what cooks
Just tell your hoodlum friend outside
You ain't got time to take a ride.
'Yakety yak', don't talk back.

The Coasters' hits were written by Jerry Leiber and Mike Stoller, the best young writers of rock songs, who wrote 'Jailhouse Rock' for Presley amongst many others.

The close harmonies of negro music were brought into

rock & roll by the Coasters, and the Everly Brothers did the same for the high-pitched harmonies of country music. Their parents had been well-known country singers, and the brothers have grafted the nasal singing of that tradition on to the lyrics and rhythm of rock.

By mid-1957 when the Everlys came to cut their first record, rock & roll had already established itself as a national music, and had achieved the realignment of the music industry which placed rock at the centre. The Everlys, in contrast to Berry, were faced with two musics of two generations to choose between; the old country music and rock. They chose the latter, and thus are in a sense within a third category of the post-Presley singers, those for whom rock itself constituted a tradition from which they began, and which they could extend and develop. Buddy Holly and the Crickets, and Eddie Cochran were singers and songwriters of this kind, whose work developed rock & roll in new directions.

But there were other singers who were post-Presley in a purely negative sense. These were the boys hastily signed up by the record companies to copy the Elvis manner. For the industry reacted in its traditional manner to Presley's success; it attempted to duplicate, triplicate and multiplicate him. New rock stars appeared in the firmament for six months or a year and then died away: Rick Nelson, Frankie Avalon, Fabian, Conway Twitty, Paul Anka.

Stan Freberg's satirical record, 'I Was On My Way To High School' is an incisive comment on this period. It begins with a recording manager and his henchmen in a recording studio with everything ready to record a rock hit, except for a singer. They grab an unsuspecting teenage passerby named Clyde Ankle. 'Can you sing?' he is asked. 'No'. 'O.K.' replies the manager, and as the all-purpose rock backing group chugs into action, the boy is told to sing the first thing that comes into his head. 'I was on my way to high school', he starts, and mumbles on about being snatched by a man who told him he was going to be a star. A final humorous touch is added when the recording manager uses a pointed stick to encourage Clyde to produce the obligatory falsetto notes.

The closeness of Freberg's disc to what actually happened is borne out by Royston Ellis's straight-faced account of Fabian's career:

> For a youngster who had never had a singing lesson in his life and who had never been terribly interested in singing, the offer of stardom as a singer came as the surprise of his life. But with the normal curiosity of a fifteen-year-old, he agreed to an audition. He was terrible. The company signed him.[2]

It's interesting to note that Presley was invariably the model for the imitators. Bill Haley was never the recipient of the sincerest form of flattery. This was partly because of his age and appearance; he was more like one of the bandleaders who had purveyed pre-rock dance music than a herald of a new era. But it was also due to the nature of his music. It was the summation of different strands in post-war music, as was Elvis's, but it was somehow too idiosyncratic, in a slightly archaic way, to invite imitation.

[2] Royston Ellis, *The Big Beat Scene*, London 1961.

2. *High School Songs*

I want now to move to a detailed consideration of the songs which dealt specifically with the experience of school life, and with love affairs set in that context. These are the first group of pop songs to embody the self-consciousness of the young as a social group in a way (as I suggested in the previous chapter) analogous to that of a folk music. The position of teenagers in the matrices of school and home determines their feelings and movements in the songs very directly.

The first 'school' song to be recorded was a country blues made in 1937 by John Lee 'Sonny Boy' Williamson. The first verse was:

> Good morning little schoolgirl, good morning little schoolgirl,
> Can I come home with, can I come home with you?
> And tell your mother and your father that Sonny Boy's a little schoolboy too.

The rest of the song makes no further reference to the education system, but this self-definition of the lovers as school kids qualifies it as a forerunner of the fifties songs.

In the fifties, in fact, Chuck Berry took up Williamson's song, and recorded it as 'Our Little Rendezvous'. His opening verse is:

> Hello little Susie, hello little Susie
> Can I walk home with, can I walk home with you?
> Say will your mother and your father let us have a rendezvous?

In the original song, Williamson contemplates buying

an airplane to search for his woman. Berry modernises this idea:

> Then I'll build a spaceship with a heavy payload
> We'll go beep beep beep way out in the wide open blue
> Where we can love one another in our little rendezvous.

What is common to both songs however is the need to circumvent the impediment of the parents. This theme, the incursion of the adult world into the teenager's freedom is a common one in the early rock songs. The Coasters recorded one of their finest numbers on the theme 'Charlie Brown':

> Who walks in the classroom cool and slow?
> Who calls the English teacher daddio?
> Charlie Brown, he's a clown
> He's gonna get caught, just you wait and see
> (*deep voice of Charlie*):
> Why is everybody always picking on me?

The protagonist of Chuck Berry's 'Almost Grown' also feels that he is being picked on. 'Go away—we almost grown' he says petulantly to the interfering adult society. But he is also very concerned to emphasise that he is really quite conventional: 'I'm doing all right in school, I aint never broke no rule'. Musically the song exhibits a similar contrast between the half-humorous, half-petulant tone of Berry's singing and the intransigence of the twelve-bar rhythm & blues accompaniment.

In terms of its stance towards the audience, the most rebellious rock music was generally the least articulate in terms of lyrics. Defiance and discontent were manifested in the heavy beat, in saxophone and piano solos, and most of all in the gestures of performers on stage. One or two lyrics were successful however in dramatising this discontent verbally. Eddie Cochran's 'Summertime Blues' was the most outstanding of 'protest' rock & roll songs. The singer is a high school student with a vacation job who is told 'You can't have the car 'cos you didnt work late'. He vows 'I'll take my problem to the United Nations', after his Congressman won't help him because 'You're too young to vote'. The refrain and the conclusion are that 'There aint no cure for the summertime blues.' The record is punctuated by a staccato riff pounded out on guitar and drums. The vibrant dislocation expressed in both the words and the music remains unresolved.

3. *Sumer is Icumen In*

Most of the High School songs are not concerned with the edges of the teenage world where adult impingement is all-important. They are taken up with the various aspects of love affairs within that world. But even here the terms and conditions of school life colour the songs. The coming of summer for instance coincides with the end of the school year in the US as well as in Britain. Thus, in Jerry Keller's 1958 song 'Here Comes Summer' the feeling of joy at the end of the school term resembles the sense of release from the constriction of winter in mediæval lyrics like 'Sumer is Icumen In'. The Keller songs begins:

> Here comes summer, school is out O happy day
> Here comes summer, grab my girl and run away.

It continues in the same vein, cataloguing the delights available to a boy, his girl and his car during an American summer. The final verse is typical:

> In summer, she'll be with me every day
> Here comes summer—meet the gang at Joe's Cafe
> If she's willing we'll go steady right away
> And let the sunshine bright on my happy summer home
> Here comes summer time at last.

The joy is undiluted. In this, the song is exceptional, since for many teenagers summer could be the time of parting from their steady date among their classmates. This is the burden of Carole King's 'It Might as Well Rain Till September', and of Brian Hyland's ('I'll send my love ev'ry day in a letter') 'Sealed With A Kiss'.

Chuck Berry's 'Oh Baby Doll' is an interesting 'end-of-term' song. As in 'Almost Grown', his enigmatic delivery involves two specific emotional reactions. They are nostalgia and uncertainty. He recalls the good times when 'the weather was cool', that is, earlier in the school year, and in the classroom:

> We had a portable radio we was balling the jack
> But we'd be all back in order when the teacher got back.

But he's also worried about whether their love will continue:

> Oh baby doll when bells ring out the summer's free
> Oh baby doll will it end for you and me?
> We'll sing old alma mater and think of things that used to be.

4. *Courting Codes*

The climax of the summer for the singer in *Here Comes Summer* will be his girl's willingness to 'go steady'. This concept is central to the conventions of boy-girl relationships in the High School songs, and in the schools themselves, in real life:

> For American boys and girls, then, the 'steady' is the answer to the instability, emptiness, and anxiety inherent in other types of boy-girl relationships, and becoming 'steadies' sometimes gives the boy-girl relationship solemnity, dignity and meaning.

This summing up comes from Jules Henry's book *Culture Against Man*. The book includes an exhaustively researched study of life and attitudes at a typical High School in the late fifties. A comparison of the opinions and statements of teenagers reported by Henry with, say, the songs of the Everly Brothers shows that the songs for the most part reflect feelings arising from specific situations within the High School courting code as it actually existed. It is not true, as some commentators on pop music have suggested, that songs foist undesirable attitudes on to the tabula rasa of teenage minds. In the case of the High School genre at least the songs merely record an actual situation, albeit with some emotional exaggeration.

In the song 'Bird Dog', the singer is warning one of his classmates to stop his attempt to steal his girl. The rival even goes to the extent of kissing the teacher in order to be allowed to sit next to the girl. Henry comments in his study that: 'Boys' steadies become integrated into the semi-sacred boys' society, and the rules of the game apply: no boy would steal the steady of a member of his group. . . .[3] The bird dog of the song is thus cheating. For instance, we hear that Johnny can sing 'the sweetest love song ever heard' but 'when he sings to my gal, what a howl'. In the former case, Johnny obviously sings for the benefit of the group as a whole, which is sanctioned. In a similar way, another verse first praises Johnny's joking ability in general, and then castigates him for applying that ability in a particular way—to please the singer's girl. Johnny's two roles, the legitimate one of a comrade and the illegitimate one of a lover, are continually counterposed in the song.

> The movie wasn't so hot, it didn't have much of a plot,
> We fell asleep, our goose is cooked, our reputation is shot.

In this song, 'Wake Up Little Susie', the couple have been to a drive-in movie, fallen asleep and now it's four o'clock 'and we're in trouble deep'. 'Reputation' is the key word in the singer's anxiety; he is worried about the reactions of parents and friends to their transgression of the rules of the dating game. This concern about status and popularity within the teenage group is something repeatedly emphasised by Henry's interviewees. Henry notes that at this point the apparently hermetic teenage world closely resembles American society as a whole. He points out that in many cultures the individual's group of intimates, his personal community, is defined for him

[3] Jules Henry, *Culture Against Man*, London 1966, 154.

by tradition. 'But in American culture, where no traditional arrangements guarantee an indissoluble personal community, every child must be a social engineer, able to use his "appeal" and his skill at social manoeuvering to construct a personal community for himself.'[4]

The logic of this need to construct a personal community through 'appeal' goes deep within the High School songs. In the songs that express a feeling of loss, how the other (the former lover) and the others (the teenage group) judge one becomes especially important. What hurts most for the narrator of 'Cathy's Clown' is not the discovery that he has been deceived, but the discovery that the deceit is common knowledge:

> I die each time I hear this sound
> 'Here he comes—that's Cathy's clown.'

He also states his intention to avoid tears in public since a man who cries 'is not a man at all'.

The stoicism of 'Cathy's Clown' is really no more than an attempt to maintain 'face' in the context of the teenage group. But another Everly Brothers hit 'Crying in the Rain' reaches down to a deeper level of anguish at the break-up of a relationship:

> I'll never let you see the way my broken heart is hurting me,
> I've got my pride and I know how to hide all the sorrow and pain,
> I'll do my crying in the rain.
> If I wait for cloudy skies, you won't know the rain from the tears in my eyes.

[4] *Ibid.*, 147.

> You'll never know that I still love you so,
> Though the heartaches remain, I'll do my crying in the rain.

The central image of the lyric and the relentlessly plaintive quality of the singing combine to give the song a naive strength. The conflict in the singer between his need to protect himself from further pain, and his need to release his present sorrow immediately is directly presented. Again, Henry has an observation which illuminates these songs of loss:

> Here is a culture where children hungry for love reach invisibly toward one another yet dare not give a sign, for to do so indicates weakness and may bring contempt in a society that admires strength. There is also the danger that anyone who shows that he can be had easily will be held cheap in this culture, where what is valued most is what is 'hard to get'.[5]

Henry's account of teenage life is notable for its tone of complete disenchantment, and for the absence of any understanding of the significance of music and dancing for teenagers. Thus his comment on a girl's statement that 'it's just as if you were opening a new frontier when you are my age' is: 'For most teenagers in our culture the purple vistas of impulse release are the new frontier.'[6] Nevertheless, it's clear that he has taken the true measure of the dark side of High School life, which in general takes the form of a mirroring of certain aspects of life in American society as a whole. The tremendous pressure to mask feelings in favour of behaving in

[5] *Ibid.*, 159.
[6] *Ibid.*, 271.

accordance with the code is reflected in the songs. In some, like 'Cathy's Clown' and 'Wake Up Little Susie', the major emphasis is on the subject's determination to conform, in fact. The situation in 'Crying in the Rain' is different. Here the singer is going to mask his emotion, but only in order to survive and maintain his balance. The very fact of his unmitigated sorrow, which comes through not only in the words but in the total vocal and musical effect, is an implicit comment on the conventional mode of behaviour he is forcing himself into.

Both 'Cathy' and 'Crying' propose a solution to the problem, but whereas in the former the singer determines to make an effort to be strong and conform, the suggestion in the latter is that the resolution will occur more naturally, in the fulness of time:

> Some day when my crying's done
> I'm gonna wear a smile and walk in the sun. . . .

'Time heals all wounds' is the attitude being taken, and the passivity implies a rejection of the 'take it like a man' philosophy of 'Cathy's Clown' and of the High School courting code.

5. *Dreaming*

> The times when my confidence is completely lacking are when I am with girls or have to ask someone out on a date. It takes me the longest time to ask a girl out or even get up my nerve to ask her.[7]

This statement by one of Henry's interviewees illuminates the significant element of fantasy and wish-

[7] *Ibid.*, 163.

fulfilment to be found in songs of the High School type. The Everly Brothers' 'All I Have To Do Is Dream' is the classic example. 'Whenever I want you in my arms, all I have to do is dream' runs the lyric. It is a daydream of a happiness which is felt to be impossible in reality because of the stringent requirements of convention.

In Buddy Holly's 'Everyday', the problem of making the relationship is treated differently. The first verse is, like the Everlys' song, an expression of a dream, but here wish-fulfilment is invoked to bring about a change in the real world:

> Everyday it's a-getting closer, going faster than a roller-coaster,
> Love like yours will surely come my way.

In 'Dream', the circle of fantasy is closed. The real girl has been eclipsed by the girl in the singer's imagination. Here things are not yet decided, but the dominant note is one of optimism. In 'Everyday' the singer is thinking 'this thing is bound to happen sooner or later because of the strength of my feelings.' The second verse shows the impulse to act challenging the dream:

> Everyday it's a-getting faster, all my friends say 'go up and ask her',
> Love like yours will surely come my way.

From this direct confrontation with the necessary action, the final verse represents something of a retreat:

> Everyday seems a little longer, every way love's a little stronger,
> Come what may do you ever long for true love from me?

There is a loss of confidence as he wonders about whether his approach, when made, will be rebuffed.

The tentative, wavering and faltering quality of the movement of the protagonist's mind is conveyed in a very precise way in Holly's singing. The alertness in his voice testifies in a seismographic way to the variations in the balance of fantasy and resolution in the mind of the song's subject. And Henry's informant's experience suggests that the song is a faithful rendering of the nuances of a frequent adolescent crisis.

Buddy Holly's music represents the first important creative development of pop music. After Haley and Presley had crystallised the sound of rock & roll, and instigated the upheaval that led to popular music being superseded by pop, the songs of the Coasters, Berry and the Everlys made rock self-sufficient. It now had its own words as well as its own sound. But all these artists, as we have seen, were at least partially schooled in musics older than rock. The central tradition for Buddy Holly and the Crickets was rock & roll itself.

6. *The Great Integrator*

Holly and the Crickets achieved a new level of integration in the making of pop records. That is, they combined within themselves (and their manager Norman Petty) the roles of songwriter, musicians, lead and backing vocalists and record producer. The recording was even done at Petty's own studio in Clovis, New Mexico. The only point at which anyone outside the group was involved was right at the end, in the manufacture and distribution of the finished disc. This integration inaugurated by Holly, Petty and the Crickets is a feature common to nearly all the major groups of the sixties.

Consequent upon this integration of functions was an integration of the musical elements within each song. The interplay and intimacy between words, voice and music in Buddy Holly's records was something new in pop music. To give an adequate account of this intimacy would require something like a semiology of pop records. Semiology is the study of systems of signs of all kinds (those of the film, of haute couture or of cuisine, for example), using as a model the way in which linguistics examines language. A semiology of pop discs would have to contend with two levels: that of the lyric and linguistic meaning, and that of the constellation of sounds that constitutes the recorded song. This second level includes the role of each instrument, and the particular qualities and roles of the voices of lead singer and backing chorus. There is of course a constant interaction between the two levels. Music, without words, is what semiologists call an isologic system, one in which 'the signified has no materialisation other than its typical signifier; one cannot therefore handle it except by imposing on it a metalanguage. One can for instance ask some subjects about the meaning they attribute to a piece of music by submitting to them a list of verbalised signifieds (anguished, stormy, sombre, tormented, etc).'[8] A song, however, contains the basis for a more satisfactory metalanguage in which to elucidate the signifieds (that is, the content) of its musical signs. That basis lies in the words of the lyric. Now, I am not proposing that the

[8] Roland Barthes, *Elements of Semiology*, London 1967, 45–6.

musical content of a record should be discussed merely as a contributory factor to the success or otherwise of the lyric, that is, as subordinate to the lyric. My suggestion, in fact, is that the words of a song give us the key to the human universe that the song inhabits, and that the musical signifieds may best be verbalised in a metalanguage whose terms refer to the structure of that human universe.[9] It may well happen that in the case of a human universe, like that of the sentimental, which has firmly established musical conventions in terms of forms or of particular instrumental effects (such as the 'big-dipper' style discussed by Richard Hoggart in *The Uses of Literacy*[10]) that some aspect of the music may transcend that universe. But the significance of the transcending can only be properly defined once we have established what has been transcended.

This last instance is one in which the second level, that of the musical sound, acts to modify the simple linguistic meaning of the lyric. Another example is the 'creation-elation' effect of the Beatles' earlier records, which I discuss in chapter nine. To attempt to arrive at a musical assessment of an integrated pop record of the kind pioneered by Holly by examining the lyrics in isolation is to court disaster. The concepts of semiology might provide the basis for an alternative method which could express an awareness of the ways in which musical and linguistic elements act and react upon each other within the record as a whole.

The most important musical factor in the records of

[9] See my discussion of this term in Chapter 5.

[10] Richard Hoggart, *The Uses Of Literacy*, London 1958, 154–155.

Buddy Holly and the Crickets is the particular quality of Holly's voice. The voice is used in a way that is quite foreign to the Western musical tradition. For there is an ideal performance of an operatic aria enshrined in the sheet music of the opera, and individual singers' performances are governed by their pursuit of the ideal. In popular music too the singer's approach is governed by the song, but to a lesser degree. The best of Frank Sinatra's records are fascinating meetings between two separate entities: the 'standard' song (which has an independent existence away from this particular disc) and the vocal personality of the singer. When he sings 'Moonlight In Vermont', Sinatra is more than an interpreter, but he is not quite a creator.

All Buddy Holly's songs were conceived as records. They have no meaningful existence as sheet music for in them (as in recordings of improvised jazz) there can be no distinct separation of the song from the singing. The songs, let it be remembered, were composed by the men who sing and play them on the records.

In Holly's style the straight singing of a lyric is continually punctuated by exclamatory effects of various kinds. The voice suddenly swoops upwards or downwards, syllables are lengthened to cover three or more notes (as in 'ba-ay-by'), whole choruses are hummed or sung wordlessly, and sometimes phrases are spoken during instrumental solos. Holly's voice is naturally quite high-pitched, and all these effects serve to increase its restless, nervous quality. They also serve to transform the impact of the lyrics. In the song 'Peggy Sue', the title must be repeated at least thirty times, but on each occasion it is sung in a different way from the time before, so as to suggest the infinite variety of his affection for her. This constant flickering of pitch, accent and phrasing in the voice is set off against a muted but relentlessly strummed rhythm guitar and a repeated phrase in a slightly broken rhythm beaten out on the drums. If the words suggest the ingenuity of his approach to the girl, the rhythm denotes the determined character of his pursuit of her. For this song, like so many others of Buddy Holly's, is the song of someone uncertain that his love will be reciprocated. 'You're gonna say you'll miss me/Cos I'm gonna love you too' he says in another song. The restlessness of the vocal style is the very incarnation of the uncertainties of adolescence. The sudden changes of pitch bring to mind the breaking voice of a young teenager, and the way syllables are extended is like an excited hiccupping or stuttering.

This would seem to point to the fact that the human universe of Buddy Holly's music is that of the Everlys and of Jerry Keller, the high school courting code. In a sense it is, but with a crucial difference. This difference is contained in the excited character of the uncertainty the songs embody, in its active nature. The sense of submitting to one's fate that the other singers project is nowhere to be found in Holly's records. Their quality is always one of optimism, of a nervous energy alert to the possibility of transforming a situation. There are very few Buddy Holly or Crickets records where the singer is in a state of rest, having achieved his intention securely.

In some African cultures, says Leroi Jones, words change their meanings by being given different accentuations in speech.[11] It's through a similar process to this that the high school lyrics of the Holly-Petty songs are transformed by accentuations given them by voice, guitars and drums. The lyrics, in any case, are seldom elaborate, and often seem to function merely as the skeleton around which the real body of the music is formed.

Nearly all the best pop music of the sixties has had three common factors: the songs have been penned by their performers, they have exhibited an integration of words, voices and music, and the performers have been inspired by notions of change and progress. The first two of these originate in the records of Buddy Holly and the Crickets. The third factor isn't present in their work, for two reasons. The first is Holly's death in an air crash in February 1959, at a time when he had only just reached the limit of the musically direct and simple style I have described. The second reason lies in the apparent lack of any meaningful direction in which he could have moved in 1959. Just before his death he made a few records using a string section as backing, with moderate success. But at this period pop music was fairly stringently divided into teenage and 'showbiz' music, and the only move that seemed possible was the one that Elvis Presley made, from rock to the middle-brow ballad. It wasn't until the advent of Bob Dylan and the Beatles that this situation was broken wide open.

[11] Leroi Jones, *Blues People*, 26.

8

FROM ROCK TO BEAT IN BRITAIN

By the time rock & roll reached Britain, the phenomenon of young people, as a specific group, making and consuming music was already present in embryo. The particular musics involved were 'traditional' jazz and its offshoot, skiffle.

1. *British Rhythms*

The big band jazz of the thirties was seen by many young musicians as a commercial dilution of true jazz music. Their reaction, at first in the United States and then in Europe, was to revive the music of twenty and thirty years earlier when King Oliver and the young Louis Armstrong held sway in New Orleans. The revivalists were all white men. Young black musicians oppressed by the sterility of most thirties jazz took the opposite direction in breaking out of the impasse; Charlie Parker, Lester Young and others founded 'modern' jazz by transcending all previous musical frontiers.

In Britain revivalist bands grew up in almost every town large enough to have a dozen enthusiasts with adequate supplies of pre-war 78 r.p.m. records. London-based bands led by men like Ken Colyer, Humphrey Lyttleton, Chris Barber and Mick Mulligan toured the provincial Rhythm Clubs and ballrooms. Revivalist jazz in the early fifties became an alternative music for dances and parties to the omnipresent Palais dance bands which had held sway in Mecca ballrooms since before the war. The Palais scene in the fifties is well illustrated by a long dance hall sequence in John Schlesinger's film *Billy Liar*.

The novel *Two Left Feet* by David Stuart Leslie provides a good picture of the traditional jazz milieu. The crowd at the Soho cellar club is composed mainly of students of two kinds. Some have blazers and scarves and look like 'Roger Bannister's brothers', while others are 'all lousy beards and string hair, who never wash and sleep in their gear', the precursors of the beatniks.[1] The book's narrator is a garage-hand and one of the few working-class habitués.

Rock & roll was the first musical development in post-war Britain to make its initial impact through the mass media of communication, and thus reach everyone simultaneously. Traditional jazz, skiffle (and in 1962–3 the rhythm and blues of people like the Rolling Stones) began amongst a minority of enthusiasts and built up followers rather than fans. To be a follower was to make a definite choice as to musical preference, and implicitly (and usually explicitly) to eschew the music provided on the radio and at the local dance-hall. One was in effect ostracised by the entrepreneurs of the leisure sector of the economy, and it was this factor which favoured the tendency for revivalist jazz and skiffle to overlap with left wing politics. No peace march or fund-raising concert was without its full complement of jazz and skiffle bands in the fifties.

[1] David Stuart Leslie, *Two Left Feet*, London 1960, 27.

The overnight success of Lonnie Donegan's record 'Rock Island Line' brought skiffle out of the cellars and on to the television screen. The ostracised music was welcomed into the commercial fold. The commodity-boys had been tipped off to the possibilities of restive and affluent youth as a market, and were ready for rock & roll when it appeared on the horizon.

The first skiffle groups were sections of the jazz bands who played eclectic selections of American folk songs on stringed instruments during the interval between performances by the band proper. It began as an attempt by Lonnie Donegan, Chris Barber and a few others to re-create exactly the music of certain negro folk singers, notably Huddie Leadbetter, or Leadbelly.

> I was swotting along quite happily at school, coming out top in a few subjects when it happened. I heard Lonnie Donegan. 'Rock Island Line' was always being played on the radio then. Donegan was the king. As soon as I heard him, I decided that I was going to be the second Lonnie Donegan.
>
> The first (and best) thing Donegan's influence made me do, was save my money. Out of my pocket money, and doing odd jobs, I soon scraped up the princely sum of £4 19s 6d.
>
> This I invested in a guitar, or what passed for a guitar in those days.[2]

This is from a book called *The Shadows By Themselves*, and the speaker is Bruce Welch. Where traditional jazz had made its impact through its suitability as a dance music, skiffle produced the urge to emulate in large

[2] *The Shadows By Themselves*, London 1961, 41.

numbers of its adherents. And with that emulation came less of a concern for the folk roots that had inspired Donegan than a concern with its rhythmic excitement. The monotonous and forceful strumming of guitars and washboard had a naive and completely unprecedented compulsion.

The speed with which young British guitarists transferred their energies from skiffle to rock on its arrival from America is understandable in terms of their shared rhythmic focus. This counted for more than the apparent contrast between the cheerful homespun folksong and the aggressive popular dance music. There were even some musicians who moved in a short space of time from playing jazz to skiffle and then rock. One was the Shadows Hank Marvin, who got an interest in traditional jazz at grammar school, bought a banjo from the French master, and joined first a jazz band, and then a skiffle group. He describes how the Newcastle skiffle group to which he and Bruce Welch belonged changed gradually into a rock group, first through his own purchase of an amplified guitar and the exchange of tea-chest and washboard for an orthodox bass and drums, and then through Bruce's introduction of Presley songs into their repertoire. All this occurred between the heats of a national talent competition in which the group was competing.

2. *George Formby Lives*

Traditional jazz and skiffle, American in origin, were given a peculiarly English twist by some of their exponents. Jazz bands less concerned with the purity of

New Orleans music took over many dance tunes of the twenties, and many of the bawdier music-hall songs were adapted. The techniques of showmanship developed by many revivalist bands owed more to the humour of the English halls than to that of Mississippi river boats.

This Anglicising tendency was prominent in skiffle too. Lonnie Donegan soon revealed a closer descent from George Formby than from Leadbelly, and reflected it in songs like 'My Old Man's A Dustman' and 'Does Your Chewing Gum Lose Its Flavour (On The Bedpost Overnight)'. And just as the musicians themselves moved easily into rock & roll, music-hall influences permeated early indigenous rock music in England. The early idols, Tommy Steele and Cliff Richard, tended to be scruffy and cheeky rather than menacing or sensual. Royston Ellis describes Steele as 'a chirpy mate making everyone happy'.[3] Steele's first hit—'Rock With The Caveman'—was a novelty song with a curious ambiguity towards rock music at its centre in its choice of primitive men to represent devotees of the music. There is none of the self-assertion of the early Presley involved, and Steele's later career makes it seem that he is basically a popular entertainer in a long London tradition who made use of the available style in the late fifties.

Nevertheless, this 'popular entertainer' approach has been incorporated into English pop music as an element in performing by a number of groups and singers, notably Joe Brown and the Bruvvers, Gerry and the Pacemakers, Freddie and the Dreamers and Herman's Hermits. Something of the music-hall stance has been apparent too in pop song-writing, in some of the Beatles'

[3] Royston Ellis, *The Big Beat Scene*, 49.

Sergeant Pepper LP and particularly in the work of Ray Davies of the Kinks. His willingness to utilise aspects of what might be called the pub-singing tradition, like variation of accent and heavy over-emphasis on certain words, has made his comic songs of social comment like 'Dedicated Follower of Fashion' much more successful than any of the myriad of protest songs thrown up in the last decade. And, in 'Waterloo Sunset', he has composed the only non-comic song to use an English place-name in a haunting and memorable way.

3. *Amplification and Universality*

As well as providing musicians, revivalist jazz and skiffle had produced an audience receptive to rock & roll when it reached Britain. That is, there was a large group of young people who had made the break from the entertainment handed on from their parents' generation through the Palais dance-bands. Rock & roll transformed this group from a series of followers in certain large towns, mainly students and lower middle-class youth (a kind of elite amongst young people in fact), into a self-conscious 'generation', embracing everyone between fifteen and twenty-one. It achieved this through its universal accessibility, both in the sense that it had none of the pretensions to purity of its predecessors, and in the way in which it reached young people, through records, film and television, rather than local personal appearances.

Amplification marked rock's final break with previous music. No skiffle group concerned with fidelity or authenticity ever went electric. The electric guitar is, in fact, a completely different instrument from the acoustic guitar, with very different possibilities. The latter amplifies its sound by resonating notes and chords in its hollow soundbox, giving each a roundness and softening edges. On the electric guitar, the sound produced at the particular fret of the particular string is taken as it is and made louder; there is no soundbox to transform the quality of the sound. There is a stark clarity, instead of the chiaroscuro effects available to the acoustic guitarist, who can get a complexity by playing the same note with different emphases. The complexity available to the electric guitarist lies in the speed of his playing, and in the exploitation of the relationship between guitar and amplifier. By holding the guitar near the speaker, a note can be held for a long period, and a whole range of electronic feedbacks and distortions can be achieved. A new world is opened up to the electric guitarist willing to be mesmerised by, and to explore, his equipment, rather than seeing it merely as something to be used for doing the old things louder or more easily. Journeys to the outer limits of technical possibility by guitarists such as Pete Townshend, Eric Clapton and Jimi Hendrix have been a major factor in the best recent pop music.

Amplification also produces a qualitative change in dance music, a change from 'rhythm' to 'beat'. The electric guitar can't really 'swing', or understate rhythms as the old dance band guitarists did. It maintains a beat firmly and exactly, and in rock & roll codifies the twelve-bar blues sequence into a music of perennial repetition that can have the power of Hindu mantra. The mantram is defined by Allen Ginsberg as 'a short verbal formula like Rolling Stones' "I'm Going Home" or Gertrude Stein's "A rose is a rose is a rose" which is repeated ... over and over until the original thin-conscious association with meaning disappears and the words become pure physical sounds uttered in a frankly physical universe.'[4] The effect of the apparent monotony of rock music on dancers and listeners, the way in which they are caught up in it, is something like this.

Much skiffle had a similar repetitive quality, but it was thin in tone and tedious, whereas the quality amplified had tension and mounting excitement. Just as electronics allowed the player to concentrate the sound he projected (as opposed to its diffusion in the hollowness of the soundbox) so there was a new intensity in the dancing of young people to rock & roll. Its loudness gave it a physical presence not possessed by the earlier musics; the bass notes from a large speaker cabinet in a hall can make the body actually vibrate if one is standing very close to it. With jazz and skiffle dancing, attention was concentrated on the steps or on jiving with the partner. The enveloping loudness of amplified music cuts out all other sound and encourages the tendency for the dancer to empathise with the music. From rock & roll onwards the partner has become decreasingly important, until today it is no longer obligatory for a dancer at a 'progressive' concert to have a partner at all.

4. *Autonomy of the Disc*

The heroic period of the rude rock & roll of Presley and Haley ended with the fifties. What succeeded it was a

[4] Allen Ginsberg, 'Reflections on the Mantra', *International Times*, 13 February 1967.

period in which pop music was centred more than ever on what was happening in the Hit Parade, and on what could be made successful there. Nearly all those who had big hits in the early sixties were people whose first appearance in the pop world had been on the issue of their first record. This was in contrast to the pattern of the rock era when most groups and singers worked the dance hall circuits until their level of popularity and proven competence brought them recording contracts. Most of the 'record stars' of the new period retained public esteem for only a short time, seldom longer than two or three disc releases. Among them were the Allisons, Eden Kane, Linda Scott, John Leyton and the Marcels. Several of them had records featuring some special vocal peculiarity—Linda Scott's toddler voice, Eden Kane's gruff growl and the goofy, scat introduction to the Marcels's 'Blue Moon'.

It is difficult to account for this decisive new emphasis on chart success. It seems that rock & roll of mid-fifties vintage had reached an impasse—the last rock record to score heavily was Johnny Kidd's 'Shaking All Over', one of the very few classics of British rock & roll, in July 1960. Presley was moving in the direction of 'legitimate' popular music with records like the superb 'Girl of My Best Friend', and the man who might have pointed the way forward for rock groups, Buddy Holly, had been killed in a plane crash in February 1959. Rock it seemed had died with him as a creative force, and the big beat appeared to be played out. The new record stars were nearly all solo singers, relying on the professional songwriters of Tin Pan Alley for their material.

The new imperative, Hit or Bust, brought about

greater refinements in the cutting of records. More artifice was now involved in the recording studio since survival in the upper echelons hung on having a hit record. One aspect was the vocal signature of the kind listed above. Other studio refinements were more significant in that they made the song on record something completely distinct from the song performed live. The records of Bobby Vee and Neil Sedaka, for instance, were replete with double or multiple tracking of the voice. On Sedaka's 'Happy Birthday Sweet Sixteen', the second vocal line was almost exactly the same as the one it was dubbed on to, but it gave the record an extra edge of exhilaration, something the cruder echo effects of rock records couldn't manage.

The use of this technique was much more sophisticated on a later Sedaka record, 'Breaking Up Is Hard To Do'. Sedaka sings in definite harmonies with himself in some sections, and in others the 'front' voice sings the lyric while from behind comes the rhythmic 'dum-a-dum-a-dum-dooby-do-dum-dum-' phrase with which the record opens. In a sense all that happens is that one man is doing what it took three- or four-voiced groups to do before, but the effect is entirely different. It is the aural equivalent of the splendour of a hall of mirrors, each distorting in a different way the same image, the man singing.

The key figures in the making of discs like Sedaka's were no longer the songwriters or arrangers, but the producers and engineers attached to the recording studio. The sense of the disc as no more than a *record* of something else (a live performance) had been undermined, and the more experimental of pop musicians have not been slow to realise the significance of the autonomy of the disc. The fact that the impetus for some of the least commercially significant work in pop (indeed some of it has been deliberately anti-commercial) should have come from the very commercial need for novelty to make hit records in the early sixties, is yet another example of the way in which pop music ties together art and industry in a gordian knot.

One obvious effect of double- and multiple-tracked recording was that the sound of Bobby Vee's and Neil Sedaka's records could not be reproduced in live appearances on stage. The nearest that could be achieved was an inferor effect using an amplified echo chamber. Thus when the latest record star to head the Hit Parade toured the country with a package show of six or so singers and groups, his live performance could seldom measure up to the magnificence of the disc. The success of the tour was dependent most of all on the personal magnetism of the star.

5. *Revolt in the Regions*

At any time in the areas outside central London the function of nearly all local pop musicians has been (and remains) to copy and to relay the current popular national record styles to local dance-hall audiences. At these gatherings the fact of having live danceable sounds is more important than what the songs are (though some of the current Hit Parade is expected) or who is playing them. You see very few people standing and watching the local group, compared to the rows pressing forward at a dance hall appearance of a current nationally-known group.

At the beginning of the sixties this system began to break down in some northern cities—Manchester, Sheffield, Birmingham, Liverpool. The songs of the new breed of record stars had little appeal for the local semi-professional groups schooled in the old pattern of skiffle and rock. And in addition, they were often not primarily dance numbers, lacking the emphatic rock beat, and (as we have seen) they were difficult to reproduce satisfactorily for a live performance.

This dissatisfaction was compounded by the fact that the Hit Parade vogues were being decided more than ever before by the web of mass media centred on London. The new generation of musicians had no national contests to enter as Bruce Welch and Hank Marvin had done four years earlier; for groups there were none of the openings to the top that there had been in the halcyon days of rock. In the northern cities they began to turn away from current chart material, some looking merely for dance numbers with more beat, and others, like the rhythm & blues groups who were more idealistically disgusted with the Hit Parade, taking up more of a purist stance. In the first category were groups like the Searchers and the Beatles in Liverpool, and the Hollies in Manchester. In the second were the Alan Price Combo (later the Animals) in Newcastle, the Spencer Davis Group in Birmingham and the Rolling Stones in South London. All played not in the ballrooms and dance-halls, but in cellars and clubs modelled on, and often converted from, the old haunts of traditional jazz and skiffle.

Liverpool was the only place in Britain at this time with its own local music paper, 'Mersey Beat' edited by Bill Harry, a young local journalist. This was an index not only of the sheer volume of pop music activity on Merseyside, but also of the sense of self-sufficiency felt by both musicians and audiences. A further indication of this local allegiance was given when Harold Wilson came to Liverpool to open the new Cavern club in July 1966. Among the crowd were girls with banners saying 'Where Are The Beatles Today? We Don't Need Them. Stay In London'. Other banners were in favour of the Seftons, a Liverpool-domiciled group, unknown beyond Merseyside.

The common denominator of the three hundred or so groups active in the area in 1961–2 was the crucial role of the beat in their music. The necessity of this rhythmic emphasis overshadowed the melody and lyrics on to which it was grafted. Thus, the Beatles' first record, made in Germany, was a beat version of 'My Bonnie Lies Over The Ocean', and when they auditioned for Decca records they played 'The Sheik of Araby' and 'Red Sails In The Sunset'. The 'standards' were transformed into the beat style in much the same way as a modern jazz musician will use a tune from the popular music field as a basis for his playing.

The beat style was something distinct from the early rock & roll of Presley, Little Richard and even Buddy Holly. In that music rhythm had been a continuous strumming on the guitar within the conventional twelve-bar framework. But in the Liverpool beat style, the chord-playing of the rhythm guitar was broken up into a series of separate strokes, often one to the bar, with the regular plodding of the bass guitar and crisp drumming behind it. This gave a very different effect from the monolithic character of rock, in that the beat was given not by a duplication of one instrument in the rhythm section by another, but by an interplay between all three. This flexibility also meant that beat music could cope with a greater range of time-signatures and song-shapes than rock & roll had been able to.

The American influences on the beat style were not, then, those of basic rock & roll. To begin with, they were virtually all black. Apart from Chuck Berry, whose music, as we have seen, owes more to the slick Chicago blues style than to Haley or Presley, none of the black singers whose songs were used by the Beatles on their first two LPs had been in evidence during the rock era. Most were vocal close-harmony groups like the Shirelles ('Boys'), the Marvellettes ('Please Mr Postman'), the Miracles ('You Really Got A Hold On Me') and the Isley Brothers ('Twist and Shout'). They provided such elements as rhythmic contrasts within one song, the repeated instrumental riff, the gradual build-up to a climactic finish in a song, and variations on the call and response pattern of singing, as well as more conventional harmonies.

Another contribution to the beat style was made by the experience of playing in German clubs shared by many Liverpool groups from about 1959 to 1963. Most played for up to three months at a time in clubs along the Reeperbahn in Hamburg. In addition to providing music for dancing, the groups had to develop some form of extravagant showmanship in order to attract and hold customers drifting along the street from one club to the next. They were told by the club owners to 'mak show', and this necessity moulded the aggressive and extrovert stage manner and vocal harmonies of groups such as the Searchers and the Beatles.

6. *Beat and Bubblegum*

The beat music of Liverpool groups answered to a certain demand among young people which the Hit Parade music of the day did not cater for. It was a demand for a communal dance music. Unlike the record stars, the beat groups played simply and rhythmically, and were accessible. The Beatles moved out of this context when they became dissatisfied with songs that contained only simplicity, and when they stopped making personal appearances. But the demand remained, and other groups now perform a similar function. The Monkees, the Bee Gees, the Tremeloes and Dave Dee are amongst them, as are even newer groups like the Love Affair, and the American 'bubblegum' groups.

The latter are of some significance in the field in that they have partially changed the lyric content of beat songs. The early Beatles and the Bee Gees wrote songs whose words differed little in their range of reference from the love songs of the rock and popular music eras. Bubblegum groups, however, have produced songs like the Ohio Express's 'Yummy Yummy Yummy (I've Got Love In My Tummy)'.

The significance of this development is obscure. It may mean that the decline in the average age of beat music devotees (from fifteen or sixteen in the early part of the Beatles' career to about twelve or thirteen now) has resulted in the appearance of a clearly pre-adolescent audience whose tastes are closer to nursery rhymes and candy-floss than affairs of the heart. Or it may be a vindication of the thesis put forward by various public-spirited psychologists that the attraction of the Beatles for young adolescent girls confused by sexuality lay in their anti-erotic, vaguely effeminate appearance. What is clear, however, is that beat music has a secure place in the pop spectrum through its provision of easily assimilable sounds and rhythms for the youngest group of teenagers.

PART 3

One Man's Opinion of Moonlight

'The book you are reading
Is one man's opinion of moonlight.'

Donovan, *Young Girl Blues*

9

NOTES FOR A STUDY OF THE BEATLES

This chapter, and the following two, are written in a much looser form than the previous ones because in them I am approaching the contemporary in pop music. Each of the singers and groups under discussion has work in hand as I write (June 1969). By the time this book appears most of them will have moved forward in ways I could only guess at. For the essence of their approach to their music consists in a restless search for the new.

1. *Continuity*

The first song on the first Beatles LP, *I Saw Her Standing There,* begins with Paul counting in the beat—'One, Two, Three, Four'. The reprise of the Sgt Pepper theme on the LP of the same name begins in the same way. Both songs are concerned with the live performance; the first with meeting a girl at a dance, the second with the band themselves—'We hope you have enjoyed the show.'

There is another link between the *Please Please Me* and *Sgt Pepper* LPs. In recording the first, the Beatles insisted on a complete fidelity to their sound at live performances. There were to be none of the studio effects which were commonplace in the hit records of other singers of the time. (In the event the LP included just one piece of double-tracking, on 'A Taste of Honey'.) The Beatles approached the recording of *Sgt Pepper* with a firm decision that they would not be attempting any re-creation of it in a live performance. They made total use of all available recording techniques. The result was an autonomous disc, not a record of a certain group of songs.

I mention these two observations in an attempt to suggest the continuity which runs through the Beatles' music, despite the diversity of styles and influences apparent in their recordings of the last seven years. The first entails a recognition, at two very different points in their career, of their primary status as musicians, needing first of all to ensure they all start playing at the same moment. And at the same time, the second occurrence of the counting in is a looking back at where they have come from, and a realisation that they have a history. The second instance of continuity involves in each case a kind of craftsmanlike integrity, in that the notion of how the recording should go is followed right through and made the most of.

2. *Creation-Elation*

Before almost any of their songs moves, it delights. Lennon and McCartney seem always to have instinctively distrusted songs whose deliberate aim was to move people, the slow violin-filled sagas of sentimentality. A Beatles song in which there is an inherently sad situation, the end of a love affair, is different:

> I've lost her now for sure, I won't see her no more,
> It's gonna be a drag—misery.

The word 'drag', the energy in it contrasting with the limpness of surrounding syllables, is sung almost with relish. There is present a sort of pride at the ingenuity of finding this word to use in this situation. Colloquially, the force of 'drag' is that of 'bore'. Something that is a drag is tedious rather than unendurable. There is a hint here that the singer's condition isn't as extreme as he might like to think; the choice of language, in 'drag' and 'misery', is a critique of the self-indulgence of self-pity. For the word 'misery' is a distant and abstract term. A song intent on drawing us right in to the emotion would have used 'tears'. Effects like these, and the ever present exhilaration of the vocal harmonies, give Beatles songs a dimension which most pop songs lack. There is always this creation-elation, the consciousness of themselves as performers, delighting themselves and us.

The wider resonance of this elation is suggested in this comment by McLuhan, from *Understanding Media*: '. . . in fun and play we recover the integral person, who in the workaday world or in professional life can use only a small sector of his being.'[1] The attempt to recover the integral person becomes explicit in the music of the Sgt Pepper period, but it's also there as a motivating force behind the earlier songs.

The implications of the Beatles' music are also illuminated by a remark of Philip French's in an article about the film director Dick Lester (who made the two Beatle films): 'What in effect he has is the genius of the greatest popular entertainers. He involves his audience, often without them knowing it, in the consideration of

[1] Marshall McLuhan, *Understanding Media,* London 1964, Chapter 24.

problems and the acceptance of experiences that in other circumstances they might well reject.'[2] The assessment seems equally relevant to the Beatles themselves. In the song 'Tell Me What You See' from the *Help* LP are the following lines:

> If you let me take your heart
> I will prove to you
> We will never be apart
> If I'm part of you.

The pun has the force of a subtle riddle. 'A-part' can mean both 'away from' and 'part as opposed to whole'. And the second meaning can take us down into the dizzy depths of the real nature of the relationship between two lovers. Is one absorbed by the other, becoming a part of the other? Are they equal and separate as individuals? Do they merge into a new whole, a larger single being? On the surface, the mesmeric effect of the pun-riddle in the song hints at these dizzy depths. The sources of this kind of manipulation of words lie in the sardonic distortions of language in John Lennon's books.

'Drive My Car' from the LP *Rubber Soul* shows how in a different fashion the Beatles involve the audience in the way French mentions. This is a song in which a girl who wants to be a star of the screen asks the singer to act as a chauffeur:

> Baby you can drive my car
> Yes I'm gonna be a star
> Baby you can drive my car
> And baby I love you.

[2] Philip French, 'Richard Lester', in *Movie 14*, 11.

In the last verse she has to admit that 'I got no car and it's breaking my heart', and then with a marvellous switch of mood from tears to joy, 'But I've got a driver and that's a start'. Now, from one aspect this is a portrayal of someone unsure of being accepted, who therefore approaches the loved one in an indirect manner, with the offer of a job, before finally having to admit that the promise of work was a deception, and that her real motive was love. But of course this isn't all. The song is like the ambiguous figure in black and white reproduced in R. D. Laing's *The Divided Self*: 'In this figure, there is one thing on the paper which can be seen as a vase or as two faces turned towards each other. There are not two things on the paper: there is one thing there, but, depending on how it strikes us, we can see two different objects.'[3] The other side of 'Drive My Car' becomes obvious if we realise that in a negro blues song the invitation to 'drive my car' would be an open sexual one. In this aspect, the girl's request is a coquettish request to 'come back to my place'. Timidity and brashness are both there, just as the vase and the two faces are in Laing's figure. And in each case the ending is a satisfactory one, emotionally, and no doubt sexually. The song fades out on a chorus of 'beep-beep beep-beep yeah', and one recalls that in J. P. Donleavy's *A Singular Man*, the preliminaries of love-making for the central character and his wife begin with an exchange of 'beep-beeps'.

This song also possesses that dimension of creation-elation, of fun and play, that I've already mentioned. The playfulness comes from the fact that this is a song

[3] R. D. Laing. *The Divided Self*, London 1965, 21.

about a girl intent on achieving fame in the entertainment world trying to persuade the protagonist to give up his steady job ('Working for peanuts is all very fine/But I can show you a better time'), being sung by people who have already achieved that fame. In a fan magazine profile in 1963 John Lennon said: 'My main ambition is to be rich and famous. That's all.' 'Drive My Car' is a playful comment on ambition and love, and these two qualities are ambiguously resolved in the last verse: 'I've got a driver and that's a start.'

3. *Beyond The Love Song*

The Beatles began with the conventional subject matter of the pop song, the wondrous, perplexing or unhappy interaction of two people. The early songs (those prior to the *Revolver* LP) are peppered with pronouns; you, me, she, we, though never they or he. The singles, and the LPs *Please Please Me, Beatles For Sale* and *Help* contain a multitude of songs charting the varied relationship of the loving couple. I find the LPs *A Hard Day's Night* and *With The Beatles* less memorable, because the songs on them seem to have been produced under pressure; the demands of the film in the first instance, and the need to consolidate popular success quickly in the second.

With 'She Said' and 'I Want To Tell You' on *Revolver*, this exclusive focus on the couple is stretched to the limit. The love-lyric's conventional disregard of the substantive dimensions of time and space (a love song is seldom set anywhere in particular), is transformed under the influence of oriental notions of interior consciousness, from being non-dimensional into being supra-dimensional:

> She said I know what it is to be dead . . .
> . . . And she's making me feel that I've never been born.

In the conventional signs of popular song, 'I could just die' is a common rendering of an extremity of unhappiness. But here the cliche-metaphor has been transcended in that the girl claims to have experienced death, something which is intelligible in the terms of 'Tomorrow Never Knows', another song on the LP: 'Turn off your mind, surrender to the Void.' The Tibetan Book of The Dead, from which most of the words of this latter song are taken, describes a journey of self-knowledge into death, the Void, and out again.

In 'She Said', this literal idea is placed next to the colloquial phrase, he hasn't been born yet, meaning he's so naive and ignorant. And the meaning of this phrase gets a new equivocal dimension. We begin to wonder whether birth is just a physical event, or whether it's some spiritual leap into a higher wisdom. Then, a little further in the song comes the line, 'When I was a boy, everything was right.' This tugs us back into the physical temporal dimension in which he is born, and then is a boy and finally the man who is singing the song. The way in which the song moves from one kind of reality to another is like the way the pieces of a kaleidoscope form a new pattern each time you look at them. In the song as a whole, the traditional certainties of the love song's systems of metaphor have become ambiguous and begun to crumble. Standing beside them is a new mode of apprehension, using words (sometimes the same words) in fidelity to a different kind of experience.

The new mode of apprehension is even more in evidence in George Harrison's song 'I Want To Tell You':

> I want to tell you my head is filled with things to say.
> When you're here, all those words they seem to slip away.
>
> When I get near you things begin to drag me down.
> It's all right—I'll make you maybe next time around.
>
> But if I seem to act unkind, it's only me,
> It's not my mind that is confusing things.

The first point to note about this song is its ambiguous status as a love song in the old sense. It could just as easily be addressed to a friend as to a lover, or even to a number of people rather than only one. The 'you' of the song could even be us, the listeners to the record, in which case one meaning of the lyric would be the difficulty of musical communication. And, of course, it's all these. The song is about the attempt at real total contact in any interpersonal context, the attempt at 'making' someone else. A few years back, 'make' had a sexual connotation among some groups of young people. It was a term caught up in sexual competitiveness so that 'did you make her?' meant 'did you go to bed with her?' The meaning here is quite different. It connotes a diffident, tentative attempt to reach someone.

The image I have of that line, 'I'll make you maybe next time around', is that of a fairground ride where the two are continually coming by each other. It could be a bumper car, or the flying horses of the Hollies' record 'On A Carousel', where the singer is also trying to catch up with the girl: 'Nearer and nearer by changing horses'. The place of 'maybe' in this line is perhaps puzzling, as indeed may be the total lack of anxiety about the failure to communicate which the record describes. Indeed, later on in the song the phrase 'I could wait for ever, I've got time' appears, and as it ends George Harrison is repeating the phrase 'I've got time' over and over.

Now this could be the protestation of a patient, faithful lover willing to wait for ever for his love to be returned. But for that kind of feeling to have a place in this song it would have to be expressed by the Other waiting for the singer's communication. What in fact is involved here, as in 'She Says' is a different mode of apprehension of Time from that normal in love-lyrics.

In his book *Myths, Dreams and Mysteries,* Mircea Eliade observes that 'It is only in modern societies that man feels himself to be the prisoner of his daily work, in which he can never escape from Time.'[4] He further notes that over against this there still exist 'the images of a paradisiac island or land of innocence; a privileged land where laws are abolished and Time stands still.'[5] Pepperland in the cartoon film *Yellow Submarine* was such an island, and in 'I Want To Tell You' Time stands still.

In most love songs Time is a dominating factor over the fate of the lovers. It can bring them together, as in the Lennon-McCartney song 'It Won't Be Long' or it can be a factor in separation, as in 'Yesterday'. It precipitates changes in the relationship, and it can never be escaped. But where Time stands still, it no longer equals

[4] Mircea Eliade, *Myths, Dreams and Mysteries,* 37.
[5] *Ibid.,* 33.

lost opportunity or money. The failure to make the other person on this occasion does not matter, though the failure itself is something to be apologised for, and reassured about. Parallel with these two notions of Time, which Eliade calls the 'historical' and the 'primordial', are the two notions of the self—'me' and 'my mind'—which are mentioned in the song. The 'me' is the individualistic, selfish ego which acts unkindly, while the mind is the Buddhist not-self, freed from the anxieties of historical Time.

This leaves one major problem about this song. Despite the emotional serenity (which the sound of the record leaves one in no doubt about) of the breakthrough into primordial Time, there seems to be no gain in terms of clarity of vision. Confusion and stumbling coexist with serenity in the singer. The plenitude of his being which he was on the point of communicating has somehow slipped away, in an inexplicable manner.

'I Want To Tell You', in its serene desperation, incarnates the central paradox of the bliss-consciousness philosophy of the hippy and Maharishi movements, of which in 1966–7 the Beatles were an integral part. For the nature of the new state of being that those movements were intent on entering is by definition incommunicable. It is a transcendence both of the activity of classification, of distinguishing between one thing and another, which is the activity of language, and of all kinds of conflict, from which most songs spring. The ultimate implication of the mystic exhortation to *be* rather than to *do* is the elimination of language and of music, for as the Zen Buddhist dictum says 'He who speaks does not know; he who knows does not speak.'

George Harrison's song is an excellent portrayal of someone entangled in the logic of bliss-consciousness.

4. *Sgt Pepper—The New Synthesis*

Whatever the limitations of oriental philosophy as a way of living, it played a vital role in the musical development of the Beatles. It provided a new and wider perspective on the personal interactions which have always been the prime thematic focus of their songs. It made possible, for example, 'She's Leaving Home' on the *Sgt Pepper* LP. No earlier Lennon-McCartney song has anything like the scope of this song. Nearly all had been concerned with the feelings of just one person, the singer himself, or with the interplay between him and a girl. But here the singer is a narrator, completely uninvolved in the action (something presaged only by 'Nowhere Man') reporting the immediate reaction, and aggrieved self-justification of the parents ('we never thought of ourselves, never a thought for ourselves, we struggled hard all our lives to get by') and, right at the end, stating the simple necessity that impelled the daughter to leave:

> Something inside that was always denied for so many years.
> Bye bye. She's leaving home. Bye bye.

The song is subtly organised with the parents' comments sung by John against Paul's reiteration of the stark fact: 'She/Is leaving/Home', and then the simple statement: 'She's leaving home after living alone for so many years.' The two points of view of the same situation, the inner life of the family, are presented so that their mutual incomprehensibility is clear. The image the song embodies is again that of the figure that is at once a vase and two faces turned towards each other.

This way of presenting a situation from the outside is achieved through the narrator's stance, which is imbued with a kind of objective compassion. This stance, in its turn, derives from initiation into the marvels of the Void and of primordial Time. The initiate can turn and look back on the fraught situations within the world of historical Time with new eyes and a wider vision. There is then a great temptation for him to take up a moralising, didactic posture, and George Harrison and John Lennon haven't managed to escape it entirely.

But the best songs informed by the Beatles' new awareness of themselves as initiates are those in which both the new and the old modes of perception, and planes of reality co-exist in one way or another. I'm thinking particularly of 'Penny Lane', 'Strawberry Fields Forever', 'Good Morning, Good Morning' and 'A Day In The Life'. Within each there is a pattern of conflict and elision between the two modes which is traced out on both linguistic and instrumental levels. And the two modes of perception are resolved in each song by the specific musical (not philosophical) unity of the song. Beneath any role as prophets or teachers Lennon and McCartney retain the basic consciousness of themselves as creative entertainers. The title song and the total conception of the LP *Sgt Pepper's Lonely Hearts' Club Band* make that clear.

The titles of both 'Penny Lane' and 'Strawberry Fields Forever' refer to real places in Liverpool. The sense of a return to origins which their use implies is associated with the most radical stylistic innovations of the Beatles' whole career. In fact the return in 'Penny Lane' is one in imagination:

> Penny Lane is in my ears and in my eyes
> There beneath the blue suburban skies
> I sit and meanwhile back
> In Penny Lane there is a fireman with an hour glass

We see the whole scene from a distance and the absurdity of the routines of everyday life builds up until the final lines, which might almost be a description of a sequence in a silent film comedy:

> Penny Lane, the barber shaves another customer
> We see the banker sitting waiting for a trim
> And then the fireman rushes in
> From the pouring rain—very strange

The feeling of unreality, and the conflicting claims of the two notions of reality have already assailed the pretty nurse 'selling poppies from a tray': 'She feels as if she's in a play—she is anyway.' The brass band instrumental flourishes throughout the song add the final touches to the saga of suburban absurdity.

'Strawberry Fields Forever' also confronts us with a critique of everyday life, but in a contrasting form and manner. 'Penny Lane' has a flowing, expansive movement, with its absurdist vision playing over a wide stretch of urban routine and transmuting a shopping centre into Toytown. The focus of 'Strawberry Fields' is both narrower and deeper because it's a song of introspection, a landscape of the mind not of the world. The verses are tightly coiled spirals of words that unwind slowly, in a series of jerks. The area of concern is that of

'I Want To Tell You', and of 'A Day In The Life'. 'I'd love to turn you on' is the motivating idea of 'Strawberry Fields Forever'.

'Rain' and 'Tomorrow Never Knows' were the only Beatle songs prior to this one whose instrumentation was not immediately recognisable as guitars augmented occasionally by strings, piano or horns. 'Strawberry Fields' itself is filled with a dense bank of sound which does not let up until the coda. At different times, and in different combinations there are layers of drums, cellos, horns, guitar and mellotron, which produces the strangely evocative harmonium-like sound with which the record opens. And even the various melodic lines seem to emerge from a base of a droning consistency of sound, of the kind found in Indian music.

The words have to weave in and out of these shifting walls of sound, as if they are trying to find their way through a maze. The centre they are seeking is the place, and the phrase, where the conflicting notions of reality can merge. Sometimes this seems near:

Living is easy with eyes closed
Misunderstanding all you see
It's getting hard to be someone
But it all works out
It doesn't matter much to me

and sometimes further away:

Always know sometimes think its me
But you know I know and it's a dream
I think er no I mean er yes
But it's all wrong
That is I think I disagree

The voice is distant, constricted and almost hoarse, at times nearly swamped by the waves of sound washing over it. It finishes, the music dies away and then returns with a babble of flutes and, cutting through them, a jarring, insistent guitar chord.

'Strawberry Fields Forever' is not a statement of anything, nor is it a sad or a happy record. Its project is that which Blake spoke of in his 'Jerusalem': 'And the Center has Eternal States; these States we now explore.'[6]

In their contrasts and correspondences, 'Penny Lane' and 'Strawberry Fields' anticipate the range and the underlying unity of the *Sgt Pepper* LP. I haven't the space here to attempt a full discussion of this record, so I shall confine myself to a few general points about it. On its appearance, the LP was carefully picked over by many people in search of the 'real meanings' of the songs beneath their lyric 'surface'. Thus, the initials of 'Lucy In The Sky With Diamonds' were knowingly noted, 'Fixing A Hole' was said to indicate an experience produced by the injection of some kind of narcotic, and the lines 'I went upstairs and had a smoke/Then somebody spoke and I went into a dream' from 'A Day In The Life' were adduced as evidence of ingestion of marijuana. The BBC were so convinced that the latter song somehow condoned drug-taking that they forbade their disc jockeys to include it in their programmes.

It would be possible to produce detailed and tortuous arguments to show that these assumptions were at the very least dubious. For instance, John Lennon stated that the title of 'Lucy' came from the name given by his four-year-old son to one of his paintings, and the lines

[6] William Blake, *Jerusalem,* plate 71, line 9.

from 'A Day In The Life' refer to a man who has just got up, jumped on a bus to get to work, and since on double-decker buses one cannot smoke downstairs, gone on to the top deck. Since he's not properly awake, it's not surprising that he should doze off the moment he relaxes.

These explanations of course have no more innate validity than those of the 'drug-song' explicators. And I'm sure that the Beatles themselves cared as little about these ambiguities as they did about the impenetrability of some of their replies to press-conference questions in their 'mop-top' days. To look for meaning in a genetic sense (in the sense of the origin or cause of the experience) is to mistake the whole nature of the *Sgt Pepper* songs. They are about states of mind and the way 'these States' (in Blake's phrase) irradiate the world outside the head of the singer. To anchor one's response to them to the fact that one way in which the States can be achieved is through drugs, serves only to cushion the full impact of their revelation of the grotesqueness of the everyday life which is the fate of most of us. What matters about 'Good Morning Good Morning' is the nightmarish confusion of time and emotion that it evokes, whose only fixed points are the four pillars of modern life, Home, Work, School and Organised Leisure. Whether it's a drug-song or not is entirely irrelevant.

5. *Nothing That Doesn't Show*

The first record issued by the Beatles after *Sgt Pepper's Lonely Hearts Club Band* included a song called 'Baby You're A Rich Man'. This came out in the late summer of 1967 and addressed itself fairly directly to the hippy and neo-hippy movement. It also showed that the Beatles were aware that they had reached a crucial point in their own musical progress:

> How does it feel to be
> One of the beautiful people?
> Tuned to a natural E
> Happy to be that way
> Now that you've found another key
> What are you going to play?

The hippies were unable, or unwilling, to answer the question. In the light of their subsequent demise the irony implicit in the use of the phrase 'beautiful people' becomes active. The Beatles, on the other hand, holding to their sense of themselves as creative entertainers, had to take the metaphor literally, and to provide answers in their subsequent work. This, at the time of writing, consists of two major projects: the film and records of the *Magical Mystery Tour*, and the double-record LP called *The Beatles*.

The consciousness of themselves as part of an entertainment scene figures very strongly in both. The basic framework of the film was a mystery coach tour, whose journey took in vignettes featuring the songs and several comic incidents. On the double LP, there are several songs referring to, or parodying, the Beatles' own and other pop singers' previous work, as well as 'Honey Pie', which, like 'Drive My Car' deals with show business fame.

From this viewpoint the film was more or less a Sgt Pepper's Lonely Hearts Club Coach Tour and its most successful sequences realised the cinematic possibilities suggested by such songs as 'Penny Lane' and 'Good Morning'. The double LP, however, represents a return to the structure of earlier records in its lack of an overall conceptual unity. The choice of title is significant in its insistence that this is not the Beatles being Sgt Pepper's band, or the couriers of the Mystery Tour, but being *themselves*.

In this self-consciousness, the Beatles have freed themselves from their own musical past, and from any temptation to repeat the sounds which had previously brought them success. One effect of the *Revolver* and *Sgt Pepper* breakthrough had been to free them from what John Lennon at least saw as a domination of the past over the present: 'Close friends knew "Eight Days A Week" was not the right way. It was like the *Help!* film altogether—it was sort of manufactured. We weren't in full control of the film, and looking back, we weren't in full control of the music either.'[7]

The Beatles returns to the loving couple themes of the *Help!* period, but at a new level, with a complete freedom from stylistic preconceptions. In very few of the songs can the unique vocal harmonies and rhythmic patterns that permeated the earlier records be heard. There's no longer any commitment to a particular idea of how a song should go. In some songs, like 'Helter Skelter' and 'Yer Blues', the musical innovations of 'Strawberry Fields Forever', notably the unwavering sheet of non-melodic sound, are brought into play. Elsewhere, in 'Blackbird' and 'Mother Nature's Son' (songs that could have been sung by the 'Fool On The Hill'

[7] *Music Maker* magazine, October 1966, 9.

from the *Magical Mystery Tour*), the basic instrumentation is the acoustic guitar.

Sgt Pepper was the product of a very particular historical moment when the Beatles were able to sing for, as well as to, a large section of young people, the 'new generation with a new explanation' of Scott McKenzie's *San Francisco*. They could, for a short period, transcend their role as performers, and become something more, because of the crystallisation of a fused group[8] of young people on an international scale. By 1968, this group had fragmented, and the Beatles once again were placed in their accustomed stance of creative entertainers. The extent to which they have been able to conserve and to integrate the advances of the 'Sgt Pepper' moment into their later music is not yet entirely clear.

[8] For an explanation of this term see Chapter 3, note 9.

10

MY GENERATION

There are two kinds of pop group. Some, like jazz groups, are formed to realise shared musical ideals, usually one style or another of the blues. Or four or five musicians can be a group before they pick up their instruments. Most of the groups that came out of Liverpool and Manchester in the early sixties were a bit like gangs in the sense that the first loyalty of a member was to the group, while the prime concern of members of Blues Incorporated, John Mayall's Bluesbreakers and the Cream was for the blues as they conceived them. Blues and experimental groups are therefore more volatile and incandescent, always liable to changes in personnel and to dissolution.

The London club scene of the early sixties produced two major groups, the Rolling Stones and The Who. The Stones began as a committed rhythm and blues group, but gradually changed to a less purist stance as their internal valency bonds became more important than the collective attachment to factors external to the group. The Who from the start were part of a youth group, the Mods. They were a gang within a gang, though they have since inevitably lost immediate contact with that particularly sharply-defined sector of young people.

1. *I Can't Get No*

It took the Rolling Stones nearly three years to find their style. Their first record was a Chuck Berry song, 'Come On', taken faster and sung with greater tenseness than the original. For this first stage in their history, the Stones faithfully stuck to material by Berry and other city-style blues singers. But the differences between their renderings and those of the negro musicians were as important as the resemblances. As I have already shown, Berry's music is marked by a notable restraint and economy in both his lyrics and his singing. This laconic quality is entirely absent from the Rolling Stones' recordings of his songs. Some of the versions on the *Bye Bye Johnny* EP and the first LP, as well the renderings at live performances at this time, seem always to be at the point of going out of control because of the tremendous speed of the playing and the enormous aggression of Jagger's singing. What this testifies to is not the poor musicianship of the Stones, but a basic dislocation between the energies they were investing in their music, and the musical form itself. Their aggression and frantic energy were produced by London experiences while the songs were born from Berry's life in Chicago. The disparity between energy and form could only be resolved when the Stones achieved a style in which they could articulate their own feelings and experience in, as it turned out, their own songs.

Before this stage was reached, however, they moved to another negro style, one which was more declamatory and directly emotive. This was the music of James Brown and Solomon Burke, the rougher end of the soul spectrum. Burke's 'Everybody Needs Somebody To Love', half-talked, half-sung and half-danced by Mick Jagger over a repeated instrumental riff, was for a while a climactic moment in their live shows. The LP upon which this song appeared also contained three songs written by Keith Richard and Mick Jagger. Two were fairly undistinguished twelve-bar blues, but in the third, 'Off The Hook', the words seemed less restricted by the form. The music brought the singer's frustration through to the listener with extra force.

This last development was consolidated in the Stones' fourth LP *Aftermath*, all of whose tracks were written by Jagger and Richard. The title suggests that the group themselves saw it as marking the end of a phase in their career, and it was certainly the first Stones LP not to contain any well-tried favourites from their live appearances. All the songs were completely new, as have been all the songs on their subsequent LPs. This was the crucial point of their transition from a rhythm & blues group playing round the clubs to a group whose first concern was recording.

The aggression and frustration evident in the Stones' earliest records has remained the driving force behind most of their music from *Aftermath* to *Beggars Banquet*. The only interlude was the LP *Their Satanic Majesties Request* made in the psychedelic summer of 1967, which now seems to have been only a parenthesis in their career. Unlike the Beatles, the Stones found little nourishment in the philosophy of peace and love. Their attitude is, I think, summed up in 'Something Happened To Me Yesterday', a song suffused with a relaxed sense of humour, which refuses neither to take 'transcendental experience' seriously nor to deny it. At the end of the song Mick Jagger in a gruff policeman's voice says: 'If you're on your bike tonight, wear white.' A comment which marvellously deflates the pomposities of Hindu mysticism.

Frustration and aggression are often turned in on sexual relationships in the Stones' songs:

> Your mother she's an heiress, owns a block in Saint
> John's Wood,
> And your father'd be there with her—if he only could.
> But don't play with me cos your playing with fire

In 'Play With Fire', as in 'Under My Thumb' and 'Out Of Time', the aggression arises from the girl's misconceived idea of him. The violence of his reaction comes from his conviction that he is being manipulated, or is about to be. The reaction is intensified by the fact that in several of the songs the assumption that he won't notice or mind being played with comes from a position of social superiority:

> You thought you were a clever girl
> Giving up your social world
> You think you can come back
> And say you are still mine
>
> (Out Of Time)

The compelling rhythmic character of the song gives an added twist to the idea of the girl being 'out of time'; she's been away so long that she can no longer pick up the movements of the dance.

One or two serious commentators on pop music have been bothered by the obvious excellence of these songs, and by what they see as their 'nakedly proclaimed' celebration of sexual exploitation, and feelings of 'arrogance and narcissism'.[1] They've been driven to rather desperate moralising in order to avoid having to admit that (in their terms) reprehensible sentiments can make good music. They have, first of all, missed the feeling of grievance which gives rise to the arrogance in the songs I've just mentioned, and, in addition, haven't grasped the actual psychological dimension of the human universe that the Stones' songs inhabit. R. D. Laing gives a cogent statement of what that dimension is:

> Love and violence, properly speaking, are polar opposites. Love lets the other be, but with affection and concern. Violence attempts to constrain the other's freedom, to force him to act in the way we desire, but with ultimate lack of concern, with indifference to the other's own existence of destiny.
>
> We are effectively destroying ourselves by violence masquerading as love.[2]

It is violence masquerading as love that the protagonist of a Stones' song is so often reacting to. This is the context of his own aggression and counter-violence. This is the intelligibility of his behaviour, which the music has already convinced us of.

'Out Of Time' and 'Under My Thumb' are songs of triumph, celebrating the singer's success at thwarting attempts to manipulate him. That's why they can both say what they do, and be what they are, ecstatic dance

[1] See the articles by Alan Beckett and Richard Merton in *New Left Review*, 47.

[2] R. D. Laing, *The Politics of Experience*, 50.

music, simultaneously. There's a different feeling to slower Stones' songs, however:

> Dont want you out in my world
> Just you be my backstreet girl

The words of 'Backstreet Girl', by themselves, convey an inexplicable callousness, but, as Michael Parsons points out, what's important is 'the contradiction between the overtly arrogant and patronising words and the gentle tenderness of the melody.'[3] The gentle tenderness is produced in part by particular clusters of chords played on acoustic guitar, clusters similar to those which open an earlier song with melodic gentleness, 'As Tears Go By'. The dogged simplicity of the singing in both songs set off against the greater sophistication of the music (notably the strings on 'As Tears Go By') gives the tenderness an elegiac quality. An elegy is a lament for something lost and irretrievable, and to my ear a feeling of hopelessness pervades both these songs. Consider the almost desperate irony of a pop star singing: 'My riches can't buy everything/I want to hear the children sing', as Jagger does in 'As Tears Go By'. The hopelessness of 'Backstreet Girl' hints at a similar impasse, a necessity forcing him into the arrogant posture he has taken up. The contrast between these songs of hopeless passivity and the insistent dance music of songs describing the singer's activity, such as 'Out Of Time' and '19th Nervous Breakdown', is total.

'Breakdown', like 'Play With Fire', is about a rich girl:

[3] Article in *New Left Review*, 49.

> Your mother who neglected you owes a million dollars tax
> And your father's still perfecting ways of making sealing wax.

She's 'the kind of person that you meet at certain disco-dull affairs' and the singer has already tried to get close to her: 'On our first trip I tried so hard to rearrange your mind/But after a while I realised it was disarranging mine.' These two strands of narrative, her disastrous family background and the unsuccessful relationship between her and the singer run through the song, but they're constantly interrupted by the refrain, which jerks the song back to the present:

> You'd better stop. Look around.
> Here it comes, here it comes,
> Here it comes, here it comes,
> Here comes your 19th nervous breakdown.

'Look around' is followed by a sustained, echoing 'bent' guitar chord, and with each shouted reiteration of 'here it comes', the song builds up to a climax in the last line. The music throughout is driving and relentless, suggestive of the reality which is overwhelming the girl, and reinforcing Jagger's assertive delivery of the dispassionately compassionate words. The lyrics and singing are dispassionate and at one with the music because the world embodied in that music, which overwhelms her, is nevertheless a real world within which he has to survive. His distancing of himself from her in the singing (something Mick Jagger had learnt from Chuck Berry) is a measure of his realisation that she has almost dragged him under with her:

Nothing I do don't seem to work
It only seems to make matters worse for me

It's very important to realise too that the cacophony which brings the girl down at the chorus is very empathetic dance music. This graphically underlines the loss of connection between singer and girl which is one side of the song's complexity.

When the Rolling Stones eventually found their own style and words, they didn't jettison the negro music within which they had been playing up to that time. In fact aspects of the styles of several black singers and musicians form the major part of the Stones' musical vocabulary. '19th Nervous Breakdown', for instance, has, apart from the Berry influence, in the last chorus a long reverberating descent from the top of the guitar to the bottom that comes straight from 'Road Runner' by the blues player Bo Diddley. And the basic structural elements of 'Satisfaction', perhaps the Stones' finest song to date, are taken from the world of black music. The repeated title line 'I can't get no satisfaction' has its roots in a Muddy Waters song 'I Can't Be Satisfied' which the Stones recorded on their second LP. The setting described in part of the lyric is reminiscent of Chuck Berry songs like 'No Particular Place To Go' and 'Maybelline':

When I'm riding in my car
And some guy comes on the radio
Telling me more and more
'Bout some useless information
Meant to fire my imagination

While the way in which 'the slow triplet rhythm of the

opening words . . . goes against and *frustrates* the flow of the 4-time beat'[4] follows the pattern of 'Everybody Needs Somebody To Love'. The song is again a reaction to manipulation, this time by the advertisers who want to give him satisfaction via their cigarettes, shirts and cars. The frustrated energies are sexual but not exclusively so. The soul singer Otis Redding's record of the song, by further fragmenting the rhythm and introducing gasps and grunts into the singing, makes it into a song whose reference goes no further than genital sexuality. Once he's made it with a chick he'll be all right. But the Stones' own version admits of no such easy solution. It points forward to 'Street Fighting Man' on the *Beggars Banquet* LP:

> Yes I think the time is right
> For violent revolution,
> From where I live the game they play
> Is compromised solution.

2. *The Kids Are Alright*

Early in their career, when The Who were known as the High Numbers, they made a record called 'I'm The Face If You Want It'. This was based on a rhythm & blues song, 'Got Love If You Want It', that was in vogue amongst groups following in the wake of the Rolling Stones. The 'Face' of the title refers to a group of London teenagers, the Faces, who were the forerunners of the Mods. 'We call ourselves Mods, but it's not a disadvantage', said The Who's drummer Keith Moon in an interview in March 1965. 'The people who come

[4] *Ibid.*

along identify themselves with us. They look at us on stage and think they're like us.'[5]

It's become commonplace to assert that the upsurge of youth commerce and creativity (as always in popular music the two are inseparable) during the sixties in Britain was classless in character. That this myth has persisted with no factual basis at all is a tribute to the determination shown by the popular press in its attempt to convince its readers that social inequality no longer exists. In fact virtually all those involved in 'swinging London', the photographers, designers, journalists and entrepreneurs of the superstructure of the pop scene, emanate from the middle and upper classes. The proletarian elements are to be found among the musicians upon whom, ultimately, this superstructure is based, and among the mass of consumers, the kids. The Mods came in the main from skilled working-class and lower-middle class families. In the course of an interview published in *Rolling Stone* magazine, Pete Townshend, The Who's guitarist, commented that 'they were the lowest common denominators. . . . They had to submit to the middle classes' way of dressing and way of speaking and way of acting in order to get the very jobs which kept them alive. They had to do everything in terms of what existed already around them. That made their way of getting something across that much more latently effective, the fact that they were hip and yet still, as far as grandad was concerned, exactly the same.'[6]

This last point is central to an understanding of the specific character of the Mods. Unlike the hippies, beats,

[5] *Record Mirror,* March 7 1965.
[6] *Rolling Stone,* 17 September 1968.

Teds and rockers, they didn't use dress as a badge of social disaffiliation. Their appearance seemed to conform to social norms; short hair, suits and cleanliness. But there was something distant and disinterested in the stance they took up towards their jobs. This coolness was something the older people at work and home, whose only way of summing anyone up was by how they looked, found more unsettling than the other youth groups' activities. For the dress of rockers and beats instantly marked them out as objects for hatred or fear. The office boys, typists and shop assistants *looked* all right, but there was something in the way they moved which adults couldn't make out. Tom Wolfe, in an article about the London Mods, makes clear what it was: 'Their clothes have come to symbolise their independence from the old idea of a life based on a succession of jobs. The hell with that. There is hardly a kid in all of England who harbours any sincere hope of advancing himself in any very striking way by success at work. Englishmen at an early age begin to sense that the fix is in, and all that work does is keep you afloat at the place you were born into.'[7]

Five days a week spent in keeping afloat leaves only two for getting out of the water. Having submitted to the prevailing organisation of daily life, the Mods had to accept the absolute division it imposes between work and leisure, producing and consuming. But since they had no inner conviction of the rationality of the division, of the morality of earning the right to two days exhausted freedom by five days exhausting work, their

[7] Tom Wolfe, 'The Noonday Underground' from his book *The Mid-Atlantic Man*, London 1969.

pattern of leisure was exceptionally frenetic; a 'furious-consumption programme which seemed to be a grotesque parody of the aspirations of the Mods' parents.'[8] Because they no longer believed in the *idea* of work, but had to submit to the necessity of it, they were not passive consumers, as their television and light ale elders were. The Mod consumption-system existed in an obscure corner of the youth world, unheralded by the mass media except for occasional sidelong glances by the TV programme *Ready Steady Go*. And what the objects did, the clothes, scooters, pills and music, was to act as a catalyst for a kid's emergence as a Mod. That is, Mods were consumers for whom the object of consumption was to produce active changes in themselves, to produce themselves as Mods, to 'recover the integral person' in McLuhan's phrase. In this attempt, however distorted and confused, to *live* in leisure time whose official function is to provide distraction and relaxation between two working weeks, lay the essence of the Mods' subversive potential.

The concrete embodiments of the Mods' frantic consumption in order to live, rather than just to exist, were pills and music. The one invoked boundless energy and the 'high', the other invoked the dance. Mods were the first significant group of teenagers to break out of the convention that you must have a partner in order to dance. This taboo had been part of a way of life in which dancing was reduced to a polite mating ritual, a modern version of the country hiring fair set in a ballroom. The Mods, says Tom Wolfe 'go into this kinetic trance,

[8] Charles Radcliffe, article in *Heatwave* magazine, July 1966.

dancing by themselves, just letting the music grab them and mess up their minds.'[9] It had been suggested that Mick Jagger's dancing on stage by himself gave the idea to the Mods, but it's certain that the Mod life, concerned only with the present moment, was in complete contradiction to the prudent concern for the future implicit in the 'excuse me may I . . .' kind of dancing.

The Who, to begin with, were the Mods who made the music for dancing, just as there were other Mods who tended to push the pills. The fundamentals of the style they forged then have stayed with them ever since. Almost all their songs rise out of a series of ascending rhythmic cadences, each fading into the next, and each composed of a line of aggressive chord strokes on guitar paralleled by a repetitive, insistent hammering of the drums. Few of the songs themselves explode into a climactic release of tension. This is because The Who have always seen themselves as pre-eminently a 'live' and not a recording group. The release always comes off the record, in Townshend and Moon's guitar and drum smashing exploits at the end of their concerts, when there is no more music.

The effect of pills as well as music on Mods was often to 'mess up their minds', and this phrase aptly characterises the state of the protagonist of a lot of the songs written by Pete Townshend for The Who:

> Circles, my head is going round in circles
> My mind is caught up in a whirlpool
> Draggin' me down
>
> (Circles)

[9] Wolfe, *op. cit.*

The group's first record was called 'I Can't Explain', and later songs like 'Disguises', 'Substitute' and 'I'm A Boy' are imaginative expansions of this theme:

> The simple things I say are all complicated
> I look pretty young but I'm just backdated
>
> Substitute your lies for facts
> I can see right through your plastic mac
>
> (Substitute)

The climax of the group's association with the Mods came with their record 'My Generation', whose scenario is that of an inarticulate Mod addressing the rest of society:

> Why don't you all just f-f-fade away?
> Don't try to dig what we all say

The influence of Eddie Cochran's 'Summertime Blues' (still one of The Who's favoured songs in live performances) on the structure of this song is very evident. Both have an aggressive underlying rhythm which is frustrated by sudden stops and starts, thus creating an overall tension, unresolved in the music as in the Mod life itself. Ironically, this song was a big hit and established The Who as a group with a national reputation and audience, thus loosening their ties with the Mods, who by this time were beginning to lose their impetus, and to disintegrate.

The Who were now musicians who happened to be Mods rather than a Mod group. The musical elements in their style remained unchanged, but there was a new development in the nature of the lyrics Pete Townshend was writing. The earlier songs like 'Circles' and

'My Generation' were evocations of states or else simple statements. He now turned more and more to narrative, to telling a story in his songs. The stories then began to grow in size to encompass first of all several songs in *A Quick One* and then an hour and a quarter long 'opera' in *Tommy*. This development is particularly significant in a group whose main features had been their stage presence and their musical and physical improvisations. It's a measure of the distance of The Who from their audience in this latter phase, when they are reaching most people through recordings rather than live appearances. Nevertheless, everything they record is done in a form which can be reproduced in a live performance, and they have expressed their intention of playing the whole of *Tommy* on future tours.

'To see a world in a grain of sand', wrote Blake, and the opera *Tommy* is a world whose genesis could be found in a grain of any of The Who's early records. Its rhythms and chords are those which I've already described as pervading nearly all the group's records. Their apparent lack of variety has a dramatic significance in that the supple rhythms of the rock tradition represent the vibrations into which all the sounds from the world are translated for the boy who can't see, hear or speak, but only feel. So that when, for instance, his evil cousin Kevin is going through a list of spiteful things he can do to Tommy, the vocal harmonies and the melody are more applicable to a love song. One criterion of the genuinely avant-garde, a critic has recently written 'is the presence in the text of indications on how to read it.'[10] This is given to us in 'Tommy' in the form

[10] *Times Literary Supplement*, 5 December 1968, 1354.

of the song 'Amazing Journey'. It is the only song not attributed to any of the characters in the story, and in addition its lyrics are printed not in sequence with the other songs in the booklet which accompanies the album, but on the album sleeve itself. We can thus assume that it is 'spoken' by a narrator (the group themselves) and that it provides some kind of introduction to the music as a whole. It contains the lines:

> Nothing to say and nothing to hear
> And nothing to see.
> Each sensation makes a note in my symphony

Tommy contains a radically new relationship between the two levels of sound and linguistic meaning which, as I argued in Chapter Seven, together constitute the signification of a record. The meaning of the words represents the speech of the various characters in the story, and the sound of the music expresses the way that speech reaches Tommy himself, as vibrations. It's noteworthy too that the effect of the vibrations represented by music on the boy in the opera is virtually the same as the effect of music on the dancing Mods, when it produced in them a 'kinetic trance'.

Traces of their Mod origins live on in The Who's music, and perhaps it's not fanciful to hear the Mod spirit in the triumphant final song of *Tommy* where the miraculously cured boy has been persuaded to set up a camp to propagate his Truth, but his 'disciples' rebel:

> We're not gonna take it
> Never did and never will
> Don't want no religion

And as far as we can tell
We ain't gonna take you

And Pete Townshend has himself testified to the enduring influence of the Mod experience on him: 'It really affected me in an incredible way because it teases me all the time, because whenever I think "Oh you know, Youth today is just never gonna make it", I just think of that fucking gesture that happened in England. It was the closest to patriotism that I've ever felt.'[11]

3. *I Feel Free*

'A group in fusion is a revolt in freedom, and a conquest against alienation. My freedom recognises itself in my own action and simultaneously in the action of the other. No one is imposed upon.'[12] Jean Paul Sartre's comment illuminates the magical effect of any group, whether it's football or music that they're playing, getting completely together. In pop music over the last few years, the group which has come closest to embodying Sartre's ideal fusion have been Cream, formed in 1966 and disbanded two years later. Each of the three members had previously played with young British groups intent on producing the sound or the spirit of the negro blues.

Two broad styles amongst post-war bluesmen in the United States have influenced young white men. The blues of the older generation of singers, men such as Muddy Waters and Howlin' Wolf, now in their fifties, can very roughly be described as an amplified form of the

[11] *Rolling Stone*, 17.
[12] From Desan, *The Marxism of Jean-Paul Sartre*, 136.

country blues which I briefly mentioned in Chapter 1, modified by the standardisation of rhythm and form necessitated by the change from solo to ensemble playing. The difference between this style and that of younger players and singers such as B. B. King and Bobby Bland is symbolised in the customary second solo instrument that each uses after the guitar. The Muddy Waters group has a harmonica player, while B. B. King's band uses a saxophonist. The singing style of the younger men is also more gesticulative and dramatic. Where an older singer says 'Five long years I worked for one woman/And she had the nerve to put me out', a B. B. King song runs 'I gave you seven children/Now you want to give them back.'

The wave of interest in blues music that swept Britain in 1963, with which the Rolling Stones and the Yardbirds (with whom Cream's Eric Clapton began) were associated, was sustained by the music of the harmonica bluesmen, to use a convenient shorthand term. Four or five years later, a new blues upsurge was based on the music of the saxophone bluesmen, and particularly on their guitar playing.

In his *Urban Blues*, the finest book about any aspect of popular music, Charles Keil, in a long and skilful description of a live performance, shows how B. B. King elides speaking, singing and playing to raise his audience to a high pitch of excitement. Some time back an English blues player, Peter Green, spoke out against the mass of British blues fans who ignore the words and singing of a song and wait only for the guitar solo, expecting dazzling pyrotechnics of the kind Cream's Eric Clapton excelled in.

Green was right in pointing out that the lopsided music that is known as blues among young whites was far removed from the sounds to be found on Chicago's South Side, but he was wrong in thinking that better-mannered fans would accept a full transplantation of the King style. For one thing both groups of negro musicians share is a common area of subject matter. Briefly, this consists of the problems and joys of married working people living in a ghetto where none of the physical necessities of life, work, home, money, are assured. And for white, restless teenagers, who come to blues music above all for illumination, Chicago lyrics have little meaning. If the term 'White Blues' has any significance, it must lie in the hegemony of the electric guitar. For the instrumental aspects of blues are those least anchored in the particularity of ghetto life, and in them the depth of feeling that blues can achieve is most easily accessible to people from very different cultural backgrounds. White Blues has, in effect, torn blues away from any dependence on local reference, both outside the song (in a shared general culture) *and* within it. The guitar solo in a B. B. King song takes its emotional colouring and resonance from the details of the personal crisis described in the lyrics. But when Cream played blues songs, the guitar solo had no point of reference outside itself to relate it to any individual situation or emotion. Intensity was all.

As if to emphasise all this, Cream's first song at their London debut (and the opening song on their first LP) was Jack Bruce's 'NSU':

> Riding in my car, smoking my cigar
> The only time I'm happy's when I play my guitar

It was sung with that soaring, slightly wavering harmony that became Cream's vocal token of recognition. But Cream's most important innovation lay not in song-writing, singing or even in their solo work, but in their ensemble playing. There was an incredible fluidity in the music itself beneath the vocal line, stemming from the fact that they had abolished the time-honoured division of labour between rhythm section behind and lead guitar in front. *All* their music was a kind of collective improvisation between Ginger Baker's drumming, Bruce's bass guitar and Clapton's guitar.

'NSU' wasn't a blues, nor were almost all the songs written by or for Cream, which made up the bulk of their recorded work. There was virtually a complete split between these songs of contemporary states of consciousness, and the extended blues numbers, nominally songs but in fact instrumentals, which dominated their live appearances. As their career developed the length of each blues standard they played grew, until the perfunctory statement of theme at the beginning and end was just a thin shell encasing an extended solo of ten minutes or more which soared away from the theme's structure into a musical world of the player's own. Often the other two would stop playing when a solo was taken, sometimes even walking off stage to wait in the wings for the final necessary return to twelve bars of theme. It seemed at times in the latter part of the group's life that Eric Clapton seemed to be trying to find a way through some barrier he couldn't locate, as if his inherited musical language could no longer contain his aspirations.

The dichotomy in Cream's music between songs and instrumental playing mirrors a dichotomy in contemporary pop music as a whole, although in a few of his records Jimi Hendrix has managed to transcend this split. Blues songs, as we have seen, don't seem to be a vehicle for a union of lyric and instrumental intensity for young white, or even young black, people. The blues tradition has however, in the work of Cream, provided the impetus for the most complete purely instrumental achievement in pop music so far, which can be heard to good effect on the *Wheels Of Fire* recording of the group live at the Fillmore in San Francisco. In the next chapter I shall be considering some of the most complete lyric achievements of pop music.

11

THE HOME WE MAY NOT HAVE

1. *Dylan Down The Line*

It would be possible to see Bob Dylan's career as a contemporary 'rite de passage'. The young man making his way from the harsh Mid-West described in 'North Country Blues' to the City, his shedding of the simple overview of things epitomised in 'Blowing In The Wind' in favour of a tentative exploration of complexities ('My Back Pages'), and further on a virtual disintegration of communication as experiences become overwhelming (the songs of *Blonde On Blonde*). Finally, there is the movement back into the sunlit country of 'John Wesley Harding' and 'Nashville Skyline', whose simpler songs have a new opacity, the fruits of the wisdom he has gained in the journey through the dark City. 'Take a tip from one who's tried', he sings in one of them.

It's an attractive pattern, and one which provides a convenient framework for a discussion of a man who is at once the most important, and the most enigmatic figure in pop music. But once we leave the rather nebulous 'existential' dimension and attend more closely to Dylan as a creator of music, this neat dialectic must be severely qualified. To begin with, the 'country' Dylan has reached at the latest stage of his career is by no means the country from which he set out, geographically or musically. He started recording with a style and an aesthetic derived from the integrity of negro blues, the bittersweet humour of the talking-blues, and the populist stance of Woody Guthrie. It was the end of the folk music spectrum least embroiled in the popular music world. The country music of which 'Nashville Skyline' partakes however is folk music that is now virtually indistinguishable from popular music in its industrial structure; its continuing regional, rather than national, appeal is all that it retains from its folk roots.

A more important point, perhaps, is that the apparently clearly defined stages in Bob Dylan's career are much less easy to define after a careful re-listening to his records. One of the recurring preoccupations of his songs is an awareness of a new beginning, and of a phase of his life ended, to be taken stock of. It animates early songs like 'Bob Dylan's Dream' and 'Restless Farewell', as well as the love songs 'Don't Think Twice' and 'One Too Many Mornings' in which it is a way of life and a way of loving he is leaving, as well as a lover:

> It's a restless hungry feeling that don't mean no one no good
> When everything that I'm saying you could say it just as good
> You're right from your side and I'm right from mine
> We're both just one too many mornings and a thousand miles behind.

All these songs, recorded side by side with the more publicised 'protest' songs, indicate that Dylan is essentially what Jimi Hendrix's tribute calls him, a 'Highway Child'. The image of travelling, and of the hobo, haunts all but his most recent records. Given this, the notion of clearly separated periods as a way into Dylan's work starts to seem unhelpful; especially when one recognises that much of the argument about him in these terms is carried on by people whose expectations have been frustrated by Dylan's restless development. 'Folk music', he told a hostile audience on his first British appearance with amplified instruments, 'was just an interruption and very useful'.

A more fruitful approach to Bob Dylan's music is through a consideration of his influence on pop music, and also of the musical factors within pop that he has integrated into his own expression. At the outset of his career, when he joined the ranks of the New York socially conscious folk singers, he turned his face against the whole world of popular music. The song 'Bob Dylan's Blues' opens with a spoken section: 'Unlike most of the songs nowadays, that're being written uptown in Tin Pan Alley, most of the folk songs that is . . . this song was written somewhere down in the United States.' But Tin Pan Alley could not ignore a singer as popular as Dylan quickly became, and his songs were taken up and made into sweetly-sung hits by Peter, Paul and Mary, Manfred Mann and others. 'Protest' soon became an easily recognised sector of the novelty song category, characterised by the clipped acoustic guitar chording and confident, declamatory singing pioneered by Dylan on 'Blowing In The Wind', 'With God On Our Side', 'The Times They Are A-Changin' ' and others. The songs took a rhetorical resonance from the activities of the civil rights freedom riders in the South during the early sixties, and together with traditional songs like 'If I Had A Hammer' partook of that movement's impetus. Because of this these songs leapt the gap between entertainment and life (they were sung on the freedom marches) in a way that the music of the Beatles and The Who, which I have already described as being co-existent with a social movement amongst young people, didn't. Bob Dylan's 'protest' songs, like the broadside ballads of earlier centuries, were topical commentaries on particular social developments, and paradoxically this strength accounts for the flatness of most of them seven years after they first appeared. They were so much a part of the early civil rights movement that with the decline of that movement the rhetorical force of the songs appears exaggerated and overblown. By contrast, 'North Country Blues', the story of a young woman growing up in Dylan's own native area, the decaying iron mining towns of North Minnesota, retains its power, as does the 'Ballad of Hollis Brown'. Both have a basic narrative pattern lacking in the 'protest' songs, and both depict the causes rather than the symptoms of the American malaise with which Dylan and other song makers of the early sixties were urgently concerned.

Musically, the songs of this period exhibited a simple interplay between the halting, almost stumbling solo guitar and Dylan's angular, strained singing. The voice stands out from the music in a remarkable way, enforcing Dylan's determination to tell it like it is. The changes in his later records stem from the shift in his project from telling it like it is to telling it as it appears to him to be. The musical style of earlier records was built on a fundamental self-assurance and couldn't cope with a less confident approach. The reflexive element in Bob Dylan's songs which came more and more to the fore after the *Times They Are A-Changin'* LP seems to have originated in part from discomfort at the awestruck attitudes of his 'protest' followers. In an interview with *Melody Maker* in 1965, he said: 'Silent audiences don't exactly worry me, but I think a lot more about what I'm singing and playing when they're so quiet.'[1]

In 'Mr Tambourine Man', Dylan sang of a wish to 'dance beneath the diamond sky with one hand waving free', something which the addition of electric guitar, drums and organ enabled him to do. They offered an escape from the constricting imperative imposed by the folk forms he had been working within. 'Tambourine Man' itself has a lightly-picked electric guitar along with Dylan's own acoustic guitar, but even this minor innovation gives the song a fluidity through the guitar's simple pattern of single notes, unobtrusively traced, which shadows the meandering of words blown from the singer's mind like smoke-rings. At the record's opening the electric guitar is dominated by the heavy acoustic chords, but by the close the succession of single amplified notes overlays the rhythm. This song was the first of Dylan's to be assimilated into the rock tradition of pop music, through the Byrds' recording of it, which utilised the full battery of amplified instruments.

The kind of amplification employed by Dylan on *Bringing It All Back Home*, the LP on which 'Tambourine Man' appeared, was not unprecedented in his career. As early as his second LP he had recorded a song, 'Corrina Corrina', which used the same combination of drums and electric guitar to produce a relaxed lyricism

[1] *Melody Maker*, 22 May 1965.

as does 'She Belongs To Me' on the later record. In his 1965 interview he said: 'I was playing with drums before I ever got anywhere', in answer to his purist critics.

Except for one song, 'Maggie's Farm', the rhythmic basis of 'Bringing It All Back Home' was essentially the same as that of earlier records, the crisp strumming of the acoustic guitar. But the restraint and control of that rhythm has disappeared completely from the opening song on Bob Dylan's following LP, *Highway 61 Revisited*. The rhythmic foundation upon which 'Like A Rolling Stone' is erected is not the guitar but the organ. The essential feature of the organ is its ability to hold chords for several notes or even bars. Instead of a succession of clipped sounds there is a constant flow of chords out of which emerge the series of short phrases with which Dylan builds up his images. The singer in electric music of this kind seems always to be a participant in experience, whereas unamplified accompaniment somehow lends a distancing element to the singer, who is an observer or narrator rather than an actor. Certainly there's a new and overwhelming sense of immediacy in 'Like A Rolling Stone', with Bob Dylan singing as he says in 'Mr Tambourine Man', 'With all memory and fate/Driven deep beneath the waves'. The theme of the song, interestingly enough, is the vagrant life and the sampling of it by a wealthy 'drop-out'. It's a return to a constant concern of his, and the titles of the two LPs on which the amplified songs appear both contain the idea of a return, logically so for his new music had its roots in his earlier work, even though the disappointed 'folk' fans were unable to recognise them.

2. *The Idea Of Progress*

Rather than any formal or technical innovation, Bob Dylan gave pop music a new idea of itself and gave its musicians a new sense of the possibilities of the pop song. 'Free', 'change' and 'progressive' were the words most frequently used by the musicians themselves to give that sense. One aspect of Dylan's influence was in the subject matter of songs. The Byrds' record of 'Mr Tambourine Man' was the first to show that a rock song, as opposed to the dressed-up 'folk' sound of, say, Manfred Mann's 'With God On Our Side', could be concerned (in a non-humorous way) with something other than a love affair. That song, and some of the tracks on the Beatles' *Revolver* LP, pointed the way for the extensive genre of songs about events inside one person's head, about dreams, thoughts and visions, that has grown up in the last few years.

The notions of freedom, change and progress which Dylan's entry into the orbit of pop music has given rise to, have gathered extra-musical as well as purely formal significances. Change becomes an existential as well as a stylistic commitment, as in Donovan's 'Celeste':

> Here I stand acting
> Like a silly clown would
> I don't know why
> Would anybody like to try
> The changes I'm going through

And from the vantage point of interior transformation, a new perspective on social reality takes shape, in, for example, 'Eight Miles High' by the Byrds:

Nowhere is there warmth to be found
Amongst those afraid of losing their ground

The idea here is the same as that which Bob Dylan himself tells of in his important song of transition 'My Back Pages', where he sings about things that 'Deceived me into thinking/I had something to protect'. It is ironic that Dylan, whose 'protest' songs left no mark on pop music, should have, in the act of turning away from those themes, indicated a mode of expression for far more radical comments on current ways of life, comments, like that of the Byrds, deriving from a vision of the home we may not have.

3. *Going Back*

The idea of change and development in the music of a particular singer or group is an entirely new phenomenon in popular music. For ballad singers, country singers, blues singers and folk singers there is only one direction to move, to become more proficient in their own genre. Change, in popular and pop music up until the mid-sixties, was something that occurred in terms of trends, not individual performers. While success in the Hit Parade remained an essential condition of survival in pop music, to change style after a hit record was a considerable risk in a sphere geared to the instantly recognisable. In the last five years however, as I indicated in Chapter 3, the grip of the charts on pop music has been broken and the apparently monolithic audience whose attention had seemed firmly focussed on the top twenty has to some degree disintegrated into perhaps three smaller, overlapping groups, large enough to sustain a substantial number of performers of ballads, beat music and 'progressive' music. The upsurge of small independent, relatively specialised record companies, and the much greater increase of LP sales as against those of singles (whose sole purpose is to contend for the charts) bear witness to this development.

The era of the progressive groups began in 1965 and ended in 1969. During those four years nearly all the major performers in pop music ventured to the furthest limits of their creative and musical imagination, and to the boundaries of the form itself. Each reached a point where to progress further would have necessitated silence, or incoherence: the Beatles with *Sgt Pepper*, Bob Dylan with *Blonde On Blonde*, the Rolling Stones with *Their Satanic Majesties Request*, Cream in their final phase. Whatever the philosophical validity of the idea of infinite progress, it has collapsed as a musical ideal.

'Goin' Back' is a song recorded in 1966 by Dusty Springfield and in 1967 by the Byrds, Bob Dylan's most faithful interpreters:

I think I'm goin' back
To the things I learned so well in my youth
I think I'm returning to
Those days when I was young enough to know the truth
A little bit of courage is all we lack
So catch me if you can I'm goin' back

In his *Eros and Civilisation*, Marcuse speaks of 'the specific function of memory to preserve promises and potentialities which are betrayed and even outlawed by the mature, civilised individual, but which had once been fulfilled in his dim past and which are never entirely forgotten ... the *recherche du temps perdu* becomes the vehicle of future liberation.'[2] Bob Dylan, in 'My Back Pages', sees changes in his own outlook in very much these terms:

> Good and bad, I defined these terms
> Quite clear, no doubt, somehow,
> Ah but I was so much older then
> I'm younger than that now

The song, of course, is a self-criticism of aspects of his earlier activity and in one verse the word 'preach' is used to denote the point of view from which he is 'going back'. It heralds the songs of electric guitar and organ, whose sense of returning has already been mentioned.

A further twist in the spiral of return in Bob Dylan's musical career came with the appearance of his LP *John Wesley Harding*. The title track, about a Western bandit who robbed the rich to give to the poor, represents a nod in the direction of Woody Guthrie's ballad about Pretty Boy Floyd, which has a similar emphasis. The Guthrie song, incidentally, has been recorded by the diligent Byrds on their *Sweetheart Of The Rodeo* LP, a post-'Harding' record which follows Dylan in its return to music that has a simple surface. The musical backbone of the Dylan LP is no longer the organ, which was all-pervasive on the *Blonde On Blonde* double LP, but neither is it the acoustic guitar of earlier records. The rhythmic movement of *John Wesley Harding* is dominated by the electric bass which combines the solidity

[2] Herbert Marcuse, *Eros And Civilisation*, London 1969, 34.

that was the main feature of the strummed guitar and the fluidity that characterised the use of the organ.

Several of the songs on this record seem to me to form a cluster in which relationships between people are laid out in a way which makes transparent their roots in the American Dream. The obvious centre of this cluster is 'I Pity The Poor Immigrant', which portrays the immigrant (and every white and every black American is an immigrant) in pursuit of happiness like a man chasing a rainbow. The immigrant who 'eats and is not satisfied' is Frankie of 'The Ballad Of Frankie Lee And Judas Priest', a song whose moral, Dylan sings, is that 'one should never be where one does not belong.' And the immigrant who 'falls in love with wealth itself, and turns his back on me' is the same person addressed in 'Dear Landlord': 'Please don't put a price on my soul'. Songs of Dylan's recorded by other people in the last few years also seem to belong to this cluster. 'Nothing Was Delivered' is on the Byrds' *Rodeo* LP:

> Nothing was delivered
> And it's up to you to say
> Just what it was you had in mind
> When you made everybody pay

In its careful outlining of a pattern of behaviour, and its reticence as to the status of the person being spoken to, the song imperceptibly opens out into a panoramic portrait of a whole way of life indulged in by almost everyone from politicians to encyclopaedia salesmen. Placed against the verses is a chorus of gnomic economy:

> Nothing is better, nothing is best
> Take care of your health and get plenty of rest

Another song with a similar mature economy of expression is 'I'll Keep It With Mine', recorded by Judy Collins and the Fairport Convention:

> You may search at any cost
> But how long can you search for something that's not lost

And this, taken alongside the picture of the immigrant's vain quest, begins to reverberate even more. These later songs of Bob Dylan's can have the depth and opacity of proverbs, for they delineate not so much particular experiences (as the organ-based songs often do) or particular social ills (as his 'protest' songs did) but a pattern or structure that runs through many disparate areas of life, personal and public. The last quotation above could refer to the way in which people have in the past scrutinised Dylan's songs for 'meanings', as if what he means is something different to what he says. To search for a meaning of a Dylan song is to look for something that's not lost. Yet though the sense of a Dylan song is not somewhere behind the lyrics, it is possible not to realise how far he sees in each song. To suggest this width of vision what's needed is less elucidation of individual songs and more juxtaposition of songs, so that they illuminate each other.

A long time ago Bob Dylan said firmly that he wasn't to be put down as a 'man with a message', although his wishes have been ignored many times since. He's been denounced as a renegade by the political left and his songs have been hailed as narcotic serenades by hippies. But while it would be impossible to condense his songs into a slogan of the right length for a banner, it is evident that his recent songs have a common coherence that could be said to be political in the sense that it encompasses many corners of contemporary life from a distinctly quizzical viewpoint. But Dylan's politics (if that's what they are) connect with none of the available varieties of political action. They see too far for that. If a tentative indication of the nature of the human universe his songs inhabit were required, it might be found in Norman O. Brown's conclusion to his *Life Against Death*, that the whole social and cultural edifice originates in a displacement of libidinal energy from its true object, the human being.

If Brown's notion is relevant to Dylan's most recent music, one thing it does throw light on is the relationship between *John Wesley Harding* and *Nashville Skyline*. The contrast between the obviously 'significant' songs of the former and the 'conventional' love songs of the latter have led to speculation that the second LP is Bob Dylan taking a musical day off. The world of the immigrant as portrayed in the *Harding* songs conspicuously lacked human love, the concern for oneself and other people as ends rather than as means to an end. It is precisely this in its most customary forms that is celebrated in the last two buoyant songs on *Harding*, and throughout *Nashville Skyline*. Bob Dylan means what he says in 'I Threw It All Away', and he's earned the right to such simplicities through the vicissitudes of his recording career.

The liaison between Dylan and country music indicated in the title of *Nashville Skyline* needs some comment, especially as certain of the Californian groups have also gone very deeply into this hitherto neglected sector of popular music. It's a term that covers several differing styles but for our purposes we can crudely divide the contemporary popular country music with its fully commercial promotion and distribution (and it's this music, not some 'folk' country music that pop singers are getting into) into two kinds, by temperament rather than style or form. They could be briefly described as 'farmer's' and 'cowboy' music.

The basic clash of interest and of temperament between farmers and cowboys, usually in their function as cattle-herders, has been dramatised in many Western films. The farmers are keen to fence in land and want stability and are decent and hard-working. The cowboys are wild wanderers, looking for excitement and adventure. The difference between the music of Jim Reeves on the one side, and Dylan's confederate Johnny Cash on the other, is something like that farmer/cowboy contrast. To be more specific one could set Cash's 'Fulsom Prison Blues', full of a fury at being behind bars or Dylan's own 'Drifter's Escape' against Merle Haggard's 'Life In Prison', whose singer bemoans the fact that he hasn't been punished enough for his crime. The cowboy-hobo-drifter tradition of Jimmie Rodgers, Hank Williams and Johnny Cash is the country music towards which Bob Dylan, who is alone among the major figures in pop music in having no substantial negro element in his amplified style, has gravitated. And country music, it should be recalled, had as much to do with the emergence of rock & roll as negro music. It is only recently that pop performers have fully realised how much they owe to it.

4. *Pop Music and Revolution*

The kind of sideways critique of social reality that emerged in the songs of the Byrds and others influenced by Bob Dylan and by psychedelic transformations of consciousness (see above, section 2) has developed in the last few years to the stage where some pop groups are now drawing explicit connections between their music and ideas of social revolution. Thus an English group, The Deviants, has recorded songs with titles like 'Let's Loot The Supermarket', and an American group, the M.C.5 from Detroit, open one of their records with a shouted quotation from Eldridge Cleaver, the Black Panther leader: 'Are you going to be the problem, or the solution?'

There are two senses in which a popular song could be described as revolutionary. An example of the first would be the Marseillaise in the 1790's, a song written out of a particular political revolution and sung by revolutionaries. Otherwise, 'the poems and the songs of protest and liberation are always too late or too early: memory or dream.' (Marcuse)[3] For the Deviants' song to be revolutionary it would have to echo through the streets and not through the grooves of a gramophone record, where it can only function as memory or dream. This is not to suggest that dreams cannot become revolutionary, but for this to happen they must, as the Surrealists used to say, be translated into reality. The trouble with the 'revolutionary' pop groups is that they seem to think that the crucial translation can be achieved through music which, in the final analysis, is defined by,

[3] Herbert Marcuse, *An Essay On Liberation*, London 1969, 33–4.

and confined within, the commercial structures of the society to which they are opposed. Occasionally, this contradiction between their professed intentions and the social conditions of their existence can be cruelly exposed. When a revolutionary action group in New York's East Village decided that the Fillmore Ballroom, run by hippy businessman Bill Graham, should be open to the whole community for a free concert by the M.C.5, the group, bound by contract, had to play on Graham's and not their co-thinkers' terms.

The second way for a song to be revolutionary is through its relationship not with social conditions or political slogans, but with other songs. The songs of Bob Dylan which broke open the conventions of pop lyrics, by showing that anything can provide the subject for a song, are revolutionary in this sense. Similarly, the work of the Mothers of Invention, led by Frank Zappa, is marked by a mastery of a variety of current and outmoded pop styles which is brought to bear on the 'social comment' themes of many of Zappa's songs.

The Mothers come from Los Angeles, the fastest growing city in the USA and the biggest parking lot in the world, and they embody one kind of young generation reaction to the civilisation of Southern California. The other reaction is represented musically by the Beach Boys and Jan and Dean, whose records in the mid-sixties sang the praises of the surfer, drag-racer and kart-fan. With their exhilarating harmonic acrobatics, they were the Everly Brothers a generation on, in terms of their relationship to the world of the high school. The Mothers, in their turn, have made use of high school harmonies featuring falsetto, but in very deliberate ways. They maintain an affectionate but critical distance from the high-school ethic either by making the singing slightly over-zealous or by the introduction of lyrics which transgress the convention, like the line 'I don't even care if you shave your legs' on their earliest LP. But their records cannot be classed as merely satirical, since rock music is their means of expression, as well as part of the target for their attacks. To some extent their re-making of the fifties high school music is an attempt to disentangle a felicitous medium from its less attractive message.

The most incisive of the Mothers' records is *We're Only In It For The Money*, in that it combines a devastating onslaught on both the parents of America and the hippy backlash with a radical development in the use to which the forty minutes of the long-playing record can be put. The prevailing idea of the long-playing record had been that it was merely a collection of a dozen songs of the kind that appeared on the single records contending for a place in the Hit Parade. With their *Sgt Pepper* LP, the Beatles modified this by cutting out the gaps between songs on the record, so that the music was continuous. Frank Zappa took this development a stage further by conceiving of the LP as a whole towards which each recorded item would contribute. The songs on the record emerge from whispered comments from the recording engineer, speculations by the musicians on how they will spend their royalty checks, laughter, snatches of old surf music, a telephone conversation and electronic storms. The listener is never allowed to forget the context of the production of the songs, the recording studio and the commercial scaffolding of pop music. Because of this the sense of incongruity that accompanies most songs taking up a radical stance, yet relying entirely on commerce for their active life, has been undercut. Aware of the paradox, Zappa straddles it smiling enigmatically, echoing Walt Whitman's famous comment: 'I contradict myself? Very well, I contradict myself.'

It is partly our awareness of the exact status of what we are listening to that gives Zappa's lyrics a force unmatched by the more voluble 'revolutionary' songwriters. For by integrating into the very sound of the disc references to its origins and its nature, Zappa is, at the moment he reminds us that this is a pop record, making it into something other than a pop record. For one essential prerequisite of any disc is that its music soars far away from its lowly genesis in the economics and techniques of the recording industry, and takes the listener with it. The lyrics of *We're Only In It For The Money*, however, are also consummate examples of the fluent and direct style that owes so much to the work of the Beatles. The words, phrases and lines are short, and the rhymes come closely together:

> What's the ugliest part of your body?
> What's the ugliest part of your body?
> Some say your nose, some say your toes
> But I think it's your mind.

This is sung slowly with a vocal harmony that oozes sentiment. It is immediately followed by a swift, guitar-based section in which a single voice makes the following statement emphatically but without rhetoric:

All your children are poor unfortunate victims of systems beyond their control
A plague upon your ignorance and the grey despair of your ugly life

The sudden transition is characteristic of the whole record, and it gives this statement in its context, and with its musical backing, a denunciatory force that approaches similar effects in the poetry of Blake and Whitman.

We're Only In It For The Money also contains one of Frank Zappa's few evocations of a future worth being part of, of a home we may not have. This is a catchy teenage tune called 'Take Your Clothes Off When You Dance'. Its opening, and its closing lines will give some idea of its character:

There will come a time when everybody who is lonely will be free
To Sing and Dance and Love . . .
. . . Who cares if you're so poor you can't afford
To buy a pair of Mod A Go-Go stretch elastic pants
There will come a time when you can even take your clothes off when you dance

It is worth noting that the dance, whose innately subversive quality was discussed in Chapter 4, figures strongly in this utopian picture. The simplicity and familiarity of the musical style of the song is significant too, in its contrast with the visionary intensity that swirls through most of the attempts by the psychedelic school to achieve a similar end.

A further instance of a song whose revolutionary aspect derives from its re-structuring of the idea of what a pop song can be is *Laughing Stock* by the Californian group, Love. Unlike the conventional record it is not a 'finished' item, with a definite and neat beginning and end. It opens with a voice saying 'Do you like this?' and some laughter before the acoustic guitars swing lazily into action. At the close, the instruments stop playing one by one, as if the musicians had become tired of playing, until only the bass guitar is left. It carries on for a few notes, and then stops in mid-phrase. What we have here is what must actually happen in a recording studio when a fade-out ending for a disc is being done: after the bars which will be gradually faded on the final record have been played, the musicians' role is completed, and they cease playing in an uncoordinated way. Rather like the Mothers of Invention, Love leave traces of the particular circumstances in which the record was cut.

Between 'start' and 'finish', the disc has two definite sections. The first is sung in a somnolent way by several voices, accompanied by lightly played guitars:

> Here we are, our hands are all untied
> We'd rather walk than ride
> Than ride and ride and ride ride ride
>
> There you stand, your eyes are in your head
> You should have stayed in bed
> Oh Fred in bed and ride ride ride

The effect of this is rather like Bing Crosby's inebriated classic, the 'Whiffenpoof Song'. The way it moves from line to line seems to be through a search for suitable rhyme words, in a kind of parody of Tin Pan Alley lyrics of the 'moon/june' variety. One has the impression of a group rather unwillingly herded into a studio to cut a disc with market potential responding by producing a song of absurd meaning but conventional form. Perhaps some of the words even hint at this.

There's an abrupt transition from the hazy, dreamlike quality of that part of the disc to the next, in a series of chords struck in quick succession in a staccato fashion, on the guitars and drums of a fully amplified group. The music drives along on the basis of a simple but buoyant sequence of chords, matching the lines of the lyric, most of which begin with the words 'keep on'. Some, like 'Keep on telling myself everything is gonna change' and 'Keep on hiding myself away from everything', express the singer's sense of the world. These are a classic pair of responses of someone to an alien environment. Things are so oppressive that they cannot but change, and then when they don't the only thing to do is to try to escape from them. The final lines of the disc are:

> Keep on playing my drums
> Keep on singing my songs
> Keep on doing all the things that I shouldn't have to do

This self-consciousness, the consistent emphasis on their own status as musicians or as entertainers, is something that has been noted in the work of many of the performers discussed in this book. In an important way, it is almost impossible to make pop records of radical significance without a perspective of this kind. For without a recognition of the role and the limitations that the industrial structure of pop music necessarily forces upon him, a pop singer or musician will almost certainly over- or under-estimate the potentialities of the medium. To wrench Hegel's famous dictum out of its context, it could be said that freedom in pop music consists in a large measure in the recognition of necessity.

At one point in his *Essay On Liberation*, Marcuse lists certain modern cultural developments, including blues and jazz, and says of them:

> ... these are not merely new modes of perception reorienting and intensifying the old ones; they rather dissolve the very structure of perception in order to make room—for what? The new object of art is not yet 'given', but the familiar object has become impossible, false. From illusion, imitation, harmony to reality—but the reality is not yet 'given'.[4]

This is also, to some extent, the situation of some of the best contemporary pop music. The discussion of the music of the Cream in Chapter 10 focussed on the group's dissolution of received forms and their limitations, in favour of a style whose unlimited freedom never quite found a 'new object'. Dancing too, in its empathetic aspect which is widespread at the present time, embodies above all that dissolution of the old structures of perception.

Related to Marcuse's observation is the idea implicit in the title I have given this chapter. This is that pop music can contest the prevailing organisation of life in our society not so much through what it says (ie 'Let's Loot The Supermarket') but through *how* it says it (the

[4] *Ibid.*, 38.

Mothers of Invention and Love frustrating our expectations of what a disc should be). In differing ways, the music of each of the performers considered in this section of the book can be 'how we most/deeply recognise the home we may not have'.[5] The word 'may' here is deeply ambiguous; it could give the whole phrase the sense of a way of living (the 'home') that is impossible to reach, or one which we are prevented from reaching. It is in this second meaning that the crucial relationship of some pop music to 'revolution' is articulated. To put it another way, this music successfully reverses a statement of Lenin's that Jean-Luc Godard is fond of quoting: Ethics are the Aesthetics of the future. For the aesthetics of Bob Dylan, the Beatles *et al.* could conceivably provide a basis for the ethics of a future such as the one Marcuse foresees, whose dominant qualities would be such things as play and harmony.

All this of course does not mean that pop music can of itself break down the rigid division between meaningless work and the passive consumption of 'leisure' imposed by present day society, especially since it is rooted in that very division itself. But it can hold in suspension within itself qualities which could take a real part in social existence after a drastic alteration of the organisation of life. And that alteration, if it included the destruction of the notions of work, leisure and money as we know them, and liberated the imagination from the ghetto of Art (as opposed to life), would almost certainly entail the abolition of pop music as it now exists.

[5] From the lines by J. H. Prynne which form the epigraph to this book.

Until such a revolution is made, pop musicians, however subversive their vision, cannot transform the fundamental conditions under which they work. Mick Jagger tells it like it is in 'Street Fighting Man':

> But what can a poor boy do
> 'Cept the same old rock and roll thing
> For sleepy London town is just
> No place for a street fightin' man

PART 4

Conclusion

12

TOWARDS A THEORETICAL FRAMEWORK

1. *The Medium and the Method*

Popular music is one area in which 'the general tendency among specialists to extend their limited concepts to a totality beyond their scope' (Adorno)[1] is particularly evident. Most attempts to 'deal with' it lose much of the energy because they come at it with what one historian of ideas has called 'prodigious synecdoche';[2] that is, they persist in seeing the whole in terms of one of its parts. Literary critic, musicologist, folksong historian, cultural sociologist, each defines and isolates 'pop music' in his own way, as a scientist isolates a virus. This is natural, since each specialist is used to seeing music as something separate from 'everyday', 'ordinary' or 'actual' life, as culture perhaps, or art, leisure or recreation, or even as production and consumption. This last approach, the conventional marxist one, is in a way the best of them, since its first concern is to establish connections between pop music and the whole society. In fact, the best parts of the most rigorous attempt to get at the music, Adorno's 'On Popular Music', are animated by a marxist eye for the parallels between the reactions of

[1] T. W. Adorno, 'Sociology and Psychology', *New Left Review*, 46, 73–4.

[2] Stephen C. Pepper, *World Hypotheses*, Los Angeles 1942.

listeners to music and the situation of most people in other sectors of society. But even Adorno, by rejecting, in his notion of 'standardisation', the possibility of a critical approach to individual songs, reduces the music to a bizarre sector of the economy.

A further pitfall awaits observers whose instinct is to place pop music among what they know as 'the arts'. In European culture, as I argued in the opening chapter of this book, art is always a definite relationship between the maker, his product which is clearly separable from him, and his audience. Each artistic event must contain some artefact over and above the performer and the performance, and ideally this third thing (the 'piece' of music) should be readily transformable into a commodity suitable for commercial use. The music of most non-Western cultures, notably that of the American black people, is, I suggested, indifferent to the making of artefacts.

It is essential for someone undertaking a study of pop music to realise that elements of both folk and art music are involved. The gramophone record is the actual embodiment of this ambiguous situation, since it is at once a commodity-artefact in the 'artistic' sense, but also a concrete, particular performance, unlike sheet music, which is merely the abstract blueprint for a performance. The consequence of this is that there are many important factors in a pop record (tone of voice, vocal embellishments, use of echo effects, for instance) which could not be written in the conventional notation employed by composers of art-music. These could very well be disregarded by someone approaching pop music thinking that it is fundamentally the same as art-music.

Similarly, looking at songs through a conceptual system moulded by literary studies can lead to an underestimation of musical and vocal elements, and a distorting emphasis on the words. Because this whole problem of a non-reductionist approach to pop music is such a novel one, the present work itself has not been able to avoid some of the faults mentioned above. But if it hasn't been able to supply a set of answers, it has, I hope, managed to suggest the questions which require attention. In the rest of this chapter I want briefly to draw together the various general issues raised at different points in the book.

2. *The Structure of the Contradiction*

Adorno's article about popular music neglects one vital aspect of the subject, which the marxist concept of the dialectical structure of social phenomena in capitalist society, their dual potential for liberation as well as domination, for the future as well as the status quo, illuminates. This fundamental contradiction at the heart of the music, which is the ultimate source of its explosive energy, has been clearly indicated by a more recent marxist writer, Ian Birchall:

> One basic error is to see pop music as a 'product'—either of commercial machinations or of the pure aspirations of youth. In fact it is (like any art-form in a commercial society, only more so) squeezed out between two conflicting pressures. On the one hand the publishers and manufacturers, geared to the obsolescence principle, constantly promote new crazes. On the other, working class youth seek a medium to

> express their experience in modern society. A well-plugged song has more chance of succeeding than an unplugged one, but its success is far from inevitable.[3]

As Birchall says, pop music experiences the contradiction in a particularly intensified form, and one result of this is that the role of commerce is more nakedly exposed here than in other cultural forms, like the novel or painting. The musicians themselves are forced to take account of it in one way or another. Some take up the stance of the cultural industrialists and decide that they must 'give the public what they want', and repeat the successful formulas of the past with sincerity. Others insist that they are 'artists' or 'revolutionaries', and ignore the distasteful commercial aspects of pop music. Each of these is a form of false consciousness, an inability to recognise both the potentialities and the limitations of the situation. I have tried to show in several places in this book that there is a third section of musicians who are in some way aware of the real nature of their position, and that much of the best recent work in pop music has come from people with this awareness, be it intuitive or explicit. The factor of 'self-consciousness' in the songs of people as far apart as Cole Porter and Frank Zappa is one expression of the third stance.

It is because of pop music's essential contradiction that we can approach songs in an evaluative way. If pop songs were like advertising jingles, and owed their existence entirely to the requirements of the economy, an evaluative attitude would be unnecessary. But even

[3] Ian Birchall 'The Rhymes They Are A-Changing', *International Socialism*, 23.

when a pop song has formal features identical to those of the jingle, the fact remains that it is selling nothing but itself. And since (as we saw in Chapter 1) the cash-nexus is fundamental to popular entertainment in our society, every performer from Charlie Chaplin to John Lennon is 'selling himself' in every performance. Needless to say, this factor makes no necessary difference to the quality of the performance.

Before going into detail about the examination of individual songs and records, however, a few comments are necessary on the industrial structure within which pop musicians must work. Three different but interlocking levels can be distinguished here: the fundamental network of relationships between producer, disseminator and audience, the sequence of innovations in techniques of production and distribution and the specifically commercial organisation of pop music.

Central to the first level is the cash-nexus which binds performer and audience. Its implications have been examined at several points in the book, notably in Chapter 1, and therefore need no reiteration here. The importance of the second level, that of the various media by which music is transmitted, in determining the shape of popular music, is something first recognised by Marshall McLuhan. His central contention that print media are being superseded by electronic media, which make very different demands on our powers of comprehension, seems to me to be incontrovertible, and in Chapter 4 in particular I have tried to show how different media change not the content of music, but that content's mode of presentation. That chapter is, to some extent, a gloss on McLuhan's celebrated aphorism that 'the medium is the message'. For the 'message' of a song, its impact upon the listener, is not merely a story or a theme. It is also the way that story is told. Much of the misunderstanding of McLuhan's idea by literati stems from a simplistic notion of the relationship between 'form' and 'content'. It is assumed that he is arguing that the former dominates the latter, in a crudely deterministic way. In fact, in pop music at least, no such separation of 'form' and 'content' is really possible. To say that 'She Loves You' is the dramatisation of an attempt at reconciliation via a go-between, and that the form used is a three minute song with guitars and high-pitched vocal harmonies, is to tell us nothing about how the record works as a totality. Anyway, the difference between a newspaper story and a song lies not in content, but in the way that content is expressed. In pop music, the ways of expression are to a great extent given by the media through which musicians must communicate.

It is true of course that as soon as he strays from a concern with the immanent characteristics of media, McLuhan begins to see media as the motive force of history. In this he is as guilty of 'prodigious synecdoche' as the more orthodox specialists mentioned at the beginning of this chapter. For he refuses any autonomous power to the social and economic structure within which the media must function. That structure constitutes the third level which contributes to the formation of popular music as the given necessity for the creator.

At different times, the commercial determinants of popular music have been either concentrated or dispersed. A concentrated period is one in which survival in popular music depends on success in one narrowly-defined sphere, whose focus is the Hit Parade. Such a period was marked by the early years of the talkies and of the centralisation of ownership of media in the USA, as described in Chapter 4. A similar concentration was evident during the first decade after the rock & roll revolution of the mid fifties. The tyranny exercised by the charts is characterised in the exposition of Sartre's analysis in Chapter 3. This tyranny is not operative in a period when the music industry takes a dispersed form and it is possible for a variety of styles to maintain themselves side by side. The earliest years of Tin Pan Alley, prior to the development of the *mass* media of radio and the record which enabled a national audience and market to be unified for the first time, constituted a dispersed era. The current situation of pop music is also dispersed, and has allowed a luxuriant proliferation of modes of music that would have been unthinkable five years ago. It seems clear that the phenomenon of performers willing to experiment with and change their own style in mid-career (I'm thinking particularly of the Beatles and Bob Dylan) has engineered this loosening of the Hit Parade's grip. It is difficult to see how this situation of dispersal can be reversed in the foreseeable future when one considers that not only is the proportion of young people in the total population of Britain and the USA growing, but also 'older' generations of youth (those over 21) are not relinquishing their involvement in pop music. Performers are no longer constrained by the pressure to conform to the rigorous and stultifying demands of the charts.

3. *Songs and Signs*

In a sensitive but brief article called 'Listening to Popular Music'[4] written as long ago as 1951, David Riesman discusses two methods of gauging the effect of the music on its audience: the study of the material itself, and questioning the listeners. He commends Adorno's article as an example of the first and mentions the main problem with the second as the tendency of listeners to respond with verbal stereotypes to enquiries about their reactions to music. Riesman suggests the development of some equivalent of the Rorschach ink-blot test used by psychologists to circumvent this difficulty.

The examination of semiological method in Chapter 7 was centred on a quotation from Roland Barthes which also juxtaposed these two approaches, to the work in itself and to the audience, but in a different way. Semiology conceives of a sign (any element of communication from a traffic light to an item on a menu) as composed of a signifier and a signified. In the sign the signifier (red on the traffic light) expresses the signified (the command 'stop'). Each system of signs constitutes a particular language. But music seems to present certain problems, since a sequence of notes or chords will have no commonly-agreed, self-evident signified. Barthes comments that one way to try to locate a signified would be to submit a list of possible emotional or descriptive reactions to listeners, a kind of Rorschach test in fact.

[4] Reprinted in *Mass Culture*, ed. Rosenberg and White, 408–416.

This seems rather a hasty admission of defeat. To begin with, some musical styles, especially in the areas of popular music most dominated by the Hit Parade, evolve a series of conventions so hypostasised that they gather very specific emotional meanings, The use of soaring and dipping banks of violins to suggest the overwhelming (in the literal sense) character of experience in slow sentimental ballads is one such convention. And also with songs, as I argued in Chapter 7, the meaning of the words provides an invaluable key to the significances of the various sounds on the record.

In its concept of the sign, semiology provides an invaluable means of avoiding the partial approach to pop music as primarily literary or primarily musicological (that is, the subordination of music to verbal meaning or vice versa) by producing a category into which each element of a record can be subsumed on equal terms. In addition, the relationship between expression and thing expressed it introduces could function as a stable framework around which ordered and fruitful dialogue about individual songs might take place. Finally, semiology is concerned to discover the structure of a song rather than its 'content', and by doing so can help to reveal the mode of perception and the human universe that animates the song. For in pop music it is what the creator makes of the reality he takes that is crucial, not what actual pieces of reality he puts into his song. Or as the old popular song says: 'It ain't what you do/It's the way that you do it.'

The problems involved in developing a semiology of pop records along these lines will doubtless be large. Some idea of the complexity of the whole field is given in Peter Wollen's *Signs and Meaning in the Cinema,* but Wollen's success in applying semiological ideas to films suggests that the effort to found a systematic study of pop discs would be worthwhile. The work in this direction that has already been carried out at the Centre of Mass Communications Studies in Paris, and the analyses of Charles Keil in his *Urban Blues* might provide the starting point for such an attempt.

SELECTED BIBLIOGRAPHY

Part One

Samuel Charters, *The Country Blues,* London, 1961.

S. Finkelstein, *Jazz: A People's Music,* New York, 1948.

Isaac Goldberg, *Tin Pan Alley,* 2nd edition, New York, 1961.

Leroi Jones, *Blues People,* London, 1965.

Neil Leonard, *Jazz and the White Americans,* Chicago, 1962.

A. L. Lloyd, *Folk Song In England,* London, 1967.

Part Two

Brian Epstein, *A Cellarful of Noise,* London, 1964.

T. R. Fyvel, *The Insecure Offenders,* London 1961.

Royston Ellis, *The Big Beat Scene,* London, 1961.

D. S. Leslie, *Two Left Feet,* London, 1960.

George Melly, *Owning Up,* London, 1967.

Jeff Nuttall, *Bomb Culture,* London, 1969.

——, *The Shadows By Themselves,* London, 1961.

Part Three

To my knowledge there are no books about contemporary performers whose concerns are critical rather than biographical. The best writing about the songs themselves is to be found in periodicals, notably:

Melody Maker (weekly), London.

Rolling Stone (fortnightly), San Francisco and London.

Part Four

T. W. Adorno, 'On Popular Music', *Studies in Philosophy and Social Science*, New York, 1941.

Roland Barthes, *Elements of Semiology*, London, 1967.

Marshall McLuhan, *Understanding Media*, London, 1964.

B. Rosenberg & D. M. White (editors), *Mass Culture*, New York, 1957.